D0581433

Jule Brand

Der Teufel und andere himmlische Liebhaber

Roman

BASTEI LÜBBE TASCHENBUCH
Band 14512

1. Auflage: April 2001

Vollständige Taschenbuchausgabe

Bastei Lübbe ist ein Imprint der Verlagsgruppe Lübbe

Originalausgabe
© Copyright 2001 by Autor und
Verlagsgruppe Lübbe GmbH & Co. KG, Bergisch Gladbach
Titelfoto: Picture Press
Einbandgestaltung: K. K. K.
Satz: hanseatenSatz-bremen, Bremen
Druck und Verarbeitung: AIT Trondheim
Printed in Norway
ISBN 3-404-14512-7

Sie finden uns im Internet unter
http://www.luebbe.de

Der Preis dieses Bandes versteht sich einschließlich
der gesetzlichen Mehrwertsteuer.

Für Barbara, in Liebe und Freundschaft.
Und für jene sympathischen Leserinnen, die sich bei
amazon.de ein Happy-End für Kati gewünscht haben.

*Wenn ich zwischen zwei Übeln
zu wählen habe, dann nehme ich lieber das,
welches ich noch nicht ausprobiert habe.*

Mae West

Personen

(In der Reihenfolge ihres Auftretens)

Kati: steckt bis zum Hals in Schwierigkeiten und hat auch noch gegen den alten Grundsatz verstoßen: »Verliebe dich niemals in jemanden, der Hörner hat.«

Jaromir: hat Hörner, dort wo andere Männer ihre Geheimratsecken haben. Ein echter Teufelskerl.

Cosima: führt ein streng geheimes Tagebuch über ihren Schokoladekonsum, wandelt sich vom häßlichen Entlein zum strahlend schönen Schwan.

Professor Berlitz: ist Cosimas und Katis Dozent für Personalwirtschaftslehre und ein Nagel für Katis Sarg.

Julian Franke: ist Berlitz' wissenschaftlicher Assistent, nebenbei reicher Erbe, wäre aber lieber bettelarm.

Bernadette: ist Cosimas Cousine, die ihre Hochzeitsfeier plant und allen damit auf die Nerven fällt.

Arielle: ist Bernadettes Tochter und meist passend zum Hund in Schwarzweiß-getupft gekleidet.

Doris Gluboschinski: ist Katis Mutter, die mit ihrem Liebhaber Heiner und einer Menge Geld, das ihnen nicht gehört, nach Südamerika abdüst.

Tante Alicia: ist Katis Tante, die vor allem immer diesen einen Rat parat hat: »Wenn alle Stricke reißen, kannst du immer noch einen reichen Mann heiraten.«

Christoph von Hütwohl: Millionär und Brad-Pitt-Double.

Charmaine von Zanger: heißt eigentlich Heidelinde ohne von und möchte Christoph gern heiraten.

7

Seit zwei Wochen habe ich jede Nacht den gleichen Traum: Ich liege in der Badewanne, umhüllt von warmem, fluffigem Schaum. Ich trinke Sekt und denke an nichts Böses, da sitzt plötzlich jemand auf dem Wannenrand und schaut mich an. Es ist ein schwarzhaariger Mann mit blitzenden dunkelgrünen Augen, ziemlich unrasiert, die eleganten Leinensachen leicht zerknittert. Er sieht verboten gut aus, das einzig wirklich Merkwürdige an ihm sind die kleinen Hörner, die aus seinen dunklen Locken ragen, da wo andere Männer ihre Geheimratsecken haben. Aber selbst die sind irgendwie sexy.

Unter seinem süffisanten Lächeln löst sich der Badeschaum in nichts auf. Mein Herz fängt wie verrückt an zu klopfen, aber ich versuche, mir nichts anmerken zu lassen.

»Du schon wieder, Jaromir?« sage ich nur mit lässiger Stimme und greife nach meiner Sisalbürste, um mir scheinbar gleichgültig den Rücken zu schrubben.

Jaromir lacht. Es ist eine ziemlich dreckige Lache, aber irrsinnig sexy. Die Hand mit der Sisalbürste fängt an zu zittern. »Schon wieder ist gut. Wir haben uns immerhin anderthalb Jahre nicht mehr gesehen, Kati. Soviel ich weiß, hast du mich seither jeden einzelnen Tag schmerzlich vermißt.« Schon der Klang seiner Stimme reicht aus, meinen ganzen Körper unter Strom zu setzen, sogar meine Füße fangen an zu kribbeln. Ich fühle mich wie ein Tauchsieder.

»Ja, ich habe dich ungefähr so schmerzlich vermißt wie man ein Hühnerauge vermißt«, sage ich und bin froh, daß ich auch im Traum niemals rot werde, wenn ich lüge. »Aber ich hatte auch ohne dich genügend Ärger.«

»Ja, ja, ich weiß«, sagt Jaromir. »Das liegt einfach in deiner Natur. Aber hattest du auch genügend Spaß?«

An dieser Stelle fängt der Traum an, unwirklich zu werden. Von irgendwoher ertönt die Melodie des Hochzeitsmarsches – »Hier kommt die Braut ...«, das Badezimmer verwandelt sich in eine weiße Kutsche, die Badewanne in eine rotgepolsterte Bank in der Kutsche. Jaromir trägt plötzlich Frack und Zylinder, letzterer verbirgt seine Hörner, ersterer steht ihm verdammt gut. Ich bin leider immer noch nackt und halte die Sisalbürste in meinen Händen. Na ja, es ist ja nur ein Traum.

Die Kutsche rumpelt mit hoher Geschwindigkeit über einen Feldweg. Jaromir schiebt den golddurchwirkten Vorhang am Kutschenfenster zur Seite und zwinkert mir zu.

»Sie sind uns ziemlich dicht auf den Fersen«, sagt er. »Aber keine Angst, wir sind schneller als sie. Der gute Johann versteht es, das Äußerste aus den Schimmeln herauszuholen.«

»Wer, zur Hölle, ist uns auf den Fersen?« frage ich. »Und wer ist Johann? Und warum habe ich nichts an?«

»Woher soll ich das wissen, Kati?« fragt Jaromir zurück. »Schließlich ist das dein Traum und nicht meiner.«

»Gutes Mädchen«, sagt die Stimme meiner Tante Ali-

cia – wie kommt sie hierher? Soviel ich weiß, sitzt sie im Knast, die Gute – »Ich hab's ja immer gesagt: Wenn alle Stricke reißen, kann man immer noch einen reichen Mann heiraten.«

»Wenn er uns denn einkriegt«, sagt Jaromir und beugt sich aus dem Fenster. »He, Johann, nimm die Abkürzung durch den Fluß.«

Die Kutsche legt sich sogleich in die Kurve, macht einen heftigen Hopser, und plötzlich ist alles, was oben war, unten. Während ich meine Gliedmaßen sortiere, wache ich auf und liege in meinem Bett und habe den ganzen Unsinn nur geträumt.

Meistens bin ich schweißgebadet. Kein Wunder.

Man muß kein Meister in Traumdeutung sein, um von bösen Vorahnungen gepackt zu werden. Vierzehnmal hintereinander derselbe Traum – das kann kein Zufall sein.

Ich habe das ebenso ungute wie herrliche Gefühl, daß es bald ein Wiedersehen mit Jaromir geben wird. Und ganz offensichtlich steht eine Hochzeit ins Haus, vielleicht sogar meine Hochzeit. Dummerweise habe ich zur Zeit nicht mal einen Freund.

So oder so – es wird Ärger geben, das spüre ich in den Knochen.

1

Das bringst auch nur du fertig, Kati!« In Cosimas Stimme schwang unfreiwillige Bewunderung mit. »Gestern hattest du angeblich noch keine Zeile geschrieben, und heute liegt hier tatsächlich eine gebundene Hausarbeit auf dem Tisch! Kannst du zaubern?«

»Fünfundvierzig Seiten mit Anhang und Literaturverzeichnis«, schnurrte Kati zufrieden. »Gerade noch rechtzeitig. Ich habe Professor Berlitz das andere Exemplar vor einer halben Stunde in den Arm gedrückt, da war es noch warm vom Kopieren.« Sie streichelte zufrieden über den Klarsichtdeckel. *Theoretische und methodische Grundlagen für Personalführung und Arbeitseffizienz*, vorgelegt von Katarina Gluboschinski. Klingt zwar nicht gerade wie ein Thriller, aber doch gut, finde ich. So seriös und gewichtig.«

Cosima war beeindruckt. »Aber wie hast du das nur geschafft, in einer einzigen Nacht? Ich habe Wochen dafür gebraucht, mir etwas über die Erfolgskontrolle von Personalentwicklung aus der Nase zu ziehen.« Sie blätterte in Katis Hausarbeit und setzte mit einem Seufzer hinzu: »Und du siehst dabei nicht mal gestreßt aus.«

Cosima beneidete Kati von jeher um ihren glatten, perfekten Teint, der immer aussah, als habe sie, Kati, ausgiebig geschlafen und anschließend einen Spaziergang in frischer Bergluft unternommen, sogar dann noch, wenn Kati in Wirklichkeit die ganze Nacht in einer nikotingeschwängerten Pizzeria gekellnert hatte. Ihren eigenen Teint fand Cosima undankbar, schlecht durchblutet und zu Unreinheiten neigend, obwohl sie sich viel gesünder ernährte als Kati – wenn man von der vielen Schokolade mal absah –, immer für ausreichend Schlaf sorgte und seit neuestem sogar diese sündhaft teure Kosmetikserie mit feinen Schleifpartikel und Sauerstoffdepot benutzte. Das war nicht gerecht!

»Selbst ein Genie wie ich hätte wohl Schwierigkeiten, in einer einzigen Nacht eine wissenschaftliche Arbeit zu schreiben«, erwiderte Kati, »aber nett von dir, daß du's mir zutraust.« Sie schenkte Cosima ein Lächeln, und wie immer bewunderte Cosima die regelmäßigen, weißen Zähne und die beiden bezaubernden Grübchen in Katis Mundwinkeln. Cosima hätte glatt ihre Mutter verkauft, um solche Grübchen ihr eigen nennen zu können. Sie selber hatte nur Grübchen oberhalb des Popos vorzuweisen, aber wer sah die schon? Ungerecht!

»In Wirklichkeit habe ich die Hausarbeit natürlich nicht selber geschrieben«, sagte Kati. »Ich habe sie einem Kumpel abgekauft, oder vielmehr dessen Bruder, der Personalführung und den ganzen Mist schon vor ein paar Jahren bearbeitet hat. Natürlich nicht bei Berlitz.«

»Oh«, machte Cosima. »Aber das ist doch ...«

»... Betrug«, ergänzte Kati und fuhr kokett mit allen fünf Fingern durch ihren lockigen Blondschopf. (Für solche Locken hätte Cosima ebenfalls ihre Mutter verkauft, und ihren Vater gleich dazu. Sie hatte es einmal mit einer Dauerwelle probiert, aber anstatt kringeliger Engelslocken hatte sie nur eine Unmenge krauser

Haarbüschel vorzuweisen gehabt, die an die Putzwolle erinnerte, mit der ihre Mutter verkrustete Kochtöpfe zu reinigen pflegte. Ungerecht!)

»Betrug, o ja«, wiederholte Kati. »Aber immer noch besser als wochenlanges Herumhängen in der Bibliothek, weil die Bücher, die man braucht, gerade verliehen sind, und wenn man sie dann endlich ergattert hat, stundenlanges Brüten über der richtigen Formulierung.«

»Ja, aber ...«, sagte Cosima wieder, die wochenlang jeden Tag in der Bibliothek herumgehangen und später über der richtigen Formulierung gebrütet hatte. UN-GE ...

Kati winkte ab. »Da investiere ich doch lieber ein bißchen Geld in eine klitzekleine Diskette und mache mir vorher eine schöne Zeit. Ich habe das Ding in den Computer geschoben, Deckblatt und eidesstattliche Erklärung geändert, und schon hatte ich meine eigene Hausarbeit. Ausdrucken, kopieren, binden lassen, abgeben. Alles an einem Tag, völlig streßfrei.« Sie grinste. »Ich weiß, ehrlich gesagt, nicht mal genau, was drin steht. Der Bruder von meinem Kumpel hat aber seinerzeit eine Eins dafür bekommen, und das sollte mir genügen.«

Cosima sog scharf die Luft durch die Nase ein. »Dieser Bruder heißt nicht zufällig Peter Spitzenberger?«

»Doch«, sagte Kati verblüfft. »Woher weißt du denn das?«

»Na, weil's hier steht!«

»Das ist ausgeschlossen«, sagte Kati. »Ich habe, wie gesagt, die eidesstattliche Erklärung und das Deckblatt geändert.«

»Du hättest auch die Kopfzeile ändern sollen!« Cosima hielt Kati ihre Arbeit unter die Nase.

»Was für eine Kopfzeile?« fragte Kati begriffsstutzig.

»Die Zeile, du Schaf, die über jeder Seite steht. In diesem Fall: Peter Spitzenberger, Theoretische und methodische Grundlagen für Personalführung und Arbeitseffizienz, Hausarbeit Sommersemester 98.« Sie hielt inne. »Ha, auch das noch! Zwei Jahre alt, das Geschreibsel. Das Literaturverzeichnis wird komplett veraltet sein.«

»Das ist nicht komisch«, sagte Kati verzweifelt.

»Das finde ich auch«, erwiderte Cosima ernsthaft. »Was bitte soll daran komisch sein, wenn man durch so eine Dummheit sein ganzes Leben ruiniert? Du hast es doch hoffentlich nicht schon abgegeben?«

»Sicher habe ich es schon abgegeben, das sagte ich doch gerade! Zeig schon her!« Kati riß ihr die Hausarbeit aus der Hand und erbleichte. »O nein! Es stimmt wirklich.«

»Natürlich«, sagte Cosima entrüstet. »Meintest du, ich wollte dich bloß verarschen? Mit so was macht man doch keine Scherze.«

»Ich Idiot!« Kati schlug sich die flache Hand vor die Stirn. »Ich Volltrottel! Schwachkopf! Blötschbirne!«

»Das kann man wohl sagen«, bestätigte Cosima. »Also, wenn Professor Berlitz da nicht merkt, daß mit deiner Hausarbeit was nicht stimmt, dann müßte er wirklich blind sein! Ich an deiner Stelle wäre, glaube ich, lieber tot.«

»Ich dämliche Sumpfralle«, sagte Kati.

»Das hat man davon, wenn man betrügt«, konnte Cosima sich nicht verkneifen zu sagen. Es gab wohl doch noch so etwas wie ausgleichende Gerechtigkeit!

»Wieviel hast du denn dafür hingeblättert?« erkundigte sie sich neugierig. Aber Kati antwortete nicht.

»Ich unterbelichtete Flasche«, sagte sie, woraus Cosima schloß, daß es nicht gerade billig gewesen war, Peter Spitzenberger seine gesammelten Erkenntnisse über die Grundlagen der Personalführung abzukaufen.

»Also, den Schein für Personalwirtschaftslehre kannst du schon mal vergessen. Wenn nicht überhaupt das ganze Studium. Wahrscheinlich schmeißen sie dich raus«, sagte Cosima.

Kati starrte sie mit weit aufgerissenen Augen an. »Das würden die doch nicht machen? Nicht wegen so einer Kleinigkeit. Oder doch?«

Cosima zog nur ihre Augenbrauen hoch. »Wie gesagt, ich an deiner Stelle wäre lieber tot.«

Kati stöhnte. »Ich vertrotteltes Suppenhuhn! Ich Pechvogel!«

Jetzt bekam Cosima allmählich doch Mitleid mit ihrer Freundin. »Dreieinhalb Jahre Studium völlig umsonst! Das wäre ja wirklich, ähm, ärgerlich.«

Kati hörte auf, nach weiteren Schimpfworten zu suchen, mit denen sie sich bedenken konnte. Empörung machte sich in ihr breit.

»Umsonst?« rief sie aus. »Das waren die langweiligsten Jahre meines Lebens. Und das soll alles umsonst gewesen sein? Kommt gar nicht in Frage.«

»Was willst du machen? Professor Berlitz wird nicht mit sich reden lassen. Ich glaube nicht, daß er in diesem Fall ein Auge zudrücken würde.«

Kati schleuderte die unselige Hausarbeit zu Boden. »Ich werde jetzt die Kopfzeile ändern, das Ding neu ausdrucken und noch mal binden lassen. Dann gehe ich zu Berlitz und sage ihm, ich hätte aus Versehen mein Korrekturexemplar abgegeben. Und ob er so freundlich wäre, es gegen das richtige Exemplar einzutauschen ... Ja, so muß es gehen!« Mit zwei Sätzen war sie am PC und schaltete ihn ein.

»Wenn er nicht schon hineingeschaut hat«, unkte Cosima.

»Da muß ich halt auf mein Glück vertrauen«, stieß Kati mit zusammengebissenen Zähnen hervor. Ihre Wangen hatten sich vor Aufregung gerötet.

Allerliebst, dachte Cosima. Wäre ich an ihrer Stelle, hätte ich überall nur hektische rote Flecken vorzuweisen. Und einen dicken Streßpickel, der schneller wüchse, als man zugucken könnte. Vorzugsweise am Kinn. Oder mitten auf der Stirn. Es war und blieb ungerecht. Trotzdem war Cosima in diesem Augenblick heilfroh, nicht in Katis Haut zu stecken.

»Vielleicht hast du ja Glück«, sagte sie und seufzte. »Eigentlich hast du ja immer Glück.«

Laut Vorlesungsverzeichnis hatte Professor Berlitz an diesem Nachmittag eine Veranstaltung, wo er über Beamtenbesoldung und Ansätze der Dienstrechtsreform referierte, und Cosima und Kati warteten mit der korrigierten Hausarbeit am Ausgang des Hörsaals auf ihn.

»Danke, daß du mir helfen willst.« Kati verstrubbelte Cosimas braven Pagenkopf zu einem strähnigen, mausblonden Haargewirr.

»Hey, was soll das!« Cosima schubste sie zurück. »Hast du jetzt völlig den Verstand verloren? Ich habe heute morgen alles über der Rundbürste nach innen gefönt!«

»Ich will nur, daß du richtig abgehetzt aussiehst«, sagte Kati. »Damit Professor Berlitz auch Mitleid mit dir hat.«

»Frechheit«, sagte Cosima und versuchte ihre Frisur wieder zu glätten. »Ich weiß sowieso nicht, warum ich das überhaupt mache.«

»Weil du meine Freundin bist«, sagte Kati. »Und weil Berlitz dich noch von deinem wunderbaren Referat über Stellen- und Organisationspläne in Erinnerung hat.«

»Hm«, machte Cosima.

»Da kommt er«, flüsterte Kati, gab Cosima einen Stoß in die Rippen und verschwand in der Menge der herausströmenden Studenten.

Cosima seufzte und machte einen Schritt auf Professor Berlitz zu. »Herr Professor?«

Berlitz war ein kleiner Mann, mindestens zwei Zentimeter kleiner als Cosima, aber was ihm an Körpergröße fehlte, machte er durch einen arroganten, äußerst herablassenden Gesichtsausdruck wieder wett. »Ja, bitte?«

Cosima wäre am liebsten weggelaufen. »Ähm, ich, Sie kennen mich, ich bin in Ihrem Personalwirtschaftslehre-Seminar, ich habe meine Hausarbeit über ähm über Erfolgskontrolle geschrieben und jetzt ...«

»Tut mir leid, aber ich habe die Hausarbeiten noch nicht korrigiert, meine übereifrige, junge Dame. Soviel ich weiß, war heute erst der letzte Abgabetermin. Sie müssen sich schon noch ein wenig gedulden.« Professor Berlitz machte Anstalten weiterzugehen. Kati, die hinter seinem Rücken halb hinter einem Pfeiler versteckt war, fuchtelte wie wild mit ihren Armen in der Luft herum.

Cosima seufzte wieder und griff nach Professor Berlitz' Ärmel. »Ähm, ja, es geht eigentlich auch nicht um meine Hausarbeit, sondern um die meiner Freundin Kati ähm Katharina Gluboschinski. Wir wohnen zusammen, wissen Sie, also in einer Art WG, allerdings ist es meine Wohnung, eine Eigentumswohnung. Meine Eltern haben sie mir gekauft, damit ich auf eigenen Füßen stehe, drei Zimmer, Küche, Diele, Bad, Balkon, zentral und doch ruhig gelegen.«

Professor Berlitz runzelte die Stirn. »Ich wohne sehr bequem, danke, ich bin nicht an einem Umzug interessiert«, sagte er verwirrt.

»Natürlich nicht«, sagte Cosima und versuchte ein halbherziges Lachen. »Ich erzähle Ihnen das nur, weil ich möchte, daß Sie verstehen, wie es zu dieser ... also, meine Wohnung liegt mir sehr am Herzen, und Kati ist ausgesprochen unordentlich, müssen Sie wissen.« Cosima versuchte Katis böse Blicke zu ignorieren und sprach einfach weiter. »Also, manchmal, ja, da kann sie eine richtige Schlampe sein, und wenn dann schon modrige Gerüche aus ihrem Zimmer kommen, ja, da halte ich es einfach nicht mehr aus und fange an, aufzuräumen. Schließlich ist es ja meine Wohnung, nicht wahr, und ich bin dafür verantwortlich, oder? Diesmal habe ich auf Katis Schreibtisch Ordnung gemacht, die ganzen leeren Joghurtbecher weggeräumt, Altpapier, verkrustete Löffel, Berge von Bonbonpapier ...« Cosima war vorübergehend aus dem Konzept gebracht. Für einen Augenblick hatte sie vergessen, worauf sie eigentlich hinaus gewollt hatte. »Kati ißt immer Unmengen von Zuckerkram, wenn sie arbeitet, und ihre Zahnpflege ist wirklich äußerst flüchtig, sie nimmt höchstens einmal in der Woche Zahnseide, ich frage mich wirklich, womit sie sich ihre gesunden, weißen Zähne verdient hat, unsereins putzt wie blöde, geht ständig zum Zahnarzt und kaut auch noch Zahnpflegekaugummis, und trotzdem habe ich mehr Plomben als sie, ungerecht ist das, finden Sie nicht auch?«

Professor Berlitz antwortete nicht, sein Blick verriet einige Verwirrung und zunehmende Ungeduld. Kati hinter ihrem Pfeiler schüttelte den Kopf, verdrehte die Augen und ließ ihre Zunge heraushängen, alles gleichzeitig.

Cosima riß sich zusammen. »Na ja, jedenfalls habe ich also Katis Schreibtisch aufgeräumt und ähm – langer Rede kurzer Sinn, dadurch, daß ich in ihrem Chaos Ordnung hergestellt habe, hat Kati Ihnen heute morgen das falsche Exemplar der Hausarbeit ausgehändigt. Sie haben jetzt das Korrekturexemplar, und da hat sie ganz viel mit Rotstift herumgekrakelt.«

»Oh«, sagte Professor Berlitz, offensichtlich erleichtert, daß Cosima endlich zu einem Ende gekommen war. »Na ja, sagen Sie Ihrer Freundin, ein bißchen Rotstiftgekrakel macht mir nichts.« Wieder wandte er sich zum Gehen. Cosima griff noch einmal nach seinem Ärmel.

»Oh, nein, nein, Herr Professor, Ihnen macht das vielleicht nichts, aber Kati weint sich zu Hause die Augen aus dem Kopf. Sie hat schreckliche Angst, daß sich das auf ihre Note auswirken könnte, und was sie mir für diesen Fall angedroht hat, möchte ich Ihnen lieber gar nicht erst sagen. Es sind ja nicht nur Korrekturen mit Rotstift zu sehen, sondern auch Kaffeeflecken und Nasenpopel und ...«

Kati war in verzweifelter Pantomimenpose neben dem Pfeiler zusammengesunken und hatte sich die Hände vors Gesicht geschlagen.

»... und Telefonnummern und obszöne Zeichnungen und was alles sonst noch auf keinen Fall in eine Hausarbeit gehört«, fuhr Cosima unbeirrt fort.

Professor Berlitz' Augenbrauen waren bis an den Haaransatz hochgezogen, er sah aus, als wäre er am Ende seiner Nerven. »Ich habe immer noch nicht verstanden, was Sie eigentlich von mir wollen. Aber wissen Sie was, erzählen Sie das alles meinem wissenschaftlichen Assistenten, der hat die Hausarbeiten bei sich. Raum 311. Und jetzt muß ich wirklich los, Fakultätskonferenz.«

Cosima sah ihm mit offenem Mund hinterher. »Ja, aber ...«

»Hör schon auf!« Kati packte sie von hinten im Nakken. »Deinetwegen muß er jetzt zwei Aspirin schlukken. Was sollte denn der Mist mit den obszönen Zeichnungen, Nasenpopeln und Telefonnummern! Du hast sie wohl nicht mehr alle! Und als ob jemals modriger Geruch aus meinem Zimmer gekommen wäre, also wirklich!«

»Sollte ich vielleicht sagen, daß du vergessen hast, den Namen des wirklichen Verfassers aus der Kopfzeile zu löschen?« zischte Cosima zurück. »Also, wenn du mich schon für deine Zwecke einspannst, mußt du mir auch ein bißchen Spielraum zum Improvisieren lassen, klar?«

»Ja, ganz klar.« Kati rupfte ihr die Hausarbeit aus der Hand. »Den wissenschaftlichen Assistenten übernehme ich! Und vielen Dank auch.«

»Gern geschehen«, sagte Cosima beleidigt.

Julian Franke saß an dem wackligen Schreibtisch, den Professor Berlitz für ihn beim Hausmeister »organisiert« hatte, und starrte mißmutig auf die Papier- und Aktenberge, die sich überall in dem winzigen Raum auftürmten. Seine Freude und sein Stolz, von Professor Berlitz, der gefragtesten Koryphäe der Betriebswirtschaft bundesweit, unter zweihundertunddreiundsiebzig Bewerbern als wissenschaftlicher Assistent ausgewählt worden zu sein, hatte sich nach drei Tagen in diesem Gelaß schon beinahe wieder verflüchtigt.

»Die Universität hat uns leider keine zusätzlichen Räumlichkeiten zugebilligt«, hatte Berlitz gesagt, als er Julian in den winzigen Raum geführt hatte, in dem er seine Akten aufbewahrte, und das offenbar seit Anbeginn der Zeitrechnung. »Aber wenn Sie ein bißchen Platz schaffen, wird es sicher sehr gemütlich werden. Allein der Blick aus dem Fenster ...« – dabei zeigte er auf das halbblinde kleine Fensterchen, das zur Hälfte von Aktenordnern verdeckt war, die sich auf der Fensterbank türmten – »... ist Gold wert. Ja, ich hätte beinahe Lust, mit Ihnen zu tauschen, mein Junge.«

»Dann tun Sie's doch«, hätte Julian um ein Haar gesagt. Nicht, daß er auch nur einen Sekunde lang geglaubt hätte, Professor Berlitz' Bemerkung sei ernst gemeint, im Gegenteil. Der Professor residierte in einem riesengroßen Eckbüro mit Magahonitäfelung, und in seinem hellen, ebenfalls geräumigen Vorzimmer saß eine langbeinige und vollbusige Sekretärin. Auch wenn weder Mahagonitäfelung noch Sekretärin Julians exquisitem Geschmack entsprachen, hätte er sofort diese eingestaubte, finstere Bruchbude gegen beides eingetauscht. Hier gab's ja nicht mal ein Telefon!

Aber dann hatte er sich zur Ordnung gerufen. Schließlich hatte er es nicht anders gewollt. Als wissenschaftlicher Assistent und Doktorand war man nun mal nicht auf Daunen gebettet. Das hier war das wahre Leben, und das war eben kein Zuckerschlecken.

»Es wird schon gehen«, hatte er also tapfer gesagt und sich daran gemacht, einen Großteil der Akten in den Archiven im Keller zu entsorgen. Anschließend hatte er ausgiebig gelüftet und festgestellt, daß der Blick aus dem Fenster wirklich nicht übel war. Man blickte über den Dozentenparkplatz in den Park mit Weiher. Sehr schön. Aber es war und blieb eine Bruchbude. Die Vorstellung, hier die nächsten zwei Jahre zu verbringen, war ziemlich trostlos.

Er hörte wieder die Stimme seiner Mutter.

»Meinst du nicht, du hast jetzt lange genug den armen Studenten gespielt, mein Sohn? Du hast doch längst allen bewiesen, daß du eben nicht reich und verwöhnt, sondern klug und ehrgeizig bist und auch ohne Sondervergünstigungen deinen Weg gehen kannst. Das Doktorat und diese unterbezahlte Assistentenstelle mußt du dir nun wirklich nicht noch antun. Dir gehören sechzig Prozent einer Firma, die jährlich achtunddreißig Millionen Mark Umsatz macht, und wenn ich du wäre, würde ich endlich das Büro des Geschäftsführers von *Franke und Dublitzer* beziehen und anfangen, meine Geschäfte auf dem Golfplatz abzuwickeln.«

»Ja, aber du bist nicht ich«, hatte Julian erwidert und

pathetisch hinzugefügt, daß er unter normalen Menschen mit normalen Vorstellungen und Bedürfnissen leben und arbeiten wollte und nicht ausschließlich unter solchen, die nicht wüßten, wohin mit ihrem Geld.

»Menschen«, hatte er gesagt, »die mal eben ihren Privatjet losschicken, um ihren Lieblingskaffee zu besorgen, sind nicht normal!«

Seine Mutter hatte ihn leicht konsterniert angeschaut. »Wer hat denn so etwas getan?«

»Ähm, Britney Spears, glaube ich«, hatte Julian erwidert. »Hab' ich beim Friseur gelesen. Was ich aber eigentlich damit sagen wollte, ist ...«

»Und wer bitte ist Britney Spears?« hatte seine Mutter gefragt. »Eine Freundin von dir?«

»Nein«, hatte Julian geseufzt. »Eine Sängerin. Worauf ich hinaus will ist, daß ich das wahre Leben kennenlernen will, mit seinen Höhen und Tiefen, mit seinen Nöten und Widrigkeiten, bevor ich mich ins gemachte Nest setze. Und dazu gehört eben auch, daß man mit wenig Geld auskommen muß. Normale Menschen verfügen eben nicht über unbegrenzten Reichtum, sie müssen mit dem, was sie verdienen, ihre Miete bezahlen, Strom, Wasser, Gas, Essen, Versicherungen ...«

Seine Mutter hatte ihn angesehen, als habe er den Verstand verloren. »Aber das müssen wir doch auch alles von dem bezahlen, was wir verdienen, ich verstehe nicht, wo der Unterschied liegt.«

»Der Unterschied liegt in der Höhe des Verdienstes«, hatte Julian gesagt und geseufzt. »Normale Menschen stoßen automatisch an ihre Grenzen, was das Geldausgeben angeht. Und ich möchte eben auch mal an meine Grenzen stoßen, verstehst du nicht, daß das wichtig ist?«

»Nein«, hatte seine Mutter gesagt und war mit ihren Gedanken wieder zurück zu Britney Spears gewandert. »Und sie hat wirklich ihren *Privatjet* Kaffee holen geschickt? Dekadent!«

Ein Klopfen schreckte Julian aus seinen Gedanken. Jemand streckte seinen Kopf zur Tür hinein. Es war ein lockiger, goldblonder Kopf mit einem jungen, hübschen Mädchengesicht, das ihn freundlich anlächelte. Julian lächelte automatisch zurück.

»Hallo, ist das wirklich Zimmer 303? Ich meine, es steht zwar vorne drauf, aber ...«

»Ja, das ist wirklich 303«, sagte Julian. »Was kann ich für Sie tun?«

»Ich soll hier ... ach herrje, das ist Professor Berlitz' Büro?« Die Tür wurde weiter aufgestoßen, und unter dem Lockenkopf wurde eine schlanke, wohlproportionierte Gestalt in Jeans und T-Shirt sichtbar.

»Hatten Sie es sich anders vorgestellt?« erkundigte sich Julian.

»O ja«, sagte der Blondschopf lebhaft. »Viel größer natürlich, mit so einem altenglischen Monstrum von Schreibtisch mit Ledereinlage und lauter natürlich selbstverfaßten Büchern in Mahagoniregalen und einem gerahmten Poster, wie Berlitz Kanzler Kohl die Hand schüttelt.«

Julian mußte grinsen. Besser hätte er Professor Berlitz' Büro gar nicht beschreiben können. Nur daß es kein Foto mit dem Ex-Kanzler gab, aber dafür eins mit dem Ex-Bundespräsidenten. »Das ist ja auch nicht Professor Berlitz' Büro, sondern meins. Ich bin Julian Franke, sein wissenschaftlicher Assistent.«

»Sieh mal einer an. Ich hätte schwören können, Professor Berlitz nimmt nur weibliche Assistenten an. Solche mit Körbchengröße Doppel D und einem bewundernden Augenaufschlag.«

Julians Grinsen vertiefte sich. »Sie beschreiben soeben seine Sekretärin«, sagte er. »Die Assistenten stellt er in erster Linie ein, damit sie seine Arbeit machen.« Es tat ihm richtig gut, einmal so respektlos über seinen Chef zu sprechen.

Das Mädchen lachte, wobei ihre schneeweißen, regelmäßigen Zähne sichtbar wurden. »Sie sind aber mutig! Ich könnte schließlich Professor Berlitz' Tochter sein und petzen, was Sie gerade gesagt haben.«

»Und, sind Sie's?«

»Nein, wir sind nicht verwandt«, sagte der Blondschopf. »Glaube ich jedenfalls, in unserer Familie kann man sich da leider nie so sicher sein.« Sie streckte Julian ihre Hand hin. »Ich bin Kati Gluboschinski, eine von Berlitz' Studentinnen.«

»Und was kann ich für Sie tun, Kati?« Julian schüttelte die schmale Hand. Das liebte er so am Universitätsleben: Man kam ununterbrochen mit so erfrischend *anderen* Menschen zusammen. Auf den schicken Partys seiner Freunde und Bekannten wäre er einem Mädchen wie Kati nie begegnet. Selbst unter Drogen ging dort niemand so weit aus sich heraus.

»Professor Berlitz sagte, Sie verwahren seine Hausarbeiten hier auf«, sagte Kati.

Julian nickte. Aufbewahren war allerdings eine schlichte Untertreibung, denn Professor Berlitz hatte ihm einen Riesenstapel Hausarbeiten und ausgearbeitete Referate zur Benotung überlassen.

»Ich schau dann am Schluß noch mal drüber, aber ich vertraue ganz Ihrem fachmännischen Urteil, mein Junge«, hatte er gesagt. »Und benoten Sie bitte nicht allzu großzügig, ich muß mir doch meinen Ruf als scharfer Hund wahren.«

»Ich habe heute morgen meine Hausarbeit abgegeben, aber leider zu spät bemerkt, daß es das falsche Exemplar war«, fuhr Kati fort und deutete auf die gebundene Arbeit in ihrer Hand. »Das hier ist das richtige Exemplar, und Professor Berlitz, den ich auf dem Weg zur Fakultätskonferenz traf, sagte, ich solle es eben bei Ihnen gegen das andere eintauschen.«

»Welches Fach?« fragte Julian.

»Personalwirtschaftslehre«, sagte Kati. »Der Name ist Katarina Gluboschinski.«

Julian stand auf und suchte nach dem Stapel mit den Hausarbeiten vom Personalwirtschaftslehre-Seminar. Katis Hausarbeit lag gleich obenauf. »Theoretische und methodische Grundlagen für Personalführung und Arbeitseffizienz«, las er laut. »Vorgelegt von Katarina Gluboschinski«

»Das ist sie«, sagte Kati und hatte ihm die Arbeit unter der Hand weggezogen, bevor er die Adresse hatte lesen können. »Lauter Druckfehler und Randnotizen. Peinlich. Hier, nehmen Sie diese hier. Und geben Sie mir eine gute Note, ja?«

»Ich werde mich bemühen«, sagte Julian und sah unschlüssig zwischen Kati und dem Deckblatt ihrer Arbeit hin und her. »Sie wohnen in der Mailänder Straße? In dem Studentenwohnheim?«

»Aber nein«, sagte Kati. »Das Studentenwohnheim in der Mailänder ist grauenhaft, waren Sie da noch nie drin? Ich glaube, die Architekten haben vergessen, Fenster einzubauen. Es ist schrecklich düster und hellhörig, und die Zimmer sind ungefähr so gemütlich und geräumig wie eine Einzelzelle in Stammheim. Oder wie das hier. Nein, ich wohne in einer WG am anderen Ende der Straße.«

»Oh, eine richtige WG?« fragte Julian interessiert. Kein Mensch in seinem Bekanntenkreis lebte in einer Wohngemeinschaft. Sie hatten alle entweder ein Penthouse mit Swimmingpool oder eine Villa mit Garten. Oder beides. Nur er hatte eine seinem Verdienst angemessene Zwei-Zimmmer-Wohnung im Universitätsviertel gemietet, über deren bescheidene Ausmaße seine Mutter regelmäßig den Kopf schüttelte. Sie weigerte sich auch zu glauben, daß es Menschen gab, die Julian wegen Größe und Lage der Wohnung für einen absoluten Glückspilz hielten.

»Na ja«, sagte Kati. »Die WG besteht eigentlich nur aus mir und einer Freundin. Wir waren mal zu dritt, aber Frederic ist nach dem Studium für ein Jahr nach Indien gegangen. Er schickt uns wöchentlich lange Episteln, in denen er uns über das Elend dort auf dem laufenden hält. Und natürlich haben wir auch ein Haustier, einen Frosch, den Cosima in einem riesigen Terrarium hält und den sie Prince Charming genannt hat. Sie hat ihn schon mal geküßt, aber er ist trotzdem ein Frosch geblieben.«

Julian sah sie entzückt an. Ob sie eigentlich wußte, wie unglaublich süß sie war? Allein diese winzig kleinen Sommersprossen auf der Nase ...

»Sagen Sie mal, Kati ...«

»Ja?« Kati lächelte ihn aufmunternd an.

»Ich dachte gerade ... Sie würden nicht vielleicht mal mit mir essen gehen?«

»Doch, gerne«, sagte Kati. »Rufen Sie mich an. Meine Telefonnummer steht auf der Hausarbeit.«

»Und, wie war's?« fragte Cosima, die am Ende des Ganges auf Kati gewartet hatte.

»Den mußt du dir unbedingt angucken«, sagte Kati. »Der sieht aus wie Doktor Carter aus Emergency Room. Unglaublich süß! Schade, daß er nicht mein Typ ist. Na ja, aber was soll's. Es ist sowieso nicht gut, auf einen bestimmten Typ fixiert zu sein. Macht unflexibel.«

»Konntest du die Hausarbeiten austauschen?« fragte Cosima.

»Ja, ja, kein Problem. Hoffentlich ruft er mich an.«

»Warum sollte er?«

»Weil ich ihm mindestens so gut gefallen habe wie er mir«, sagte Kati selbstsicher. Gutgelaunt nahm sie Cosima in den Arm. »So, das ist noch mal gutgegangen! Ich dachte schon, das sei der Anfang vom Ende ... na, lassen wir das. Komm, Cosima, wir gehen eine Pizza essen! Du hast es zwar total vermasselt, aber was zählt, ist schließlich der gute Wille.«

Cosima sah auf die Uhr. »Der Italiener hat noch geschlossen. Außerdem hat Pizza so wahnsinnig viele Kalorien, und ich bin schon so fett wie ein Walroß.«

»Ach, jetzt fängt das schon wieder an«, seufzte Kati. »Na gut, du Walroß. Gehen wir statt dessen ein Eis essen.«

»Das ist besser«, sagte Cosima. »Fruchtsorbet ist ganz ohne Fett. Man kann davon gar nicht zunehmen.«

»Und gesund ist es auch noch, was?«

»Sicher. Wahnsinnig viele Vitamine. Sag mal ganz ehrlich, Kati, schwabbelt mein Hintern in dieser Jeans *sehr*?«

Kati schaute eine Weile auf Cosimas Po, während Cosima stramm voraus schritt, schnellen Schrittes auf die Eisdiele zu.

»Nein, da schwabbelt nichts. Wieso, hast du einen Vibrator verschluckt?«

»Haha, sehr witzig«, fauchte Cosima. »Es ist nur, ich habe das Gefühl, mein Hintern ist noch größer geworden. Irgendwie galaktisch. Dafür wird mein Busen immer kleiner. Meinst du, das sind schon Alterserscheinungen?«

»Nein, das sind einfach nur deine Komplexe. Die hattest du immer schon«, sagte Kati. Die Septembersonne schien warm und freundlich und zauberte beinahe italienische Verhältnisse in die graue Stadt. An den Tischen vor der Eisdiele lümmelten sich sonnenhungrige Studenten und leckten Waffeleis, junge Mütter trafen sich zu einem Plauderstündchen mit Spaghettieis, die sperrigen Kinderwagen um sich herumdrapiert wie eine Wagenburg im Wilden Westen, und Rentner löffelten Birne Helene und fütterten heimlich ihre Hunde, die zu ihren Füßen ans Tischbein gekettet saßen, mit Vanilleeis. Zielstrebig steuerte Kati auf den einzigen freien Tisch zu und ließ sich auf den Stuhl fallen, den eine ältere Dame mit Hut soeben zu entern dachte.

»Unverschämtheit«, sagte die Dame.

»Wer zuerst kommt, mahlt zuerst«, erwiderte Kati ungerührt und wandte sich wieder Cosima zu. »Es hat überhaupt keinen Zweck, dir zu sagen, daß du nicht zu dick bist, du glaubst es ja doch nicht!«

»Allerdings nicht«, schnaubte Cosima und griff nach der Eiskarte, während die ältere Dame grummelnd und fluchend das Weite suchte. »Hm, Stracciatellabecher! Göttlich! Wo waren wir stehengeblieben? Ach ja: Guck dir doch nur mal meinen Bauch an! Der könnte glatt als Aktentasche durchgehen, wenn man einen Reißverschluß reinmachte!«

»Na klar, und wenn man deine Beine mit Plakaten beklebte, würde jedermann sie für Litfaßsäulen halten«, sagte Kati.

»Genau«, sagte Cosima und steckte den Kopf wieder in die Eiskarte. »Ich glaube, ich nehme wohl besser was mit Obst. Hier, der Beeren-Coupe, fünf Sorten Fruchteis, rote Grütze und Sahne. Wie klingt das?«

»Sehr gesund. Sag mir mal, wie jemand dich schön finden soll, wenn du selber so wenig von dir hältst?«

»Genau das ist ja das Problem.« Cosima seufzte schwer. »Vielleicht sollte ich für eine Fettabsaugung sparen. Was meinst du, wie teuer das wäre, zehn Kilo Fett wegsaugen zu lassen? Oder elf, wenn ich schon mal dabei wäre.«

Kati antwortete nicht. Sie starrte auf einen dunkelhaarigen Mann, der an der Theke stand und ihnen den Rücken zudrehte.

»Schöner Hintern«, sagte Cosima. »Kennst du den?«

»Drei Bällchen in der Waffel«, verlangte der Mann. »After Eight, Tiramisu und Waldbeere.«

»Was für eine Kombination«, sagte Cosima und schüttelte sich. Der Mann nahm sein Eis entgegen, drehte sich um und ging. Kati entfuhr ein langer, erleichterter Seufzer.

»Nein, den kenne ich nicht«, sagte sie. »Er hat mich nur im ersten Augenblick an jemanden erinnert.«

»Jemand Nettes?«

»Jemand teuflisch Nettes«, sagte Kati.

Cosimas streng geheimes Tagebuch

12. September, 16 Uhr

So geht es nicht weiter. Bin 25 Jahre, vier Monate und zwei Tage alt, mein Leben ein einziges unorganisiertes Desaster. Muß etwas dagegen unternehmen oder mich von Autobahnbrücke stürzen. (Wäre zwar keine schöne Leiche, aber könnte sichergehen, daß sich niemand über meine Cellulitis mokieren kann, wenn ich aus vierzig Metern Höhe auf den Asphalt knalle und von einem LKW überrollt werde.)

Aktuelle Probleme:
- Habe mindestens zehn Kilo Übergewicht, das Fett schwabbelt nur so um mich herum. Allein mein Doppelkinn wiegt mindestens ein Kilo.
- Habe keinen Ehemann, keinen Freund, nicht mal einen potentiellen Liebhaber. (Obwohl ich mir nicht sicher bin, ob der ewig Besoffene vom Kiosk gegenüber nicht mit mir ins Bett ginge, wenn ich es darauf anlegte. Er guckt immer so lüstern. Zählt aber nicht. Leider.)

- Bin kinderlos. Die biologische Uhr tickt. Alle Frauen in meinem Alter, alle meine Schulfreundinnen und alle meine Cousinen haben bereits Nachwuchs, sogar Bernadette die Scheußliche. Und/oder eine Karriere. Und/oder einen Ehemann. Und/oder ein Cabrio. Alle außer Kati natürlich. Die sieht allerdings wenigstens so toll aus, daß sie ständig von irgendwelchen wissenschaftlichen Assistenten zum Essen eingeladen wird. Und sie hat kein bißchen Cellulite.
- Habe dicken Pickel an Nasenwurzel, kleineren Pickel am Kinn, Minipickelkolonie an Schläfe.

Zusammenfassend: Bin eine wandelnde Katastrophe. Hilft aber nichts, zu jammern und zu klagen, muß etwas unternehmen. Ab morgen werde ich Diät halten, täglich eine halbe Stunde Anticellulite-Gymnastik machen und die Pickel abwechselnd mit Heilerde-Seetang-Masken und Kamillentinktur behandeln. Wenn ich dann einigermaßen gut aussehe, wird sich die Sache mit dem Mann automatisch ergeben. An einer Karriere bin ich nur ersatzweise interessiert, sehe aber zu, daß ich das Studium fertig mache und eine ordentliche Stelle bekomme. Nach neuesten Statistiken lernen sich 40 Prozent aller Paare bei der Arbeit kennen. Hm, hm, habe Hunger. Werde einkaufen und etwas Gesundes kochen. Brauche solide Grundlage für die Diät ab morgen.

19 Uhr

Habe Lasagne gemacht, mit ganz magerem Rindergehacktem und Maggifix für Lasagne. Das ganze nur mit einem winzigen Schluck Sahne verfeinert. Dazu Gurkensalat mit frischem Dill. Sehr gesund. Kati war begeistert und hat ziemlich zugelangt. Möchte gerne mal wissen, warum SIE essen kann wie ein Pferd, ohne ein Gramm zuzunehmen! Gut, daß ich zwei Tüten Maggifix gekauft hatte und genügend Hackfleisch, sonst wäre ich niemals satt geworden. Zum Nachtisch gab es Karamelpudding mit echtem Karamel und glasierten Mandeln. Habe die restliche Sahne zum Pudding geschlagen, wäre doch eine Schande, sie wegzuwerfen. Ja, wenn wir eine Katze hätten, dann bräuchten wir nicht alles selber zu essen, aber so ... Sahne war aber nur halb so schlimm, weil mit Natreen gesüßt. Dazu hatten wir Rotwein. Nur ein Glas jeden Tag beugt Herzkranzgefäßerkrankungen vor. Zwei beugen doppelt vor. Perfekt.

21 Uhr

Fühle mich dick und scheußlich. Kein Wunder, nach der Völlerei vorhin. Bin sogar zu vollgefressen für Anticellulitegymnastik (ACG). Fange morgen damit an. Werde erst mal mit zwei Safttagen zum Entschlacken beginnen. In spätestens drei Wochen bin ich ein neuer, verbesserter Mensch. Volumen von Pickel an Nasenwurzel hat sich mindestens verdoppelt. Schätze, die ganze Schlagsahne hat sich dort gesammelt. Kann morgen also nicht mal vor die Tür gehen, um mich von Autobahnbrücke zu stürzen.

2

Kati!« brüllte Cosima direkt in Katis Ohr und rüttelte sie gleichzeitig heftig. Erfahrungsgemäß wachte sie davon am schnellsten auf.

»Was'n los?« Kati schubste Cosima beiseite und setzte sich auf. »Ich glaube, mein Trommelfell ist geplatzt! Mußt du denn immer so schreien?«

»Telefon«, sagte Cosima und setzte mit ernster Stimme hinzu. »Deine Mutter.«

»Meine Mutter?« wiederholte Kati und vergaß ihr geplatztes Trommelfell auf der Stelle.

»Na ja, die Frau behauptet jedenfalls, deine Mutter zu sein«, sagte Cosima. »Ich hab' mich auch gewundert. Ich dachte, ihr sprecht nicht mehr miteinander! Hat sie dich nicht sogar enterbt?«

»O ja«, sagte Kati und schälte sich aus der Bettdecke. »Mehrfach. Allerdings hat sie gar nichts zu vererben. Was will sie denn? Ich habe vier Jahre nichts von ihr gehört und gesehen, und das war auch gut so.«

»Wahnsinn!« Cosima folgte Kati in den Flur hinaus. »Vier Jahre absolute Ruhe! Ich sehe meine Eltern jeden Sonntag, und jeden Sonntag muß ich mir einfach alles über meine wunderbaren Cousinen und deren wunderbare Ehemänner und Kinder anhören. Und dabei lächeln und Torte essen, sonst ist meine Mutter beleidigt. Aber wehe, wenn ich ein zweites Stück nehme, dann sagt sie gleich, wie schlank die wunderbare Bernadette doch sei, und das trotz des wunderbaren Babys. Hach!«

Kati nahm den Telefonhörer auf. »Hallo?«

»Hier ist Doris Gluboschinski, deine Mutter«, sagte ihre Mutter am anderen Ende der Leitung.

»Ich weiß, wie du heißt, Do-... Mutti. Aber weswegen rufst du an?«

»Als deine Mutter werde mich doch wohl mal nach deinem Befinden erkundigen dürfen«, sagte ihre Mutter in leicht beleidigtem Tonfall.

»Mir geht es gut, danke, und selbst?«

»Blendend«, sagte ihre Mutter. »Könnte gar nicht besser gehen.«

»Das ist ja fein«, sagte Kati und zerbrach sich den Kopf darüber, was ihre Mutter wohl bewegt hatte, sie anzurufen. Vielleicht hatte eine unheilbare Krankheit sie ereilt, und nun wollte sie noch ein letztes Mal ... – nein, ausgeschlossen. Die Gluboschinskis wurden alle steinalt, obwohl sie soffen und rauchten, was das Zeug hielt. Aber was führte sie dann im Schilde?

»Und, studierst du immer noch Jura, Kind?«

»Nein, ich studiere Betriebswirtschaftslehre, Mutti. Immer schon. Zur Zeit bereite ich mich auf mein Examen vor«, sagte Kati. »Was macht Tiffany?« Tiffany war die schneeweiße, bösartige Perserkatze ihrer Mutter.

»Tiffany ist letztes Jahr gestorben«, sagte ihre Mutter. »An Altersschwäche.«

»Wie traurig«, log Kati. Tiffany, das Biest, war ganz sicher in der Katzenhölle gelandet, wenn es denn so etwas gab. »Und wie geht es Tante Alicia? Ich träume in letzter Zeit öfter von ihr.«

»Alicia geht es soweit ganz gut«, sagte ihre Mutter.

»Sie ist wieder auf freiem Fuß und hat noch einmal geheiratet. Den Gefängnispsychologen. Hoffentlich ergeht es dem armen Kerl besser als den letzten beiden Ehemännern.«

»Er ist sicher vermögend.« Kati mußte an ihren Traum denken. *Wenn alle Stricke reißen, kann man immer noch einen reichen Mann heiraten.* »Und Schokoladenonkel Pitt? Lebt der noch?«

»Pitt und ich, wir haben uns schon vor *Ewigkeiten* getrennt«, sagte ihre Mutter. »Ich bin jetzt mit einem Anlageberater zusammen. Ein ganz anderes Kaliber als Pitt. Wir sind gerade von den Malediven zurückgekehrt.«

»Das ist toll, Mutti«, sagte Kati und gähnte. Ihr fiel niemand mehr ein, nach dem sie sich erkundigen konnte. Was wollte die Frau von ihr? Sollten sie nach so vielen Jahren endlich Muttergefühle überkommen haben? Wohl kaum.

»Heiner ist ein Genie«, sagte ihre Mutter und meinte offenbar den Anlageberater, das ganz andere Kaliber. »Er berät die ganz Großen, die Adeligen, die Industriellen, die Stars, die Schwerreichen.«

»Das ist ja toll für Heiner«, sagte Kati kühl. Der neue Lover ihrer Mutter interessierte sie so wenig wie das Schwarze unter ihren Fingernägeln. Sie hatte ihre Kindheit unter dem Einfluß verschiedenster »Onkel« verbracht, die jeweils die ganze Aufmerksamkeit ihrer Mutter für sich beansprucht und ihr keine Zeit gelassen hatten, sich um die kleine Tochter zu kümmern. Bereits im Alter von fünf Jahren hatte Kati daher selbständig einkaufen und eine schmackhafte Mahlzeit in der Mikrowelle zubereiten können. Mit acht hatte sie es bereits blendend verstanden, Gerichtsvollziehern, Ex-

Lovern und anderen lästigen Menschen, die ihrer Mutter ans Portemonnaie wollten, phantasievolle Lügen aufzutischen. Mit zehn hatte sie sich ihr Taschengeld verdient, indem sie sich, inspiriert von Erich Kästners »Pünktchen und Anton«, blind gestellt und in der Fußgängerzone gebettelt hatte. Ihre Mutter hatte sie verprügelt, als sie davon erfahren hatte, und Onkel Bill – oder war es Onkel Willi gewesen? – hatte ihr das ganze schöne, mühsam erbettelte Geld wieder weggenommen. Von da ab hatte sie aufgepaßt, daß man sie bei nichts mehr erwischte. Als sie siebzehn geworden war, hatte ihre Mutter sie rausgeschmissen, weil die »Onkel« angefangen hatten, die Tochter hübscher als die Mutter zu finden. Seither hatte der Kontakt zwischen ihnen nur noch sehr sporadisch stattgefunden und war die letzten vier Jahre ganz eingeschlafen.

Bis heute.

»Im Augenblick hat Heiner da einen ganz heißen Tip«, fuhr ihre Mutter fort. »Eine Ferienanlage auf den Malediven, traumhaft sage ich dir, und eine wahre Goldgrube. Seine Investoren machen im ersten Jahr vierundzwanzig Prozent Gewinn, im vierten Jahr sind es bereits dreißig Prozent.«

»Das klingt gut«, sagte Kati, wider Willen interessiert. Sie selber hatte die stolze Summe von sechzigtausend Mark in Aktienfonds angelegt, die nicht annähernd so viel Zinsen abwarfen. Aber immerhin hatte sie das kleine Vermögen in den letzten anderthalb Jahren um mehr als sechstausend Mark vergrößert. Abzüglich der Depotkosten.

»Das klingt nicht nur gut, das ist auch gut«, versicherte ihre Mutter. »Ich würde sofort einsteigen, wenn ich etwas übrig hätte. Nach fünf Jahren wird das Geld wieder frei, die Zinsen bekommt man halbjährlich ausgezahlt. Und weißt du, was das Beste ist? In der ganzen Zeit kann man umsonst dort Urlaub machen. Vollpension und Tauchkurs inclusive.«

»Wirklich verlockend«, sagte Kati neidisch. Warum hatte ihr Banker ihr nicht so einen Deal vorgeschlagen anstatt langweiliger Aktienfonds?

»Du hast nicht zufällig Geld, Katilein?« erkundigte sich ihre Mutter.

»Ich bin Studentin, wie du weißt«, sagte Kati vorsichtig. »Da häuft man in der Regel keine Reichtümer an.«

Ihre Mutter seufzte hörbar. »Na ja, war ja nur eine Frage. Die Gelegenheit ist so günstig, und da dachte ich, ich gebe dir eine Chance. Schließlich bist du ja meine Tochter, nicht wahr? Heiner sagt, ich soll allen meinen Bekannten und Freunden Bescheid sagen, oder besser nur denen, denen ich es gönnen würde, reich zu werden und kostenlos auf den Malediven zu residieren. Fünf Sterne. Na ja, und wenn ich ehrlich bin, so viele Leute gibt es nicht, denen ich das gönne. Aber wenn du nichts hast, kann man natürlich auch nichts machen.«

»Ein *bißchen* Geld hätte ich vielleicht schon«, sagte Kati zögerlich. Die Fonds-Anteile konnte man schließlich jederzeit verkaufen.

»Wieviel?« fragte ihre Mutter.

»Wieviel müßte ich denn haben?« fragte Kati zurück.

»Der Mindesteinstieg liegt bei zehntausend, ab fünfzigtausend tritt die Urlaubsregelung in Kraft«, spulte ihre Mutter flüssig herunter. »Vier Wochen pro Jahr kostenlos im besten Zimmer der Anlage. Plus Tauchkurs.«

»Bekommst du von deinem Heiner eine Kopfprämie?« fragte Kati mißtrauisch.

»Nein, wo denkst du hin?« empörte sich ihre Mutter. »Das ist ein reiner Freundschaftsdienst dir gegenüber. Ich meine, Blut ist schließlich immer noch dicker als Wasser, nicht wahr? Hast du denn soviel Geld?«

Kati angelte Cosimas Taschenrechner aus der Schublade des Telefontischchens. Vierundzwanzig Prozent von sechzigtausend Mark waren vierzehntausendvierhundert Mark Zinsen allein im ersten Jahr!

»Möglicherweise ja«, sagte sie etwas heiser. »Wieviel Prozent gibt es im zweiten Jahr, sagtest du?«

»Im zweiten Jahr gibt es fünfundzwanzig Prozent, im dritten achtundzwanzig, im vierten und fünften dreißig. Woher hast du denn soviel Geld, wenn ich fragen darf?«

»Ähm, das habe ich mir mit harter Arbeit verdient.«

»Ich frage besser nicht, mit welcher Art Arbeit«, sagte ihre Mutter und klang für einen Augenblick genau wie früher.

Kati hörte es nicht. Sie tippte fieberhaft Zahlen in Cosimas Taschenrechner. Fünfzehntausend Mark im zweiten Jahr, achtzehntausend im vierten ... ihr wurde ganz schwindelig.

»Die Anlage steht auf Stelzen über dem türkisblauen Meerwasser einer Lagune«, sagte ihre Mutter mit träumerischer Stimme. Sie hörte sich an wie aus einem Fernsehspot für Südseereisen. »Von jedem Zimmer kann man direkt ins Wasser springen. Der Früchtekorb wird jeden Tag erneuert. Und die Männer dort haben eine Haut wie Milchkaffee.«

Kati rechnete fieberhaft. Wenn sie nun nicht sech-

zigtausend Mark anlegte, sondern sechsundsechzigtausend, alles, was sie besaß, dann betrugen die Zinsen allein im vierten Jahr neunzehntausendachthun-
dert Mark. Innerhalb von fünf Jahren hätte sie ihr
Vermögen mehr als verdoppelt ... und ihre Haut wäre
von den vielen Urlauben dort ebenfalls milchkaffee-
braun.

»Also, angenommen, ich wollte tatsächlich in dieses
Projekt investieren«, sagte sie. »Wie ...?«

»Ach, das ist ganz einfach«, sagte ihre Mutter. »Du
händigst uns das Geld aus und bekommst von Heiner
einen Vertrag mit allem Pipapo und ohne Haken und
Ösen. Und natürlich einen Prospekt von der Anlage.
Anleger über zweihundertfünfzigtausend bekommen
sogar einen Gratisflug erster Klasse.«

»Ich hätte leider nur sechsundsechzigtausend«, sagte
Kati bedauernd.

Ihre Mutter schnappte hörbar nach Luft. »Na ja, das ist
ja immerhin auch schon etwas«, sagte sie dann. »Du
müßtest dich allerdings beeilen. Heiner fliegt schon am
Freitag auf die Caymans, um das Geschäft abzuwickeln.«

»Auf die Cayman-Inseln? Wo die ganzen Scheinfir-
men und Geldwaschanlagen sind?«

Ihre Mutter lachte. »Du guckst zuviel Fernsehen. Das
Geschäft wird aus steuerlichen Gründen auf den Caymans abgewickelt. Deshalb sind ja auch so hohe Ge-
winne drin. Wann kannst du das Geld bringen?«

»Bis Freitag kriege ich das schon hin«, sagte Kati und
hoffte sehr, daß ihre Bank diesbezüglich keine Zicken
machte. Und der Aktienmarkt nicht einen unerwarteten, heftigen Kurseinbruch erlitt.

»Fein«, sagte ihre Mutter. »Dann schon mal jetzt herzlich willkommen im Laguna Club. Ich ruf' dann jetzt noch Alicia an. Vielleicht hat ihr Gefängnispsychologe ja auch ein bißchen was auf die Seite gelegt. Tschüß, Katilein.«

»Tschüß, Mutti.« Kati legte den Hörer auf und drehte sich zu Cosima um.

»Zimmer direkt über der Lagune«, trällerte sie.

»Sechsundsechzigtausend Mark!« gab Cosima staunend zurück, die nur so viel von dem Gespräch verstanden hatte, daß Kati stinkreich war! »Woher hast du soviel Geld? Ich dachte immer, ich bin die Reiche von uns beiden. Du gehst schließlich kellnern und machst alle möglichen anderen scheußlichen Jobs, um mir die Miete bezahlen zu können.«

»Ich habe doch mal für diese Kunststiftung gearbeitet«, sagte Kati. »Damals habe ich auf einen Schlag ein paar wirklich gute Geschäfte abgeschlossen.« So kann man es auch nennen, dachte sie. An diesen »Geschäften« war ein Teufel mit Namen Jaromir nicht ganz unbeteiligt gewesen. Aber das war eine andere Geschichte, die Cosima nicht unbedingt in allen Einzelheiten kennen mußte. Abgesehen davon hätte sie es ohnehin nicht geglaubt. »Von dem Geld sind wir damals nach New York geflogen, und den Rest habe ich angelegt. Für schlechtere Zeiten.« Kati grinste. »Aber jetzt brechen eindeutig bessere Zeiten an! Woran denkst du, wenn du das Wort Malediven hörst?«

»An Malaria«, sagte Cosima. »Was war das für eine Kunststiftung? Meinst du, die haben noch Jobs zu vergeben?«

»Soviel ich weiß, haben die sich kurz nach meinem Ausscheiden sozusagen in Luft aufgelöst«, sagte Kati.

»Kein Wunder«, murmelte Cosima. Sechzigtausend Mark für einen Studentenjob – wenn das mal nicht total ungerecht war!

Kati verschwand im Badezimmer. Cosima hörte sie eine fröhliche Melodie trällern. Der Text war offensichtlich selbstgedichtet.

»Fünf Sterne warten in der Ferne, die Lagune so blau, die Kati ist schlau, die grillt bald mit Wonne in der Äquatorsonne!«

Cosima stellte das Küchenradio an, um den schiefen Gesang zu übertönen, und setzte Teewasser auf. Matetee, angeblich appetithemmend, haha, davon merkte sie aber nichts! Während sie daran nippte und versuchte, sich trotzdem völlig satt und appetitlos zu fühlen, klingelte das Telefon erneut.

»Schmitz«, meldete sich Cosima schlechtgelaunt.

»Hier ist Bernadette«, sagte die nasale, vornehme Stimme ihrer Cousine am anderen Ende der Leitung. »Ich habe Neuigkeiten.«

»Gute oder schlechte?«

»Oh, gute«, flötete Bernadette. »Ganz wunderbare!«

Cosima ließ ihre Schultern nach vorne sinken. Wenn die Nachrichten für Bernadette gut waren, dann waren sie für Cosima mit Sicherheit schlecht. Sie bekam auf einmal schrecklichen Appetit.

»Halt dich gut fest«, verlangte Bernadette.

Cosima ließ sich auf den Sessel plumpsen, der neben dem Telefon stand. Besser sie saß, dann konnte sie nicht umfallen – je nachdem, wie niederschmetternd Bernadettes gute Nachricht ausfiel.

Autsch, was war denn das? Etwas Hartes hatte sich in ihre Pobacke gebohrt. Unter dem Polster zog sie eine

Tafel Schokolade hervor. Schoko und Keks, riesengroß. Sicher hatte sie die hier vor sich selber versteckt.

»Hast du für den siebzehnten April schon was vor?« fragte Bernadette.

»Nein«, murmelte Cosima und riß gierig die Schokoladenverpackung auf. Es konnte kein Zufall sein, daß sie die Schokolade ausgerechnet jetzt wiedergefunden hatte!

»Na, dann kannst du dir den Tag ja vormerken«, sagte Bernadette. Nein, sie jubilierte geradezu: »Am siebzehnten April heiraten wir nämlich endlich.«

Cosima schob sich einen Riegel Schokolade in den Mund und brachte ziemlich undeutlich hervor: »Ihr seid doch schon verheiratet, oder etwa nicht?« Aaaaaah, Schokolade!

»Ja, aber doch nur standesamtlich«, sagte Bernadette. »Eine *richtige* Hochzeit ist etwas ganz anderes. Du weißt schon, der schönste Tag im Leben einer Frau. Es wird ein großartiges gesellschaftliches Ereignis werden, ganz traditionell und doch einmalig.«

»Allerherzlichsten Glückwunsch«, sagte Cosima. Ihr Mund war so trocken, daß sie sich gleich noch einen Schokoladenriegel hineinschieben mußte. Wie gut, daß sie sich gesetzt hatte, sonst hätte sie die Schokolade niemals gefunden!

»Dir auch allerherzlichsten Glückwunsch«, kicherte Bernadette. »Meine Cousinen werden nämlich als Brautjungfern fungieren.«

O Gott! Cosima setzte sich kerzengerade auf. Sie war doch eine von Bernadettes Cousinen!

»Alle?« fragte sie heiser.

»Alle acht!« bestätigte Bernadette. »In rosaroten Tüllkleidern. Na ja, vielleicht auch hellblau, das wissen wir noch nicht so genau, das hängt vom Rest der Dekoration ab. Die Planung ist ja erst ganz am Anfang. Wir haben da ein Institut engagiert, das alles übernimmt, von A wie ähm Hochzeitskutsche bis Z wie ähm Sektempfang, nicht gerade billig, aber exclusiv ... *High society* heißt es, die Managerin ist Charmaine von Zanger, schon von der gehört? Also, die hat diese ganzen Promihochzeiten ausgerichtet, weißt du, die stehen dann hinterher immer in der Gala und so, und die Charmaine ist dann auch mit im Bild, die weiß, wie man aus so einer Feier ein unvergeßliches Ereignis macht. Sie hat sogar eine Liste von Prominenten, die für Geld auf jede Party kommen, Wahnsinn! Stell dir mal vor, Vincent und ich kommen dann auch in die Gala, phantastisch, oder?«

Cosima stopfte sich einen weiteren Riegel in den Mund. Bernadettes gleichförmiges Geplapper ging im Mahlen ihrer Backenzähne unter. Ab und zu drangen ein paar Satzfetzen zu ihr vor.

»... Brautkleid, das eigens in Paris angefertigt wird ... wichtige Leute aus Gesellschaft und Business ... Orchester oder Band, wir sind uns noch nicht einig ...«

Cosima kaute und kaute.

»... Arielle wird Blumen streuen, stell dir mal vor, meine eigene Tochter, ist das nicht eine goldige Idee? Ich wünschte nur, sie hätte bis dahin ein paar Haare, in die man eine Schleife binden könnte ...«

Cosima griff wieder zur Schokolade, doch sie ertastete nur noch das Papier. Was ...? Die Schokolade war vollständig verschwunden.

Passenderweise spielte das Radio in der Küche gerade Britney Spears: »Uuups, I did it again.«

Uuups! Fassungslos starrte Cosima das Stanniolpapier an. Leer. Weggegessen. Bis auf den allerletzten Krümel. Uuups, I did it again.

Eine Million Kalorien auf einmal. Ihre Diätpläne auf Tage hinaus über den Haufen geworfen! Und das alles nur wegen Bernadette. Wütend knüllte sie das Stanniolpapier zusammen.

Bernadette hatte indessen ungestört weitergeredet.

»... vielleicht auch ein Mann für dich dabei. Du weißt doch, als Brautjungfer steht man immer im Mittelpunkt des Interesses, und du bist schließlich die einzige Unverheiratete von uns allen ... Es sei denn, du hast bis dahin tatsächlich jemanden gefunden. Dann ist er selbstverständlich miteingeladen.«

Cosima hielt es nicht mehr aus. »Du Bernadette, ich muß Schluß machen, bei mir in der Küche kocht die Milch über!« Energisch warf sie den Hörer auf. Dann trat sie mit ihrem Pantoffel mehrmals gegen die Wand.

»Wer war das?« fragte Kati, die, nur mit einem Handtuch bekleidet, aus dem Badezimmer trat.

»Bernadette«, stieß Cosima hervor. »Sie heiratet!«

»Na, so was! Hat sie ihren widerlichen Vincent zum Teufel geschickt? Aber wer außer Vincent würde Bernadette schon wollen?«

»Niemand! Sie heiratet Vincent!«

»Oh. Ich dachte, sie wären schon verheiratet«, sagte Kati begriffsstutzig.

»Ja, aber jetzt heiraten sie richtig. Mit Pariser Brautkleid und acht Brautjungfern in rosa Tüll und einem Orchester und lauter wichtigen Hochzeitsgästen ...« Cosima trat erneut gegen die Wand.

»Und bestimmt engagieren die einen super Catering-

Service«, sagte Kati. »Wir werden uns wunderbar den Bauch vollschlagen, was, Cosima?«

»Von dir war bisher noch nicht die Rede. Aber ich, ich soll eine der Brautjungfern sein! In rosa Tüll. Rosa! Zu meinem gelbstichigen Teint. Das macht sie alles nur, um mich zu ärgern.«

»Hm, hm«, machte Kati. »Das fände ich aber gemein, wenn sie mich nicht einladen würde. Gut, wir sind nicht eben die besten Freunde, aber immerhin haben wir jahrelang in einer Wohnung gewohnt ...«

Cosima funkelte sie wütend an. »Denkst du vielleicht einmal daran, wie ich mich fühle?«

Kati blickte sie spöttisch an. »Wieder mal der Alle-sind-verheiratet-nur-ich-nicht-Komplex, Cosima? Aber du wirst doch nicht auf Bernadette eifersüchtig sein?«

»Doch«, sagte Cosima, den Tränen nahe. »Immer, immer, immer macht sie alles besser als ich!«

Nimm dir ein Beispiel an deiner Cousine Bernadette war der Satz, den sie von ihrer Mutter am häufigsten gehört hatte, gleich nach »Halt dich gerade, Kind.«

»Nimm dir ein Beispiel an Bernadette, die bohrt niemals in der Nase.« Da wähnte man sich einmal unbeobachtet ...

»Nimm dir ein Beispiel an Bernadette, die macht ihr Kleidchen niemals dreckig.« Dabei war es Bernadette höchstselbst, die den Traubensaft über Cosimas Dirndl gekippt hatte!

»Nimm dir ein Beispiel an Bernadette, die hat nur Einsen im Zeugnis.« Cosima hatte damals auch nur Einsen, bis auf diese eine unselige Zwei in Handarbeit. Aber wer brauchte schon Blumenampeln aus Makramée?

»Nimm dir ein Beispiel an Bernadette, die hat Tante Polly ein selbstgedichtetes Lied zum Geburtstag vorgetragen.« »Maaaamaaaa, du mußt doch nicht um dein Määäädchen weinen ...« – das hatte Bernadette ganz klar geklaut, aber niemand wollte etwas davon etwas wissen.

»Nimm dir ein Beispiel an Bernadette, die ist zur beliebtesten Schülerin ihres Internates gewählt worden.« (Ha! Ha! Ha! Und selbst wenn, die anderen Internatsschnepfen waren mindestens genauso doof wie Bernadette! Die waren alle nur auf dem Internat, weil auf einer normalen Schule niemand mit ihnen sprach.)

»Nimm dir ein Beispiel an Bernadette, die hat sich diesen netten Jungen genommen und geheiratet! Wenn auch nur standesamtlich.« Netter Junge? Vincent ein netter Junge? Genauso gut könnte man sagen, Piranhas seien zärtliche Kuschelfische. Vincent Tranig war arrogant und boshaft, dabei blaß, dicklich und hatte einen penetranten Mundgeruch. Einen wie ihn hätte Cosima nicht mal Bernadette auf den Hals gewünscht. Allerdings war er auch von Haus aus stinkend reich, was vielleicht für Cosimas Mutter ein Synonym für »nett« bedeutete. Seine Eltern besaßen ein Pharmaunternehmen, und Vincent war dort seit Beendigung seines Studiums in leitender Position beschäftigt. Er wohnte mit Bernadette in einer geerbten, weißen Zuckergußvilla am Stadtrand, elf Zimmer und eine Einfahrt so lang wie die Champs Elysée. Seit einem Jahr war sogar das Kinderzimmer bewohnt ...

»Nimm dir ein Beispiel an Bernadette, die bekommt Studium, Karriere und Mutterschaft wunderbar unter einen Hut!«

Hach! Ungerecht! Ungerecht! Cosima traten die Zornestränen in die Augen.

»Du würdest doch nicht ernsthaft mit Bernadette tauschen wollen?« fragte Kati ungläubig. »Stell dir nur vor, du müßtest jede Nacht neben diesem tranigen Vincent liegen. Uäääääh!«

»Gar nicht uäääääh. Man könnte ja getrennte Schlafzimmer haben«, sagte Cosima bockig. »Platz haben die ja genug in ihrer Jugenstilvilla.«

»Ja, aber denk nur mal, wie die kleine Dash entstanden sein muß«, sagte Kati.

»Sie heißt Arielle«, verbesserte Cosima.

»Na ja, dann eben Ariel. So ein Baby kriegt man jedenfalls in getrennten Schlafzimmern nicht auf die Reihe.«

Cosima schüttelte sich ein bißchen. »Ja, das stimmt allerdings. Doch uäääääh. Meinst du wirklich, Bernadette und Vincent ... tun es?«

Kati nickte. »Hast du mir nicht neulich erst gesagt, daß Bernadette sich noch ein Geschwisterchen für Persil wünscht?«

»Arielle«, verbesserte Cosima wieder. »Ja, das stimmt. Aber ich dachte, vielleicht machen sie's mit künstlicher Befruchtung ...«

Kati schüttelte den Kopf. »Nein, nein, das machen die auf die althergebrachte Weise. Vincent schält sich aus seinem Hemd mit den fiesen Schweißflecken, er entledigt sich seiner Unterhosen, über deren Beschaffenheit wir nur spekulieren können, und ganz bestimmt läßt er seine Socken an. Dann legt er seinen weißen, schwabbeligen, mit Hitzepickelchen übersäten Körper auf ...«

»Uäääääh, uäääääh«, rief Cosima. »Hör schon auf. Du hast recht, ich beneide Bernadette kein bißchen.«

»Na also«, sagte Kati zufrieden.

»Aber es ist schrecklich, schrecklich, schrecklich, die einzige unverheiratete Person dieses Universums zu sein«, setzte Cosima wieder an.

Kati zog ihre Augenbrauen hoch. »Und was ist mit mir?«

»Du zählst nicht«, sagte Cosima. »Du bist nicht normal – jedenfalls nicht normal wie meine Cousinen normal sind.«

Kati zog lediglich die Augenbrauen hoch.

»Wie dem auch sei, ich muß bis zu dieser mörderischen Hochzeitsfeier unbedingt einen Mann auftreiben«, fuhr Cosima fort. »Wenn ich allein dort auftauche, werde ich zum Gespött aller Leute werden.«

Wieder klingelte das Telefon.

»O nein«, stöhnte Cosima. »Das ist todsicher meine Mutter, die mir die wunderbaren Neuigkeiten erzählen will. Weißt du schon, daß Bernadette heiratet, Schätzchen? Allein die Hochzeitstorte soll höher werden als das Empire State Building. Nimm dir mal ein Beispiel daran ... Bitte, Kati, geh du dran und sag, ich sei in der Uni.«

»An einem Samstag?«

»Ach, Scheiße«, sagte Cosima. »Dann sag, ich sei im Fitneßstudio, das findet sie sicher gut.« Türknallend verschwand sie im Badezimmer.

Es war aber gar nicht Cosimas Mutter. Es war Julian Franke, Professor Berlitz' wissenschaftlicher Assistent. Er wollte lediglich fragen, ob Kati am Abend mit ihm essen ginge.

Kati sagte ja.

»Hübsch hier«, sagte Kati und sah sich anerkennend um. Das italienische Restaurant, das Julian ausgesucht hatte, war klein, ziemlich preiswert, aber sehr gemütlich. Auf dem Holzkohlengrill vis-à-vis brutzelten duftende Köstlichkeiten, und die Kellner trugen wagenradgroße Pizzen an ihnen vorbei.

»Und lecker«, versicherte Julian. »Die Pizzen sind göttlich, aber die Vorspeisen haben es auch in sich.«

»Wie gut, daß ich so richtig hungrig bin«, sagte Kati und strahlte. »Cosima hat nämlich heute mit einer Diät angefangen, und das bedeutet, sie hat alles aufgegessen, was irgendwie eßbar war. Schränke und Kühlschrank sind absolut leer. Ich hasse es, wenn Cosima Diät macht. Sie ißt dann immer doppelt so viel wie normal und redet über nichts anderes als ihren dicken Hintern.«

»Ist der denn so dick?« fragte Julian.

»Das ist reine Geschmackssache. Sie hat nicht gerade einen Claudia-Schiffer-Hintern, aber er ist auch nicht so groß wie ein Rangierbahnhof, wie sie meint.« Kati grinste, wobei sie ihre sommersprossige Nase krauste. »Aber wenn wir schon über Hinterteile reden, dann besser über meins. Oder über deins, das ist auch nicht übel.«

Julian lachte. Er spürte ein altbekanntes Ziehen in seinem Magen, ein gutes Gefühl voller angenehmer Vorahnungen.

Er war in seinem Leben schon öfters verliebt gewesen. Das erste Mal mit acht Jahren in seine Klavierlehrerin, eine hübsche, sommersprossige Studentin namens Lila, die seine Mutter schleunigst gegen ein ältliches, hageres Modell im Faltenrock eingetauscht hatte, nachdem ihr die leuchtenden Augen ihres Sohnes aufgefallen waren. (Wahrscheinlich war deshalb kein Pianist aus ihm geworden, bedauerlich, denn er war wirklich talentiert gewesen, das hatten sowohl die Sommersprossige als auch die Hagere mehrfach betont.) Obwohl er Lila niemals wiedergesehen hatte, hielt er ihr in Gedanken mehrere Jahre die Treue, bis dann Sabrina in seine Klasse kam, die kleine Stupsnase über und über mit Sommersprossen bedeckt. Sommersprossen waren einfach unwiderstehlich, deshalb verliebte er sich, nachdem Sabrina mehrfach mit seinem besten Freund Christoph Händchen gehalten hatte, in Anna, die Sabrina überhaupt nicht ähnlich sah, aber ebenfalls über eine Unzahl von Sommersprossen verfügte. Mit der intellektuellen Anna knutschte er herum, las unter freiem Himmel Hermann Hesse, und ab und zu erlaubte sie ihm, mit seiner Hand unter ihr T-Shirt zu wandern. Sie blieben bis zum Abi zusammen, beinahe glaubte er schon, in Anna die Frau fürs Leben gefunden zu haben. Seine Mutter konnte Anna nicht leiden, sie fand sie plump und häßlich, und außerdem waren ihre Eltern – Besitzer eines Gebrauchtwagenhandels – absolut indiskutabel. Immer, wenn Julian den mißbilligenden Blick seiner Mutter auf Anna ruhen sah, fürchtete er, sie könne Anna gegen ein ältliches, hageres Modell in Faltenröcken austauschen. Aber es kam ganz anders. Nach dem Abitur machte Anna ein freiwilliges soziales Jahr in Afrika, verliebte sich dort in einen Medizinstudenten. Sie schrieb Julian einen elf Seiten langen Abschiedsbrief, den Julian niemals ganz zu Ende las. Spätestens auf Seite 5 hatte er nämlich begriffen, daß er Anna für immer verloren hatte. Er trauerte ein halbes Jahr um sie, aber dann traf er

Renée, eine langbeinige Französin, die irgendwie mit dem Cartier-Konsortium verwandt war (und damit bei Julians Mutter ungewöhnlich beliebt) und – das war das ausschlaggebende – über viele, viele Sommersprossen verfügte, die das Gesicht, die Schultern und das Dekolleté bedeckten. Mit der leichtsinnigen Renée ging es zu Ende, als Julian auf einer Party die vernünftige Gina kennenlernte, und Gina brach es das sommersprossige Herz, als Julian sich in Claudia verliebte. Überflüssig zu sagen, daß Claudia ebenfalls sommersprossig war.

Claudia, eine ehrgeizige Bankkauffrau, hatte seiner Mutter nicht so gut gefallen wie Renée, aber immer noch bedeutend besser als Anna. Julian und Claudia waren eineinhalb Jahre zusammen, und sowohl Claudia als auch Julians Mutter hatten bereits die Hochzeitsglokken läuten gehört. Zur Trennung war es gekommen, als Julian sich entschieden hatte, die Stelle als wissenschaftlicher Assistent an der Uni anzunehmen. Claudia fand das – genau wie seine Mutter und sein bester Feund Christoph – völlig überzogen und unnötig.

»Warum willst du für viertausend brutto ackern, wenn du in deiner eigenen Firma vierzigtausend verdienen kannst?« hatte sie gefragt.

»Wenn du das nicht verstehst, dann kennst du mich wohl immer noch nicht«, hatte Julian traurig erwidert, und Claudia hatte zu weinen angefangen.

»Warum denkst du nicht einmal an mich?« hatte sie geschluchzt. »Ich will nicht auf jeden Pfennig schauen müssen, ich will ein gutes Leben führen! Ohne Sorgen.«

»Als ob es im Leben immer nur um Geld ginge«, hatte Julian gesagt, und Claudia hatte geschnieft: »Genau das tut es! Irgendwann wirst du das auch begreifen!«

Eine Woche nach diesem Gespräch hatte Claudia dann eine Einladung ihres Chefs, dem Filialleiter der Sparkasse, zu einem Abendessen zu zweit angenommen, und Julian hatte seinen Assistentenvertrag unterschrieben. Soviel er gehört hatte, war Claudia mittlerweile beim Filialleiter eingezogen. Er gönnte es ihr von Herzen. Der Filialleiter würde auch sicher nicht mehr lange Filialleiter bleiben, sondern in noch besser verdienende Kreise aufrücken.

Seine Mutter hatte seither mehrere Versuche unternommen, ihn mit der Tochter einer ihrer Bekannten zu verkuppeln, aber die Tochter war eine arrogante, hirnlose Person. Und außerdem hatte sie nicht eine einzige Sommersprosse. Ganz im Gegensatz zu Kati, die soeben ihre kleine, sommersprossige Nase in die Speisekarte versenkte und fragte: »Wenn ich vorher überbackene Champignons nehme, kriege ich dann hinterher trotzdem noch eine Pizza runter?«

»Ganz bestimmt«, sagte Julian. Das Ziehen in seinem Magen verstärkte sich noch ein wenig. Er mochte es, wenn Frauen beim Essen richtig zulangen konnten. »Und wenn nicht, kann Salvatore dir den Rest einpakken. Dann muß du morgen nicht hungern. Außerdem ist die Nacht ja noch lang, oder?«

»Ach ja?« Kati hob den Kopf und schenkte ihm einen intensiven Blick aus leuchtend blauen Augen. Julian spürte, wie er errötete. »Hattest du noch etwas anderes vor?«

»Ich dachte, ähm, wir, ähm, wir könnten vielleicht nach dem Essen noch an den Rhein runterfahren und ein bißchen spazierengehen«, antwortete er und bemühte sich, es nicht zweideutig klingen zu lassen.

»*Spazierengehen*, so so«, sagte Kati. Die Sommersprossen auf ihrer Nase begannen zu tanzen.

»Ähm, ja, das soll nämlich der letzte schöne Spätsommertag sein«, meinte Julian. »Ab morgen ist nur noch Regen angesagt.«

»Wenn das so ist«, sagte Kati und nahm einen tiefen Schluck aus ihrem Chiantiglas. »Dann sollten wir unbedingt spazierengehen.«

Als Kati um halb drei nachts nach Hause kam, saß Cosima im Dunkeln in der Küche und hatte eine Quarkmaske im Gesicht. Kati hielt sie im ersten Moment für ein Gespenst und kreischte laut auf.

»Schrei nicht so«, sagte Cosima, und kleine Quarkbröckchen rieselten vor ihr auf den Fußboden.

»Was sitzt du denn hier als Geist geschminkt im Dunkeln rum?« fragte Kati, während sie ihr rasendes Herz zu beruhigen versuchte.

»Ich konnte nicht schlafen«, antwortete Cosima weinerlich. »Da dachte ich, ich tue was für meine Schönheit.«

»Hm«, machte Kati. »Hoffentlich wirkt's.«

»Ja, hoffentlich. Bis zu Bernadettes Hochzeit muß ich nämlich *wirklich* gut aussehen. Ab jetzt tue ich jeden Tag was für meine Schönheit. Von nichts kommt nichts. Bernadette hat übrigens noch einmal angerufen und mir von A wie Affenkackehochzeitstorte bis Z wie Zum-Kotzen-schönes-Brautkleid von ihrer dämlichen Hochzeitsfeier vorgeschwärmt. Ich habe gefragt, ob du auch eingeladen wärst, und sie hat gesagt, selbstverständlich wärst du eingeladen, alle ihre Freunde seien eingeladen, um sie an ihrem großen Tag zu bewundern. Ha, ha, da sieht man's wieder mal: Bernadette hat doch überhaupt keine Freunde. Deshalb lädt sie Hinz und Kunz ein, nur damit sie Zeugen dafür hat, daß sie in ein Brautkleid von Größe 36 paßt. Und wenn du solo kämst, hat sie gesagt, würdest du Vincents Bruder als Tischherrn bekommen.«

»Pfui, Teufel«, sagte Kati.

»Vincents Bruder ist wahrscheinlich nur halb so schlimm, wie das Monster von Studienfreund, das sie mir zugedacht hat«, sagte Cosima finster. »Ich habe schon mit Frederic telefoniert und gefragt, ob er im April hier ist und mich zu Bernadettes Hochzeit begleiten kann, aber Frederic ist noch bis Juni in Indien, es ist zum Heulen.«

»Du hast Frederic in der Mission angerufen?« fragte Kati erstaunt. Cosima war sonst der Geiz in Person, das Telefon war gewöhnlich nur für Ortsgespräche zugelassen.

»Frederic ist der einzige vorzeigbare Mann, den ich fragen konnte«, erklärte Cosima. »Aber er wollte sich partout nicht für diesen kleinen Freundschaftsdienst einfliegen lassen. Obwohl ich angeboten habe, alles zu bezahlen. Er hat gesagt, das wäre albern und pure Geldverschwendung, und ich solle endlich zu meiner Person stehen. Ich solle mal für ein paar Wochen nach Indien kommen und das Elend dort ansehen, hat er gesagt, dann würden sich alle meine Probleme relativieren und in nichts auflösen.« Sie schniefte, und dabei löste sich eine Quarkscholle aus ihrem Gesicht und fiel auf den Küchentisch. »Und wie war's bei dir? Hattest du wenigstens einen schönen Abend?«

»O ja. Dieser Julian ist wirklich sehr nett. Wir sind

stundenlang am Rhein spazierengegangen und haben uns Anekdoten aus unserem Leben erzählt.«

»Sonst nichts?«

Kati schüttelte den Kopf.

»Nicht mal ein Kuß?«

Erneutes Kopfschütteln. »Er ist ziemlich zurückhaltend, glaube ich.«

»Aber er sieht gut aus, sagtest du?«

Kati nickte. »Er sieht blendend aus.«

»Und wenn er wissenschaftlicher Assistent bei Berlitz ist, dann kann er sicher auch zusammenhängende Sätze bilden, nicht wahr?«

Kati nickte wieder.

»Kann er auch halbwegs mit Messer und Gabel umgehen, oder ist er so ein ungehobelter Klotz wie deine anderen Kerle?«

»Ich würde sagen, er hat ausgezeichnete Tischmanieren«, antwortete Kati gekränkt. »Und meine anderen Kerle waren keine ungehobelten Klötze.«

»Waren sie wohl«, sagte Cosima müde. »Trinken Bier aus der Flasche, halten einem niemals die Tür auf und pinkeln im Stehen. Allerdings hast du hier schon längere Zeit keinen mehr angeschleppt. Wie dem auch sei, dieser Julian hört sich gut an. Frag ihn, ob er dich zu Bernadettes Hochzeit begleitet, dann kommst du vielleicht um Vincents Bruder herum.«

»Mal sehen«, sagte Kati.

»Ist er am Ende vielleicht schwul?«

»Glaube ich nicht«, sagte Kati. »Er hat jedenfalls jede Menge Ex-Freundinnen.«

»Also, dann wäre ich an deiner Stelle restlos begeistert«, sagte Cosima. »Wann trifft man denn heutzutage noch einen Mann, der so viele positive Eigenschaften in sich vereint?«

»Vielleicht sind es ja einfach zu viele positive Eigenschaften«, sagte Kati etwas rätselhaft.

»Zu viele gute Eigenschaften? Spinnst du?«

»Möglicherweise«, gab Kati zu. Unwillkürlich mußte sie an den Mann mit den grünen Augen denken, von dem sie jede Nacht träumte. »Aber ich mag es gerne, wenn Männer etwas ... Verruchtes an sich haben.«

»Du meinst, verrucht im Sinne von halbseiden? Semikriminell? Oder verrucht im Sinne von ungehobelt?«

»Nein, mehr verrucht im Sinne von ... ach, ich weiß auch nicht.« Kati verrieb sich ihre Wimperntusche über das halbe Gesicht. »Vielleicht existiert mein Traummann ja nur in meiner Phantasie. Und selbst, wenn es ihn in echt gäbe, wäre er vermutlich kein guter Umgang. Zu gefährlich, verstehst du?«

»Nein«, sagte Cosima. »Oder ist das wieder die ausgeleierte Ashley-Wilkes-oder-Rhett-Butler-Frage? Blaß, blond und blöd wie Ashley oder reich, gutaussehend und rauhbeinig wie Rhett – was für eine abgelutschte, im übrigen rein rhetorische Frage. Ich wette, keine Frau auf dieser Welt würde Ashley Lahmarsch vorziehen. Und das, obwohl Rhett Draufgänger dieses blöde Schnurrbärtchen hat.«

»Ich bin müde.« Kati rieb sich erneut die Augen. »Ich geh schlafen.«

»Vorher abschminken nicht vergessen«, sagte Cosima hinter ihr her. »Du verstopfst dir sonst hoffnungslos die Poren.«

»Meinen Poren ist das egal«, sagte Kati und ließ die Zimmertür hinter sich ins Schloß fallen.

»Das Leben ist nicht gerecht«, sagte Cosima laut, und die Quarkbröckchen stoben nur so um sie herum. Nein, gerecht war das nicht: Kati hatte nicht nur einen perfekten Teint, sondern auch einen Begleiter für diese verdammte Hochzeit, wenn sie nur wollte. Sich selbst hingegen sah Cosima schon in rosa Tüll zwischen Vincents kleinem, besserwisserischen Studienkollegen und seinem widerwärtigen, stinkenden Bruder sitzen. Warum, warum nur, war weit und breit weder ein Rhett Butler noch ein Ashley Wilkes in Sicht? Ungerecht! Ungerecht! Ungerecht!

Kati bekam Bafög und hatte zwei Jobs, mit denen sie sich ganz gut über Wasser halten konnte. An vier Abenden die Woche kellnerte sie bei Luigi, dem Italiener gleich um die Ecke, wo man mit dem Trinkgeld sehr großzügig war, besonders bei »la bella signorina bionda« Kati. Und freitags begleitete sie Reisegruppen auf einer Bootstour den Rhein hinab und erzählte ihnen alles über die Loreley und andere historische Legenden, die am Ufer vorbeizogen. Den Reiseleiterjob liebte Kati nicht nur wegen der enormen Trinkgelder, sondern auch wegen der Getränke, die sie den ganzen Tag lang umsonst konsumieren durfte. Am Abend, wenn das Boot wieder anlegte, war sie mindestens so betrunken wie ihre Touristen. Daß sie im Grunde von römischer und mittelalterlicher Geschichte nicht die geringste Ahnung hatte und die meisten ihrer Geschichten einfach selber erfand, hatte den Reiseveranstalter, einen cleverer Kleinunternehmer namens Frankie Schmitz-Prank, bislang wenig gestört. Hauptsache, der Rubel rollte. Aber die letzte Gruppe, elf Studienräte aus Hannover, hatte sich über die unkorrekte Darstellungsweise der jungen Reiseleiterin beschwert. Schriftlich hatten sie dargelegt, daß die Reiseleiterin nicht nur in fachlicher Hinsicht äußerst inkompetent erschienen sei, sondern zudem bereits am Vormittag mit dem Trinken von Margaritas begonnen habe. Man sei, mit Verlaub, sehr enttäuscht von diesem schlechten Service und würde das Unternehmen nicht weiterempfehlen. Auch die geplante Bootstour im Frühjahr würde man mit einem anderen Unternehmen durchführen. Frankie Schmitz-Prank, der nicht besonders viel für Studienräte aus Hannover übrig hatte, hätte das Schreiben möglicherweise beiseite gelegt und irgendwann vergessen, wäre nicht am selben Tag eine junge, äußerst gutaussehende Kunsthistorikstudentin in sein Büro getreten und hätte um einen Job gebeten. Nun, er hatte nur einen einzigen Job zu vergeben, und das war der von Kati.

»Aber das können Sie nicht tun«, sagte Kati ein wenig fassungslos. »Ich mache das schon seit drei Jahren, und ich brauche das Geld. Außerdem lieben mich die Touristen, vor allem die Amerikaner und Südafrikaner. Und wissen Sie nicht mehr, wie begeistert diese spanischen Computerspezialisten im letzten Jahr von mir waren?«

»Ich bin in erster Linie meinem Unternehmen verpflichtet. Mangelnde Kompetenz von seiten meiner Mitarbeiter schädigt das Firmenimage«, gab Frankie Schmitz-Prank zurück und erlaubte sich ein kleines Lächeln. »Außerdem bin ich überzeugt, daß die Touristen die Neue ebenfalls lieben werden. Sie hat wirklich tolle Beine.«

»Tatsächlich?« sagte Kati. »Na ja, wenn das so ist ... Stellen Sie mir wenigstens ein ordentliches Zeugnis aus.«

Das versprach Frankie Schmitz-Prank, während er ihr zum Abschied die Hand schüttelte. »Ich schicke es Ihnen mit der Post«, sagte er. »Sie finden bestimmt schnell was Neues, vielseitig, wie Sie sind.«

»Ja, ja sicher«, sagte Kati und versuchte, optimistisch dreinzuschauen. Sie spürte ein äußerst ungutes Stechen in der Magengegend, ein Gefühl, das sie nur als »nagendes Unbehagen« bezeichnen konnte. Aber warum um so einen lächerlichen Nebenjob jammern, wenn sie doch Mitbesitzerin einer 5-Sterne-Ferienanlage auf den Malediven war? Erst vorgestern hatte sie ihrer Mutter beziehungsweise deren Liebhaber in dessen großkotzigem Büro ihre gesamten Ersparnisse ausgehändigt, sechsundsechzigtausend Mark!

»Wir nehmen auch diesen vergleichbar kleinen Betrag zu treuen Händen«, hatte der Liebhaber ihrer Mutter augenzwinkernd gesagt. »Auf daß er sich mehre und wachse und gedeihe.«

»Amen«, hatte Kati gesagt und einen fünf Seiten schweren Vertrag ausgehändigt bekommen, der in komplizierten Wortschnörkeln nichts anderes besagte, als daß sie bald eine reiche Frau sein würde. Und einen Prospekt, der auf Hochglanzbildern bewies, daß ihr nun ein Stück vom Paradies gehörte.

Ihre Mutter hatte zum Abschied zwei Küßchen in die Luft links und rechts neben ihr gehaucht und gesagt: »Jetzt werden wir Gluboschinskis also noch richtig reich. Auf Wiedersehen auf den Malediven, mein Kind.«

Ja, wirklich, es gab keinen Grund zur Sorge. Allein

die Zinsen im ersten Jahr waren mehr wert als drei Jobs bei Frankie Schmitz-Prank, beruhigte Kati sich.

Aber am Abend, als Luigi sie im »La Fornace« beiseite nahm, war das ungute Gefühl in ihrem Magen wieder da.

»Was gibt es denn?« fragte sie.

»Wir haben hier kleine Problem«, sagte Luigi. Er sah Kati nicht in die Augen, und das ungute Gefühl in ihrem Magen verstärkte sich. »Die Problem ist meine Neffen aus Palermo. Die Jungen, Zwillinge, si, und Kaiserschnitt, immer schwierig, si, machen nur Blödsinn in Italien und den Eltern großen Kummer. Nun ich habe sie gesagt, ich hole sie für ein Jahr nach Deutschland. Können sie hart arbeiten und wieder klaren Kopf kriegen.«

»Das ist nett von dir, Luigi«, sagte Kati. »Aber was ...?«

»Ja, die Problem ist, die Neffe werden arbeiten in diese Ristorante, und leider habe ich nicht so viel Geld, daß ich ... also, die Problem ist, daß ...«

»Ich verstehe schon, Luigi. Wenn deine beiden Neffen hier arbeiten, brauchst du mich nicht mehr, stimmt's?« Kati konnte es nicht mitansehen, wie Luigi sich wand.

Er nickte bekümmert.

»Das wären dann zwei Jobs an einem Tag«, sagte Kati mehr zu sich selbst als zu Luigi.

»Die Problem ist, Neffen sind Nichtsnutze, und du bist mir viel lieber, Katarina, so blond und hübsch, aber du bist nicht verwandt, und ich kann nicht drei Kellner bezahlen. Aber wenigstens an die Dienstage könntest du arbeiten kommen, si, wenn die Neffen ihren freien Tag haben, bitte, Kati.«

»Wenigstens an die Dienstage«, wiederholte Kati. »Schon gut, Luigi, das ist besser als nichts. Wann kommen denn deine beiden Neffen?«

»Ah, die Nichtsnutze kommen schon an die nächste Wochenende. Denken, sie kommen auf Urlaub, si, wollen sich hier erholen, si, werde sie viele dreckige Teller spülen lassen, die faulen Kinder.«

»Das heißt, ab übernächste Woche nur noch dienstags?« Kati sah Luigi resigniert an. Irgendwie liefen die Dinge nicht so, wie sie sollten. Sie rechnete unwillkürlich, wie lange ihr Geld noch reichen würde. Auf ihrem Girokonto waren noch tausend Mark, die Oktobermiete war Ende der Woche fällig, und ihre sechsundsechzigtausend Mark eiserne Reserve flogen wahrscheinlich gerade im Koffer des Liebhabers ihrer Mutter nach Grand Cayman.

Kati seufzte. Cosima war unerbittlich, was die Mietzahlungen anging, sie duldete niemals einen Zahlungsaufschub. Und leider warteten auch noch genug andere Rechnungen darauf, bezahlt zu werden, Monat für Monat. Es wurde wirklich Zeit, daß sie mit dem Studium fertig wurde und richtiges Geld verdiente. Oder im Lotto gewann. Oder ...

»... *wenn alle Stricke reißen, kann man immer noch einen reichen Mann heiraten*«, sagte Tante Alicias Stimme von irgendwoher, genau wie in Katis immer wiederkehrendem Traum.

»Fräulein, wir wollen zahlen«, rief der Gast an Tisch 3, und Kati rief zerstreut »Sofort« zu ihm hinüber.

An Tante Alicia gewandt, setzte sie hinzu: »Würde ich ja glatt tun, liebe Tante, aber heiratswillige, reiche Männer sind sehr rar gesät. Ich kenne leider keinen einzigen. Nein, nein, fürs erste reicht es, wenn ich mir einen neuen Job suche.«

»Mit welcher Tante sprichst du?« fragte Luigi verblüfft, aber da war Kati schon unterwegs zu Tisch 3.

Es war wie verhext. In der ganzen Stadt schien es keinen Job zu geben, der eine halbwegs erträgliche Arbeit mit vernünftigen Arbeitszeiten und einem angemessenen Entgelt in sich vereinigte. Mehrere Restaurants und Kneipen suchten kellnernde Studenten für den Abend, aber der Lohn, den sie boten, war unverschämt niedrig. Zwei Wirte wollten sogar noch fünfzig Prozent des Trinkgeldes kassieren. Eine Familie in der Südstadt suchte ein Kindermädchen, die Bezahlung war okay, und Kati schien den Leuten trotz ihrer mangelnden Erfahrung mit Kindern durchaus zuzusagen. Der Haken lag in den Arbeitsbedingungen: Man wollte, daß Kati das etwa neun Quadratmeter große Gästezimmer bezog, um vierundzwanzig Stunden täglich zur Verfügung zu stehen. Nein, danke, das ging nun wirklich zu weit.

Ein Modefriseur in der Innenstadt suchte ein Haarschneidemodell und hätte Kati fünf Hunderter bar auf die Kralle gezahlt, wenn sie ihre blonde Lockenpracht in einen fransigen Kurzhaarschnitt hätte verwandeln lassen. Aber das brachte Kati nicht übers Herz, nicht mal für fünf Tausender, wie sie dem Friseur versicherte. Erst bei fünfzigtausend würde sie schwach werden, erklärte sie – Haare wachsen schließlich nach –, aber der Friseur sagte großkotzig, für fünfzigtausend Mark könne er fünfhundert von Katis Sorte haben.

»Bitte schön«, sagte Kati, »dann viel Spaß beim Suchen.« Und meinte damit eigentlich mehr sich selber als den Friseur. Aber Spaß machte es wirklich nicht, Arbeit zu suchen und keine zu finden.

Sie rief sogar bei der Filmgesellschaft an, für die sie eine Zeitlang äußerst schmuddelige Streifen synchronisiert hatte, aber die Gesellschaft schien sich in nichts aufgelöst zu haben. Unter der alten Telefonnummer meldete sich eine Gebäudereinigungsfirma, wo man Kati anbot, als Putzfrau zu arbeiten. Allerdings für einen Stundenlohn von 8 Mark 58 – nach Abzug aller Pauschalsteuern et cetera.

Es war zum Mäusemelken!

Hätte sie nicht ausgerechnet jetzt all ihr Geld in diese Maledivensache investiert, hätte sie einfach ein paar Fondsanteile verkaufen und die Durststrecke aussitzen können. So aber dauerte es noch sechs Monate, bis sie die ersten Zinsen ausgezahlt bekam – und das war eine verdammt lange Zeit. Bafög und das, was es noch bei Luigi zu verdienen gab, würden gerade mal für die Miete und die blöde Krankenversicherung reichen. Kati sah sich schon für acht Mark achtundfünfzig Klosetts sauberschrubben, um sich ein Butterbrot leisten zu können.

Als sie den darauffolgenden Freitag bei Luigi ankam, war sie sehr frustriert. Auch Luigis großzügig aufgerundete Zahlung konnte sie nicht trösten.

»Es tut mir so leid, cara mia«, sagte Luigi. »Wirklich. Du bist das beste Pferd im Stall von Luigi, aber die beiden Nichtsnutze ...«

»Ich weiß, ich weiß, Blut ist dicker als Wasser«, sagte Kati und kippte das kleine Glas Grappa, das Luigi ihr hinhielt, mit einem Zug hinunter.

»Noch einen?« fragte Luigi.

»Nein, besser nicht«, sagte Kati deprimiert.

In dieser Nacht träumte sie wieder, sie säße in einer Hochzeitskutsche, die mit hoher Geschwindigkeit über einen Feldweg rumpelte. Wie jedesmal saß Jaromir, der Mann mit den grünen Augen und den merkwürdigen Hörnern dort, wo andere Männer ihre Geheimratsekken haben, ihr in Frack und Zylinder gegenüber. Die Melodie des Hochzeitsmarsches hallte in ihrem Ohr wider.

Kati packte die Wut.

»Das ist doch albern!« rief sie im Traum aus und versuchte Jaromir die Sisalbürste an den Kopf zu werfen. Es ärgerte sie, daß sie ihn so unglaublich sexy fand, und das, obwohl er einen Zylinder trug.

Jaromir fing die Bürste geschickt mit einer Hand auf. »Was ist albern, *chérie?*«

»Das alles hier!« Kati machte eine weitumfassende Armbewegung. »Ich hab' diesen blöden Traum allmählich wirklich satt! Er macht doch überhaupt keinen Sinn!«

Jaromir nahm seinen Zylinder ab und lehnte sich bequem in die roten Polster der Kutsche zurück. »Tja, Traumdeutung ist nicht unbedingt mein Fachgebiet, aber in der Regel stehen Träume für die Verarbeitung tatsächlicher Erlebnisse, sind aber auch Ausdruck menschlicher Wünsche und Ängste. Und manchmal – eher selten – zeigen sie auch die Zukunft.«

»Na klasse«, sagte Kati. »Wenn meine Zukunft so aussieht, daß ich nur mit einer Sisalbürste bekleidet in einer Hochzeitskutsche über das Land jage, mit einem zwielichtigen Teufel als Begleiter, dann kann ich nicht gerade behaupten, daß ich mich auf die Zukunft freue.«

»Möglicherweise zeigt dieser Traum auch gar nicht deine Zukunft, sondern spiegelt lediglich deine Ängste wider«, sagte Jaromir und drehte dabei spielerisch an dem großen Siegelring herum, den er an der linken Hand trug.

»Du meinst, ich könnte Angst haben, dir wiederzubegegnen?« Kati schlug ihre nackten Beine übereinander und lächelte so spöttisch sie konnte. Gleichzeitig konnte sie aber nicht verhindern zu wünschen, der Traum würde eine ganz andere Wendung nehmen. Diese roten Polster waren wunderbar weich, und wo sie doch schon mal nackt war ... schließlich war in einem Traum alles erlaubt, oder etwa nicht?

Jaromirs Lächeln war mindestens genauso spöttisch. »Oder aber dieser Traum spiegelt am Ende deine *Hoffnungen* wider.«

»Das hättest du wohl gerne«, fauchte Kati ertappt. »Ich habe momentan schon genug Schwierigkeiten, da wäre eine Begegnung mit dir in *real life* das letzte, was ich mir wünschte!«

»Ja, ja, das liebe Geld«, sagte Jaromir verständig. »Dabei dachte ich, bei unserer letzten Begegnung hätte ich dir zu einem kleinen Spargroschen verholfen.«

»Ja, aber der ist zur Zeit nicht verfügbar«, seufzte Kati. »So wie es momentan aussieht, werde ich nicht mal das Geld für einen Flug ausgeben können, um meinen Spargroschen auf den Malediven zu besuchen. Ich habe die ganze Woche versucht, neue Geldquellen aufzutun, hoffnungslos. Jobs gibt's genügend, aber der Stundenlohn ist erbärmlich.«

»Kurz, du bist in einer verzweifelten Situation und würdest deine Seele an den Teufel verkaufen?« fragte Jaromir lächelnd.

»O nein, so weit bin ich noch lange nicht«, sagte Kati.

Und dann sagte Tante Alicias Stimme quasi aus dem Off: »Wenn alle Stricke reißen, kann man immer noch einen reichen Mann heiraten.«

Die Kutsche machte einen kleinen Hopser, Kati wurde hin- und hergeschüttelt.

»Ja, keine schlechte Idee, Tante Alicia, aber sag mir doch bitte auch, welchen reichen Mann ich heiraten soll«, stieß sie hervor.

Und Tante Alicia antwortete, diesmal mit Cosimas Stimme: »Es ist dieser Julian! Wach auf, alte Schlafmütze!«

»Was?« Jaromir und die Kutsche verschwammen vor Katis Augen. Jaromir winkte ihr noch einmal mit der Sisalbürste zu, dann war er verschwunden. Kati sah nur noch schwarz.

Jemand rüttelte ihre Schulter.

»Kati! Aufwachen! Telefon! Es ist dieser Julian!«

Mühsam öffnete Kati die Augen und schaute direkt in Cosimas Gesicht, das diesmal mit einer dunkelgrünen Maske bestrichen war. Schnell kniff sie die Augen wieder zusammen.

»Kati! Nicht wieder einschlafen!«

»Hilfe«, murmelte Kati. »Ein Ungeheuer mit grünem Gesicht steht an meinem Bett.«

»Das ist Heilerde«, erklärte Cosima bereitwillig. »Klärt die Haut, verengt die Poren. Sehr wirkungsvoll, weil mit Aloe-vera-Öl vermischt, so daß es gleichzeitig Feuchtigkeit spendet und Fältchen mindert.«

»Hm, und ich dachte, du hättest den armen Prince

Charming geschlachtet und dir seine Überreste ins Gesicht geschmiert«, sagte Kati und wollte sich auf die andere Seite drehen.

Cosima rüttelte erneut an ihrer Schulter. »Kati! Da ist dieser Julian am Telefon. Er wartet jetzt schon fünf Minuten. Du bist ja einfach nicht wach zu kriegen.«

Nur widerstrebend verließ Kati das Bett. Nicht, daß sie Julian nicht mochte, aber gerade jetzt wäre sie lieber im Bett liegen geblieben.

»Hallo?« sagte sie ziemlich mürrisch in den Hörer. Der Fußboden war kalt unter ihren nackten Füßen. Sie stellte sich auf die Zehenspitzen.

»Tut mir leid, wenn ich dich geweckt habe«, sagte die Stimme von Julian Franke in ihr Ohr. »Ich dachte ... ähm, es ist elf Uhr, und du kommst mir gar nicht so vor wie eine Langschläferin ... tut mir wirklich leid.«

»Macht nichts«, sagte Kati, von einem Fuß auf den anderen tretend. »Ich hatte nur so eine schlechte Woche hinter mir, und gestern abend ist es spät geworden – ein letztes Mal Freitagskellnern bei Luigi, bevor seine nichtsnutzigen Neffen einspringen –, da war ich erst um drei Uhr im Bett.«

»Entschuldige bitte, ich vergesse immer, wie hart du arbeiten mußt, um dein Studium zu verdienen«, sagte Julian. »Es ist nur so, ich habe die ganze Woche nichts von dir gehört, und du hast mir gefehlt.« Er räusperte sich verlegen. »Bleibt es bei unserer Verabredung heute abend?«

»Natürlich. Aber ich warne dich: Ich bin keine gute Gesellschaft. Meine Laune ist so mies, da kann ich für nichts garantieren. Bei mir geht im Augenblick einfach alles schief.«

»Ich werde mein Bestes tun, um dich aufzumuntern«, versprach Julian. »Ich hole dich dann gegen sieben ab, ist das in Ordnung?«

»Das ist okay«, sagte Kati und setzte dann höflich hinzu: »Ich freue mich.«

»Und ich mich erst«, sagte Julian und legte auf.

Cosima steckte ihren grünen Kopf aus dem Badezimmer. »Die Oktobermiete ist noch nicht überwiesen worden«, sagte sie.

»Nein?« Kati sah sie finster an. »Na ja, ich habe im Augenblick ein paar Liquiditätsprobleme.«

»Du? Ich denke, du hast sechsundsechzigtausend Mark auf der hohen Kante!«

»Ja, aber die sind zur Zeit fest angelegt und nicht verfügbar. Du weißt schon, diese Sache mit den Malediven und dreißig Prozent Zinsen.«

»Ich dachte, das wäre ein Scherz«, sagte Cosima. »Du hast doch nicht allen Ernstes dein Geld dafür hergegeben? Nur sehr riskante Spekulationen können überhaupt so hohe Zinsen versprechen.«

»Die Sache ist nicht riskant, es sei denn, die Erderwärmung würde in den nächsten fünf Jahren derart drastisch fortschreiten, daß das Schmelzwasser von den Polen die Malediven unter Wasser setzt«, sagte Kati.

»Na ja, wenn du meinst!« Cosima zuckte mit den Schultern. »Aber die Oktobermiete ist trotzdem fällig. *Unsereins* lebt nämlich *nicht* von Zinsen.«

Kati griff in die Taschen der Jeans, die sie am Abend vorher getragen hatte, und reichte Cosima vier eingerollte Hunderter und zwei Zwanziger. »Da, du altes Krokodil, da hast du dein Geld!«

»Na also«, sagte Cosima.

»Vielleicht sollten wir wieder einen dritten Mitbewohner suchen«, sagte Kati. Als sie sich die Miete noch durch drei geteilt hatten, war sie bedeutend preiswerter weggekommen.

»Und wo soll Frederic wohnen, wenn er wieder da ist?« Cosima schüttelte den Kopf. »Nein, nein, das Zimmer bleibt frei. Gehst du heute wieder mit Berlitz' wissenschaftlichem Assistenten weg? Bahnt sich da was Ernstes an?«

»Was meinst du mit ernst?«

»Na ja, ich meine, könntest du ihn auf Bernadettes Hochzeit mitbringen?«

»Cosima, die Hochzeit ist erst im April. Aber du kannst ihn von mir aus gerne fragen. Er kommt mich nachher abholen.«

»Also, ich würde ihn wirklich jetzt schon fragen, sonst hat er da womöglich schon was anderes vor, und du stehst dumm da. Ich meine, es gibt zwar immer noch diese Begleitagenturen, aber wer weiß, wen man da bekommt. Und wieviel so ein Mietmann kostet.«

»Im Augenblick habe ich wirklich andere Probleme, als über eine Begleitung zu Bernadettes Hochzeit nachzudenken. Ich brauche dringend Kohle! Und zwar nicht, um mir einen Mann zu mieten, sondern um mein blankes Überleben zu sichern.«

»Deine Probleme möchte ich haben«, seufzte Cosima. Kati verdrehte nur die Augen.

Cosimas streng geheimes Tagebuch

Gerade hat meine Mutter angerufen. Zum dritten Mal in dieser Woche. Sie ist über Bernadettes Hochzeit so hoch entzückt, daß sie von nichts anderem reden kann.

»Ist es nicht furchtbar lieb von ihr, dich zu ihrer Brautjungfer zu machen, Schätzchen?« Lieb? LIEB? Meine Mutter hat Bernadettes Charakter immer noch nicht durchschaut. Sie macht das nur, um mich zu ärgern. Diese ganze Hochzeitsfeier findet nur statt, um mich zu ärgern. SO ist Bernadette.

»Sie hat ALLE ihre Cousinen dazu verdonnert, Brautjungfer zu sein, Mama! Aber ich weiß noch gar nicht, ob ich im April überhaupt zu Hause bin.« Genau, vielleicht bin ich da ja auf den Malediven. Kati hat da ja jetzt angeblich eine Ferienanlage. Das muß man ausnutzen, solange es dauert. (Kann nicht gutgehen, bei dreißig Prozent Zinsen, wittere ja großen Nepp, aber Katis Mutter hat die Sache eingefädelt, und Mütter wollen ja nur das Beste für ihre Töchter, ODER?) Vielleicht besuche ich auch Frederic in Indien, da wollte ich schon immer mal hin, und Frederic sagte, wer einmal dort war, hat hier keine Probleme mehr. Oder so ähnlich.

»Nun sei aber mal nicht so ein schrecklicher Spielverderber, Cosima!« sagte meine Mutter. »Der Vincent hat so viele nette Studienkollegen, die noch nicht verheiratet sind. Bernadette hat mir versprochen, dir den allernettesten Tischherrn zu beschaffen, den sie finden kann. Vielleicht läßt du dir nur vorher Strähnchen machen und nimmst ein paar Pfund ab ... und daß du nur ja nichts von deinem widerlichen Frosch erzählst! Die wenigstens Männer mögen Frauen mit skurrilen Hobbys.«

Grrrrr! Ich hasse meine Mutter! Ich hasse Bernadette! Ich hasse Vincents Studienkollegen. Der netteste Tischherr, den Bernadette mir beschaffen kann, ist immer noch viel schrecklicher als der ewig Besoffene vom Kiosk gegenüber, warum sieht das nicht mal meine eigene Mutter ein?

Zwischen dem ewig Besoffenen und mir bahnt sich im übrigen allmählich so etwas wie Freundschaft an.

Gestern, als ich kam, um ein Päckchen Kaugummi ohne Zucker zu kaufen, sagte er: »Diesmal- hicks- keine Schokolade, Häschen?«

Wollte schon sagen, daß ich auf Diät sei, da fiel mein Blick auf diese göttliche weiße Schokolade mit Zitrusfüllung, die es nur im Sommer zu kaufen gibt. Es waren nur noch vier Tafeln da – höchste Alarmstufe. Kein Wunder, ist ja auch schon Oktober. Wenn man im Winter Appetit auf weiße Zitrusschokolade hat, kann man sie nie nirgendwo auftreiben, das weiß ich aus bitterer Erfahrung. Und dann kauft man irgendeinen miesen Ersatz, zum Beispiel Schokoküsse oder Fruchtgummi, Ersatz, der einen nicht wirklich befriedigt, aber natürlich eine Menge Kalorien hat. Ganz schlecht, wenn man ernsthaft abnehmen will.

Ich beschloß, die vier Tafeln weiße Zitrus zu kaufen, auf Vorrat.

Der ewig Besoffene freute sich. »Na also, Häschen«, sagte er. »Du hättest mich sonst auch schwer enttäuscht, hicks.« Und dann guckte er wieder so lüstern wie immer in meinen Ausschnitt, hicks.

Wie gesagt, die Typen, die Bernadette kennt, sind auch nicht besser. Im Gegensatz zu dem ewig Besoffenen sind sie aber auch noch arrogant. Sie tun unglaublich gönnerhaft, als wäre es eine Ehre, überhaupt mit mir zu sprechen. Keiner von denen käme auf die Idee, lüstern in meinen Ausschnitt zu gucken.

Ich mag zwar dick wie ein Wal sein und eine Haut wie eine Geburtshelferkröte haben, aber für diesen eingebildeten Abschaum von Vincents Kaliber bin ich mir allemal zu schade. Werde bis zu dieser verdammten Hochzeit schlank wie eine Elfe werden, und meine Haut wird rein und klar sein wie ein Bergquell. Habe mir gerade eine Maske aus Eierlikör, geschlagener Sahne und pürierten Himbeeren gemacht. Soll kleine Fältchen mindern und die Poren verfeinern. Riecht unglaublich lecker.

16 Uhr

Verdammt! Verdammt! Verdammt! Habe ganze Schüssel mit Gesichtsmaske, Eierlikör, Sahne und Himbeeren verdrückt. War göttlich. Aber so wird das nie was mit dem Abnehmen. Werde ab jetzt nur noch ungenießbare Gesichtsmasken zubereiten. Honig, Salz und Teebaumöl. Essen nur völlig Verhungerte, und ich bin definitiv SATT. Klärt die Haut und entfernt Hautschüppchen und überflüssiges Fett. Klebt schrecklich. Uaaaaaah! Es klingelt an der Tür. Nicht aufmacheeeeeeeen!

19 Uhr

Kati hat natürlich die Tür aufgemacht, bevor ich die klebrige Maske aus dem Gesicht wischen konnte. Mist! War Bernadette höchstpersönlich. Mit Arielle, dem glatzköpfigsten Baby/Kleinkind der Welt. Kati, das Kameradenschwein, verschwand im Bad und ward nicht mehr gesehen.

»Was hast du denn da im Gesicht, Cosima?« fragte Bernadette und lachte blöde. »Du BIST doch Cosima, oder?«

Ich sagte, nein, ich sei Doktor Kimble auf der Flucht. Was sie denn hier wolle, ich hätte nämlich eine Verabredung und keine Zeit.

Bernadette ging mit keinem Wort auf meine Verabredung ein. Wahrscheinlich glaubte sie nicht, daß ich überhaupt eine hatte. Eingebildete Kuh. Sie sei auf einem Einkaufsbummel, erklärte sie, und ich wohnte ja so herrlich zentral, gleich zwischen Gucci-Handtaschen und auf halbem Weg zu Elitebrautkleidern. Ob ich nicht für ein Stündchen oder so auf Arielle aufpassen könne, damit sie dieses herrliche Brautkleid in Größe 36 mal anprobieren könne. Nicht, daß sie es kaufen wolle, sie habe sich ja eigentlich schon für dieses entzückende Pariser Modellkleid entschieden, aber man habe ja nicht alle Tage Gelegenheit, Brautkleider anzuprobieren, blablabla. Glücklicherweise fing Arielle schrecklich an zu brüllen, als sie meine Salz-Honig-Kruste sah und wollte partout nicht in meine Nähe. Bernadette blieb nichts anderes übrig, als sie wieder mitzunehmen. Blieb aber eine Stunde und erzählte von ihrer Hochzeit. Als sie ging, war Haut von Maske rotfleckig geworden. Hat wohl zu lange eingewirkt. Alle Türklinken in der Wohnung waren voll salzigem Honig. Mußte alle abwischen. Kati sagt, sie habe die Türklinken noch nie so gut durchblutet und faltenfrei gesehen.

Sie geht heute abend wieder mit diesem Julian weg. Der Typ sieht unverschämt gut aus, wie alle von Katis Typen, aber er scheint auch noch nett zu sein UND intelligent. Jedenfalls war er sich nicht zu schade, mir die Hand zu schütteln, als er Kati das letzte Mal abgeholt hat. Sehr nett, wie gesagt. Für Katis andere Kerle bin ich immer unsichtbar gewesen. Bis auf den einen, der mich mal Kondome holen schicken wollte. Frechheit.

Warum lerne ICH niemals nette Männer kennen?

Weil ich aussehe wie Geburtshelferkrötenwal, klar. Wird sich alles ändern. Mache jetzt Anticellulitegymnastik (ACG) vor dem Fernseher. Und einhundert Sit-ups. Es läuft ein Film mit Julia Roberts, sehr motivierend.

Später gibt es dann Tomaten mit Mozzarella und Basilikum. Ohne Mozzarella, versteht sich. Bin schließlich auf Diät. Mozzarella allenfalls als Gesichtsmaske zu verwenden.

3

Schmeckt es dir nicht?« Julian sah Kati besorgt an. Seit einer halben Stunde säbelte sie lustlos an ihrer Pizza Funghi herum, und immer noch war mehr als die Hälfte auf dem Teller.

»Doch, doch«, sagte sie. »Die Pizza kann nichts dafür, daß ich mich vor Sorgen zerfleische, sie ist sogar verdammt lecker. Aber in der ganzen verdammten Stadt ist einfach kein Job zu bekommen, und ich bin definitiv blank. Verdammt blank. Und damit meine ich restlos pleite. Absolut und komplett verarmt.«

»Das waren aber eine Menge Verdammts.« Julian griff nach ihrer Hand. Er vermißte die übermütigen Grübchen in ihren Mundwinkeln und das herausfordernde Zwinkern in ihren Augen. Obwohl sie sich erst zum dritten oder vierten Mal trafen, kannte er sie inzwischen gut genug, um zu erkennen, daß sie sich wirklich sorgte. Sie hatte ihm erzählt, daß sie sich ihren Lebensunterhalt seit ihrem achtzehnten Lebensjahr selber finanzierte, unterstützt von einer kleinen Baföggabe des Staates. Ihre Mutter kümmerte sich keinen Deut um ihr, Katis, Wohlergehen, und ihr Vater war nicht bekannt.

»Mir jedenfalls nicht«, hatte Kati gesagt. »Meine Mutter hat immerhin noch schwache Erinnerungen an ihn. Sie ist beinahe sicher, daß sein Vorname mit einem M angefangen hat.«

Julian war ein bißchen schockiert, aber von der Courage, mit der Kati sich durchs Leben wurschtelte, schwer beeindruckt gewesen. Daß jetzt auf einen Schlag alle ihre Geldquellen kollabiert waren, war nicht Katis Schuld. (Sie hatte ihm alles von Luigi und seinen nichtsnutzigen Neffen und auch von Frankie Schmitz-Prank und seinem Reiseunternehmen erzählt, nur die sechsundsechzigtausend Mark auf den Malediven hatte sie unerwähnt gelassen. Eine Frau mußte sich schließlich ein paar Geheimnisse bewahren. Außerdem wollte sie ihn nicht unnötig neidisch machen.)

»Wenn ich dir irgendwie helfen kann ...«, sagte Julian. Seine hellen, blauen Augen sahen Kati voller Mitleid an.

»Ich glaube nicht. Es sei denn, du hättest einen Job zu vergeben.«

»Oh, äh, ich, nein, leider ...« Julian geriet etwas ins Stottern. Als wissenschaftlicher Assistent hatte er natürlich keinen Job zu vergeben, obwohl die Arbeit, die Berlitz ihm aufhalste, gut und gerne für zwei gereicht hätte. Was Kati aber nicht wußte, war, daß Julian sechzig Prozent der Firmenanteile von *Franke und Dublitzer* besaß, dem Unternehmen, mit dem sich sein Vater eine goldene Nase verdient hatte. Ebenso sein Partner Edward Dublitzer, der zwar mit vergoldeter Nase, aber kinderlos verstorben war, weshalb die Firma nun allein Julian und seiner Mutter gehörte. *Franke und Dublitzer* war ein angesehenes Unternehmen, das seit fünfzig Jahren völlig skandalfrei hochwertige Instantlebensmittel produzierte und vertrieb und der Stadt satte zweitausend sichere Arbeitsplätze bescherte. Sogar der Kakaogeruch, der sich bei Westwind und

Hochdruckwetter über die Stadt legte, war bei den Bürgern beliebt. Wie seine Mutter immer sagte: Julian konnte stolz darauf sein, den Namen Franke zu tragen. Aber aus irgendeinem Grund wollte er vermeiden, daß Kati ihn mit dem Firmenimperium in Verbindung brachte. Das hätte eine Kluft zwischen ihnen aufgetan, die ihm unüberwindlich erschien. Solange sie ihn jedoch als wissenschaftlichen Assistenten mit bescheidenem Einkommen ansah, spielten sie in derselben Liga.

»Du wirst es nie verstehen«, hatte sein bester Freund Christoph gestern abend gesagt, als Julian ihm eben diese Theorie auseinandergesetzt hatte. »Frauen wollen gar nicht, daß ihre Männer in derselben Liga spielen. Genauer gesagt wollen sie mit dir schlafen, um ein paar Klassen aufzusteigen.«

»Das siehst du viel zu negativ, Chris«, hatte Julian gesagt. »Du hast ganz entschieden den falschen Umgang. Nichts gegen Charmaine, aber solange du nur mit ihr und ihren ganzen Reichen und Berühmten verkehrst, wirst du das wahre Leben und die menschliche Natur in ihrer Urversion nie kennenlernen. Das wahre Leben tobt nämlich außerhalb eures geschlossenen Clubs.«

Christoph hatte nur gelacht. »Wenn ich dafür wie du in eine erbärmliche Zweizimmerwohnung im vierten Stock ohne Aufzug ziehen und eine alte Schrottmühle fahren muß, dann will ich dein sogenanntes wahres Leben gar nicht kennen lernen. Im übrigen stimme ich völlig mit deiner Mutter überein: Warum sich mit den Armen und Kranken beschäftigen, wenn man genügend Reiche und Schöne kennt?«

Julian, der wußte, daß Christoph jährlich riesige Summen für wohltätige Zwecke spendete, hatte seinem Freund diesen geschmacklosen Ausspruch sofort verziehen. »Worüber ich mich wirklich ärgere, ist deine Ansicht, daß Menschen ohne Kohle nichts wert sind«, hatte er gesagt.

»Aber das ist doch Blödsinn«, hatte Christoph widersprochen. »Natürlich sind alle Menschen gleich und so weiter, blablabla. Nur – die wenigen ohne Kohle, die ich kenne, halten De Beers für eine Baseballmannschaft, haben keine Ahnung vom Golfen und rasieren sich nicht unter den Achseln.«

Julian hatte seufzend das Thema gewechselt. Aber jetzt fiel ihm das Gespräch wieder ein, und er fragte völlig unpassend und aus heiterem Himmel: »Sag mal Kati, woran denkst du, wenn du De Beers hörst?«

»An Diamanten«, sagte Kati prompt. »An die einzigen Steine, die man sich gerne in den Weg legen läßt.«

Julian grinste. Das hätte Christoph hören sollen – von wegen Baseballmannschaft!

»Klunker, die ich aber leider nicht besitze«, fügte Kati traurig hinzu. »Ich komme trotzdem klar. Zur Not muß ich eben bei einem dieser Geier kellnern und das Trinkgeld unterschlagen.«

Julian wurde von seinem schlechten Gewissen überwältigt. Da saß er nun, reich wie Krösus, und andere Menschen waren gezwungen, einen miesen Job anzunehmen, nur um ihre Lebensmittel bezahlen zu können!

»Ich würde dir wirklich gerne helfen, Kati«, sagte er.

»Das tust du doch schon, indem du mein Abendessen bezahlst«, sagte Kati und fügte nur halb im Scherz hinzu: »Wer weiß, wie lange ich mir noch geregelte Mahlzeiten leisten kann.«

»Nein, ich meine, richtig helfen. Ich könnte dir Geld leihen«, sagte Julian.

»Das ist wirklich nett von dir, aber das kann ich nicht annehmen.« Kati stockte und horchte verdutzt ihren eigenen Worten nach. Zu ihrem Erstaunen stellte sie fest, daß sie es wirklich ernst meinte. »Wir haben uns doch gerade erst kennengelernt. Außerdem hast du selber nicht viel Geld. Möchte gar nicht wissen, wie unterbezahlt deine Assistentenstelle ist.«

»Na ja, es ist nicht gerade ein Beamtengehalt, aber man kann davon leben.« Julian fühlte sich immer unbehaglicher.

»Deshalb darfst du mich ja auch zur Pizza einladen«, sagte Kati liebenswürdig und bestimmt zugleich. »Aber mehr ist nicht drin.«

»Aber ich habe ähm was gespart, das ich im Moment nicht brauche«, sagte Julian. »Ich könnte es dir geben, bis du es zurückzahlen kannst.«

Kati sah ihn freundlich an. »Wirklich, Julian, das geht nicht. Ich kann dein vom Munde abgespartes Geld nicht annehmen, und das weißt du genauso gut wie ich.«

Vom Munde abgespart! Das war zuviel für Julian. Er konnte Kati für den Rest des Abends kaum noch in die Augen sehen. Ursprünglich hatte er vorgehabt, Kati heute seine Wohnung zu zeigen. Vorsorglich hatte er eine Flasche Sekt in den Kühlschrank gelegt, schließlich war das bereits ihr drittes Rendezvous, und laut Statistik geschah »es« zu achtzig Prozent bereits beim zweiten.

Nach diesem Gespräch aber konnte er sich beim

besten Willen nicht mehr vorstellen, Kati heute abend zu verführen. Er fühlte sich mies, er war ein Betrüger, ein Schwindler, ein Tiefstapler! Die arme Kati hatte etwas Besseres verdient.

»Ist was?« erkundigte sich die arme Kati irritiert.

»Nein, nein, mir ist nur nicht gut«, murmelte Julian und beugte sich über seinen Teller. Andere hatten Probleme, weil es ihnen an Geld mangelte, er hatte Probleme, weil er zuviel davon hatte. Das war doch kein Zustand.

Er war erleichtert, daß Kati nach dem Essen sagte, daß sie müde sei und besser nach Hause gehen sollte, um sich auszuschlafen. Als er sie vor der Haustür abgesetzt hatte und wartete, bis ihr blonder Lockenkopf im Hauseingang verschwand, lehnte er sich nachdenklich in den Autositz zurück. (Er fuhr einen bescheidenen, angerosteten VW Polo, passend zu seinem Assistentenjob.) Er wußte, daß er im Begriff war, sich in Kati zu verlieben, und zwar nicht nur wegen der Sommersprossen auf ihrer Nase. Sie hatte alles, was eine Frau seiner Ansicht nach haben mußte: Witz, Intelligenz, Schönheit und Courage. Außerdem war sie ein verdammt netter Kerl, kurz, eine absolute Traumfrau. Das einzige, das sie nicht hatte, waren reiche Eltern oder solche mit berühmten Namen. Aber darauf legten nur seine Mutter und Christoph Wert, ihm war es völlig egal.

Möglicherweise war auch das Getue, das er um seine Herkunft machte, vollkommen überzogen. Vielleicht war es Kati ja gleichgültig, ob er nun wissenschaftlicher Assistent oder Boß eines Firmenimperiums war. Sie lebten schließlich nicht mehr im 18. Jahrhundert.

Das nächste Mal würde er ihr die Wahrheit sagen. Und ihr einen guten Job bei *Franke und Dublitzer* besorgen, wenn sie noch wollte.

Als Kati die Haustür aufschloß, stand Cosima ohne Klamotten im Flur vorm Spiegel.

»Also, ohne Gesichtsmaske siehst du irgendwie nackt aus, Cosima«, scherzte Kati. »Was zur Hölle machst du da?«

»Ich ziehe Bilanz«, sagte Cosima. »Das steht in dem Buch, das ich gerade lese. *Sag deinem fetten Ich ade.* Immer, wenn man gesündigt hat, soll man sich zur Strafe nackt vor den Spiegel stellen und ganz nüchtern über alle Fettrollen Bilanz ziehen.«

»Du hast gesündigt, Cosima? Wie heißt er denn? Kenne ich ihn?«

»Du kennst ihn gut. Er heißt Mozzarella. Und Zitrusschokolade war auch dabei«, sagte Cosima traurig und kniff sich in die Taille.

»Oho, ein flotter Dreier.« Kati warf ihre Jacke über den Sessel und stellte sich neben Cosima vor den Spiegel. »War's denn gut?«

»Nur solange es dauerte. Danach fühlte ich mich schrecklich.«

»Wenn du einmal auf mich hören würdest, dann wärst du deinen ganzen Kummer mit einem Schlag los.«

»Auf einen Schlag niemals.« Cosima klatschte sich haßerfüllt auf ihren nackten Bauch. »Warum bist du eigentlich schon wieder da?«

»Mir war irgendwie nicht nach einem Abend mit Julian«, sagte Kati. »Obwohl er natürlich schrecklich nett und gutaussehend und das alles ist. Ich weiß auch nicht, was mit mir los ist. Er wollte mir Geld leihen, aber ich habe es nicht angenommen. Keine Ahnung, warum nicht. Ich könnte es, weiß Gott, gebrauchen!«

»Vielleicht entwickelst du auf deine alten Tage ja noch so etwas wie Moral«, sagte Cosima.

»Ich und Moral?« Kati schüttelte den Kopf. »Mir hat mal jemand gesagt, daß ich dort, wo andere Menschen ein Gewissen haben, ein Loch hätte. Und mein guter Kern sei ungefähr so groß wie eine Amöbe.«

»Wer hat das gesagt?«

»Der Teu- ... ein Bekannter namens Jaromir. Er sagte, wenn jemand völlig ohne Skrupel sei, dann ich.«

»Das stimmt aber nicht«, sagte Cosima. »In letzter Zeit kannst du sogar richtig nett sein. Manchmal glaube ich sogar, du bist die einzige wirkliche Freundin, die ich habe.«

Kati war wider Willen gerührt. »Also, mit dir geht mir das genauso«, sagte sie. »Du bist zwar eine entsetzliche Nervensäge, aber du gehörst zu meinem Leben einfach dazu. Ich mag dich wirklich.«

Cosima zupfte verlegen an einer Delle in ihrem Oberschenkel und murmelte: »Obwohl ich so wahnsinnig fett bin?«

»*Du bist nicht fett!*« Kati verdrehte die Augen. »Dein Problem ist, daß du zuviel ans Essen denkst. Solange du immer nur darüber nachdenkst, was du alles nicht essen sollst, signalisiert dein Gehirn dir ununterbrochen: essen, essen, essen. Ist doch logisch, oder?«

»Genau das steht auch in dem Buch«, sagte Cosima.

»Da sage ich dir also nichts Neues?«

»Aber nein.« Cosima boxte sich gegen das Kinn. »Es

gibt nichts, was ich zu diesem Thema noch nicht gelesen hätte. Es ist eine hochkomplizierte Angelegenheit. An allem ist meine Mutter schuld. Im Grunde. Weil sie mich schon als Kind falsch gefüttert und niemals genug gelobt hat. Bei Mißerfolg muß ich sofort essen, das hat was mit der Erziehung zu tun. Zum Beispiel heute abend: Da wollte ich meine ACG vor dem Fernseher machen. Und einhundert Sit-ups für den Bauch. Nach elf Sit-ups bin ich vollkommen zusammengebrochen. Meine Bauchdecke hat gezittert wie Espenlaub. Ich habe jetzt schon Muskelkater. Mein Fitnessgrad liegt laut Selbsttest in der *Fit for fun* bei minus vier. Geschätzt, die Skala ging nur bis Null.« Cosima schniefte. »Ich war so frustriert, daß ich doch Mozzarella auf die Tomaten getan habe. Und dann kam Julia Roberts im Fernsehen und sah so unglaublich schlank und zart und toll aus, da war ich so wütend über mich selber, daß ich an meinen Wintervorrat Zitrusschokolade gegangen bin.« Cosima fing an zu weinen. Schluchzend stieß sie hervor: »Und jedesmal, wenn ich das Radio anmache, um mich mit Musik abzulenken, singt diese blöde Britney Spears: Huch, ich tat es erneut! Als ob sie mich verarschen wollte. Blöde, dürre Tanzmaus! So eine wie die müßte verboten werden.«

Kati ging ins Badezimmer und kam mit Cosimas Bademantel zurück. »Hier, zieh dir was an«, sagte sie. »Wofür steht eigentlich ACG? Für Armes-Cosima-Geleiere? Oder Achtung, Cosima greint! Oder heißt es: Alte Chips gegessen?«

»Wenn dann: *Alle* Chips gegessen. Nein, es heißt Anticellulitegymnastik«, sagte Cosima und wischte sich die Tränen von der Wange. »Ich bin wirklich zutiefst verzweifelt! Ich glaube, ich bin depressiv und eßsüchtig und gehöre in eine Anstalt.«

»Unsinn, du bist nur vorübergehend deprimiert«, sagte Kati. »Ist allerdings schlimm genug. Schokolade ist aber keine Lösung!«

»Ich weiß aber nichts Besseres« sagte Cosima, während sie sich in ihren Bademantel hüllte. »Höchstens noch Geleebananen. Und natürlich Marzipankartoffeln. Gott sei Dank ist jetzt ja wieder Saison für Marzipan und Dominosteine. Und gefüllte Lebkuchen. Und Fondantkringel. Und Cremehütchen ...«

»Nein, Essen ist keine Lösung«, wiederholte Kati. »Da müssen härtere Sachen her. Ich hole uns im Kiosk ein paar Flaschen Wein.«

»Alkohol ist aber gar nicht gut, wenn man abnehmen will«, gab Cosima zu bedenken.

»Doch«, sagte Kati. »Nach spätestens vier Gläsern hast du nämlich keinen Appetit mehr auf Essen. Und morgen, das garantiere ich dir, kriegst du keinen Bissen runter.«

»Dann los, kauf das Teufelszeug«, rief Cosima aus. »Worauf wartest du noch?«

»Darauf, daß du mir Geld gibst«, sagte Kati und hielt die Hand auf. »Ich bin pleite, schon vergessen?«

Cosima reichte ihr einen Zwanzigmarkschein. »Reicht das?«

»Hm, ja«, sagte Kati. »Ich werde sehen, was ich dafür bekommen kann.«

»Schöne Grüße an den ewig Besoffenen. Er kann dich sicher gut beraten.« Cosima warf ihrem Spiegelbild einen letzten Blick zu und kehrte zurück auf den Teppich, auf dem sie die Gymnastik versucht hatte und kläglich gescheitert war. Wütend starrte sie die leeren Schokoladenverpackungen an. Was für ein Scheißtag! Und daran war nur Bernadette schuld. Und ihre Mutter natürlich.

Kati kam mit vier Literflaschen Wein zurück. »Nicht unbedingt erste Wahl, aber das Beste, was der ewig Besoffene zu bieten hatte. Es wäre sogar noch Geld für eine Tüte Chips übrig gewesen, aber ich dachte an deine Diät und habe widerstanden. Korkenzieher her und runter damit.«

Cosima holte zwei ihrer wunderschönen, höchst selten benutzten Rotweinkelche aus dem Schrank. »Eigentlich müßte ich ja längst im Bett liegen. Der Schlaf vor Mitternacht ist am wichtigsten für die Zellerneuerung. Aber heute ist so ein mieser Tag, da kann ich jetzt nicht einfach einschlafen.«

»Genau«, sagte Kati und ließ den Wein in die Gläser fließen. »Manchmal muß man sich vorher betäuben. Sonst hat man unangenehme Träume. Prosit.«

Cosima nahm einen tiefen Zug und verzog das Gesicht. »Sauer!«

»Trocken«, verbesserte Kati. »Verglichen mit Schokolade schmeckt alles sauer.« Sie setzte ihr Glas an die Lippen. »Aber verglichen mit Zitronensaft – gaaaaaah! Ist das sauer!«

»Sag ich doch!« Cosima angelte nach der Zuckerdose. »Das kann man beim besten Willen nicht trinken. Es sei denn, wir tun ein wenig Zucker ...«

»Oder wir machen Glühwein draus«, schlug Kati vor. »Wir haben Orangen« – für Cosimas Diät – »und Zimtstangen und Zucker und vom letzten Jahr noch irgendwo einen Beutel mit Glühweinwürze.«

»Au ja«, sagte Cosima. »Das hat Stil. Das gefällt mir. Auch wenn es erst Oktober ist.«

Sie gossen alle vier Flaschen Wein in den Nudeltopf, zusammen mit Orangenscheiben, Zimt, Zucker und dem Teebeutel für Weihnachtspunsch, den Cosima noch gefunden hatte. Als das Ganze heiß wurde, verbreitete sich ein köstlicher Duft in der Küche.

»Alle Jahre wieder, kommt der Punsch daher«, fing Cosima zu singen an. »Und dann singen wir Liede-her, das ist betrunken gar nicht schwer.« Ihre Laune besserte sich zusehends.

Kati äugte in die Tiefen des Nudeltopfes. »Hm, hm, bißchen viel, möglicherweise. Vielleicht sollten wir den ewig Besoffenen vom Kiosk dazubitten.«

»Bloß nicht«, sagte Cosima. »Der säuft uns in Grund und Boden, und dann bleibt für uns gar nichts übrig.« Sie nahm eine Suppenkelle von der Hakenleiste und tunkte sie in das Teufelsgebräu. »Hoch die Tassen!«

»Auf uns«, sagte Kati. »Auf daß sich alle unsere Probleme in nichts auflösen.«

»Vor allem meine Fettpolster«, stimmte Cosima ein.

Die Badewanne vollaufen zu lassen, war ein schwieriges Unterfangen, da das Badezimmer sich drehte wie ein Karussell. Auch die Badewanne machte Pirouetten vor Katis Augen.

»Egal, wie du dich auch drehst und windest«, sagte sie entschlossen zu der Badewanne. »Ich krieg dich doch!«

Die Flasche mit dem Mandelölschaumbad – uuups – fiel ihr ins Wasser, und als es ihr endlich gelungen war,

sie wieder rauszufischen, war der ganze Inhalt hinaus-
gelaufen.

»Macht nichts, gibt sssön viel Sssaum«, nuschelte Kati.
Der Glühwein hatte ihr Gehirn in aufgeweichte Watte
verwandelt. Von den vier Litern war nicht mehr viel
übrig geblieben. Cosima war bereits auf halbem Weg
zum Bett eingeschlafen. Mit einem seligen Lächeln hatte sie sich auf dem Teppich eingerollt und gesagt: »Danke, Kati, jez weiß'ch, daß'ch nie wieder was ess'n muß.
Und wenn doch, dann muß ich's gleich wieder aus-
kotz'n, super. Habich mir immer gewünscht. Danke, du
bis wirklich eine echte Freundin!«

Danach war sie sofort eingeschlafen. Kati hatte die
Tischdecke über sie gebreitet – »Tischdecke? Huch,
wollte ei'ntlich Bettdecke nehm'« – und war ins Badezimmer gewankt. Nichts ging über ein heißes Bad mitten in der Nacht.

Es kostete sie einige Anstrengung, ihre Sachen aus-
zuziehen und in die sich immer noch drehende Badewanne zu hieven. Der Schaum war in der Tat reichlich
geworden. Er reichte Kati bis unter das Kinn und legte
sich wie ein Pelzkragen um ihren Nacken. Eine Menge
davon floß auch über den Wannenrand auf den Fußboden.

»Das 's ja 'ne richtige Sssaumparty«, freute sich Kati.

»Herrje, wieder mal stockbesoffen, was?« sagte eine
Stimme neben ihr.

»Kann man wohl laut sagen«, bestätigte Kati. Den
dunkelhaarigen Mann, der sich auf dem schwanken-
den Wannenrand niedergelassen hatte, konnte sie nur
verschwommen erkennen. Aber auch so sah sie, daß
er verdammt gut aussah. Wenn da nicht diese merk-

würdigen Ausbuchtungen am Kopf gewesen wären, dort wo andere Männer ihre Geheimratsecken hatten. Zu ihrem eigenen Erstaunen spürte sie überschäumende Freude in sich hochschwappen. Er war wieder da!

»Jaromir! Was machst du denn hier?« Sie fing an zu lachen. »Das reimt sich! Hast du das gehört? Jaromir reimt sich auf hier. Und auf Tier. Und auf Bier. Und auf Klavier. Und auf Klistier. Und auf ...«

»... Gier«, ergänzte Jaromir mit tiefer Stimme. »Freut mich auch, dich zu sehen, Kati.«

»Wird dir denn gar nicht schwindelig?« wollte Kati wissen. »Die Badewanne hat doch so einen schlimmen Drehwurm.«

»Diese Badewanne steht fest im Boden verankert«, widersprach Jaromir. »Das einzige, was einen Drehwurm hat, ist dein Kopf. Du hast schätzungsweise zwei Liter Rotwein zu dir genommen, aus den leeren Flaschen in eurer Küche zu schließen. Schade, ich hätte gern ein vernünftiges Gespräch mit dir geführt.«

»Und warum kommst du dann immer, wenn ich was getrunken habe?« wollte Kati wissen. »Ich will dir sagen, warum! Weil du nur eine verdammte Hallunizi ... eine Hazilluni ... Hallunization ... ja, das kommt dem Wort schon sehr nahe ... bist. Eine Fata Margona. Morgana. Ein Hirnspeginst. Gespinst. Eine durch Alkoholgenuß herbei hazinullisierte Erscheinung. Verstehste? Typen mit Hörnern auf dem Kopf gibt es nämlich gar nicht. Eigentlich nicht mal in meiner Phantasie. Aber, na ja, da steckt man eben nicht drin, wovon man so hazinullisiert. Hallizuniert, meine ich!«

Jaromir seufzte. »Ich scheine wirklich einen schlechten Augenblick gewählt zu haben, um mal nach dem Rechten zu schauen. Aber wenigstens kann ich dafür sorgen, daß die Wanne aufhört sich zu drehen.« Er griff nach dem Duschkopf und richtete ihn auf Kati. Ein eiskalter Wasserguß traf sie mitten ins Gesicht.

Sie kreischte laut auf. »Aufhören! Sofort aufhören!«

Jaromir stellte das Wasser ab und grinste sie an. »Na, besser?«

In der Tat konnte Kati nun bedeutend klarer sehen. Jaromirs dunkle, glänzende Locken, die geheimnisvollen grünen Augen, die markanten Gesichtszüge, das Grübchen im Kinn – bei seinem Anblick überzog sich ihr ganzer Körper mit einer wohligen Gänsehaut. Ach, wenn es ihn doch nur in Wirklichkeit gäbe! Und wenn er nicht so ein verflucht listiger Teufel wäre.

»Warum bist du da?« fragte sie. »Ich dachte, ich wäre dich für immer los.«

»Tatsächlich? Und ich dachte, du träumst jede Nacht von mir«, erwiderte Jaromir leichthin.

Kati biß sich auf die Lippen. Wenn sie dazu geneigt hätte rot zu werden, wäre sie jetzt angelaufen wie eine reife Tomate.

»Träume sind Schäume«, sagte sie so lässig wie möglich. »Also, los, warum bist du hier? Glaub bloß nicht, daß ich mich noch mal auf ein Geschäft mit dir einlasse.«

»Warum nicht? Beim letzten Mal bist du gar nicht so schlecht damit gefahren«, gab Jaromir zurück. »Immerhin bist du hinterher um eine Erfahrung und einen Haufen Geld reicher gewesen.«

»Ja.« Kati streckte sich wieder im warmen Wasser aus und schloß die Augen. »Aber um eine schlechte Erfahrung. Und leider nicht genügend Geld, wie man ja momentan sieht.«

»Du steckst diesbezüglich wohl ziemlich in Schwierigkeiten«, stellte Jaromir fest.

»Nur vorübergehend. Ich werde schon einen Job finden, und in einem halben Jahr bekomme ich einen Haufen Zinsen.«

»Aber sicher«, sagte Jaromir und lachte. Sein Lachen war genauso dreckig und sexy, wie sie es in Erinnerung hatte. »Also, ich hätte dich wirklich für klüger gehalten, Kati. Jedenfalls, wenn es um Geldanlagen geht. Malediven, pah!«

»Nur kein Neid wegen meiner dreißig Prozent und der Urlaubsregelung. Ich bin doch nicht blöd. Ich habe meinen Vertrag Wort für Wort durchgelesen. Da gibt es keinen doppelten Boden«, sagte Kati würdevoll. »Außerdem hat meine Mutter ...«

»... dich noch niemals reingelegt? Sie kassiert seit Jahren dein Kindergeld und gibt dir nicht einen Pfennig davon ab.«

»Blödsinn, ich bin schon seit Jahren kein Kind mehr«, widersprach Kati.

»Ja, aber solange du studierst, bekommt deine Mutter trotzdem Kindergeld«, sagte Jaromir. »Hast du jemals einen Pfennig davon gesehen? Na siehst du! Warum sollte sie sich nicht auch deine sechsundsechzigtausend Mark unter den Nagel reißen?«

»Du willst mir nur den Spaß verderben«, sagte Kati. »Bist du deshalb gekommen? Um mich gegen meine Mutter aufzuhetzen? Das ist völlig überflüssig. Ich kann sie immer noch nicht ausstehen, die egozentrische Ziege, Malediven hin, Malediven her.«

»Eigentlich bin ich nur gekommen, um dir meine Hilfe anzubieten«, sagte Jaromir ernst, aber seine ironisch zwinkernden Augen straften ihn Lügen.

»Ich bin im Augenblick ein bißchen blank, ja, aber das stürzt mich noch lange nicht in so tiefe Verzweiflung, daß ich auf deine Hilfe angewiesen wäre«, schnappte Kati. »Deine sogenannte Hilfe ist immer an äußerst unangenehme Bedingungen geknüpft. Das letzte Mal mußte ich einen Kunstdiebstahl begehen, soweit ich mich erinnern kann.«

»Aber es hat doch Spaß gemacht, oder?« fragte Jaromir.

Kati sah ihn nur finster an.

»Komm schon, Kati, gib doch zu, daß du dich in den letzten Monaten überwiegend gelangweilt hast! Insgeheim stehst du einem kleinen Abenteuer nicht abgeneigt gegenüber. Und ein bißchen Geld kannst du auch gebrauchen.«

»Mehr als ein bißchen Geld hast du wohl nicht zu bieten, was? Wie war das denn mit den berühmten drei Wünschen? Irgend etwas, wofür es sich lohnt, die unsterbliche Seele herzugeben.«

»Unsterbliche Seele!« Jaromir lachte. »Immer noch die alten Vorurteile. Mittlerweile müßtest du mich doch ein bißchen besser kennen und wissen, daß ich an deiner unsterblichen Seele nicht die Bohne interessiert bin.«

»Woran dann?« Unter den Schaumbergen fingen Katis Füße hoffnungsvoll an zu kribbeln, genau wie in ihrem Traum.

Jaromir schaute angelegentlich auf seine gepflegten Fingernägel. »Einzig und allein an deiner Mitarbeit in einer meiner beruflichen Angelegenheiten.«

»Aha, das ist also kein reiner Freundschaftsbesuch.« Katis Füße hörten auf zu kribbeln. »Und du bietest nichts als Geld!«

»Seien wir doch mal ehrlich, Kati: Was gibt es schon für Wünsche, die man sich mit Geld nicht erfüllen könnte?«

»Och, eine Menge«, sagte Kati. »Zum Beispiel Gesundheit ...«

»... gesund bist du ja«, fuhr Jaromir dazwischen.

»Liebe«, zählte Kati unbeirrt auf, wobei sich ihre Augen mit Tränen füllten. »Und Freundschaft.«

»Du hast doch Cosima«, sagte Jaromir. »Und mich natürlich. Was dir fehlt, ist Bares.«

»Nein, danke, kein Bedarf«, sagte Kati. »Dir dürfte nicht entgangen sein, daß ich inzwischen ein besserer Mensch geworden bin.«

Jaromir legte den Kopf in den Nacken und lachte dröhnend.

»Es ist wahr«, sagte Kati beleidigt. »Ich habe offenbar doch so etwas wie ein Gewissen. Heute zum Beispiel hat Julian mir sein Erspartes angeboten, und ich habe abgelehnt. Aus purem Anstand. Na ja, und weil ich glaubte, daß es nicht besonders viel sein konnte, was er sich so zusammengespart hat. Aber trotzdem. Und als Cosima heute wieder einen ihrer Anfälle hatte, habe ich nicht geflucht und das Weite gesucht wie sonst immer, sondern ein schwesterliches Besäufnis mit ihr veranstaltet. Damit sie mal an was anderes denkt als an Essen.«

»O ja, das war sehr gutherzig von dir«, spottete Jaromir, während er sich die Lachtränen aus den Augenwinkeln wischte. »Aber dein verbessertes Ich verschafft dir doch offenbar keine Kohle. Und ohne Moos ist nun mal nichts los auf dieser Welt.«

»Ach, das bißchen Geld.« Kati versuchte, möglichst desinteressiert zu klingen. »Kommt Zeit, kommt Rat, kommt auch Geld.« Sie gähnte. »Gute Nacht, Jaromir.« Beinahe hätte sie sich zum Schlafen auf die Seite gedreht, da fiel ihr ein, daß sie ja in der Badewanne lag und nicht im Bett.

»Und ich dachte, wir seien *Freunde*«, sagte Jaromir. Seine Stimme klang leicht gekränkt. »Es ist wirklich nicht nett von dir, einem Freund eine Bitte abzuschlagen. Ich würde dich gar nicht gefragt haben, wenn es nicht äußerst dringend wäre.«

Kati sah ihn mißtrauisch und hoffnungsvoll zugleich an.

»Wir sind ja auch Freunde«, sagte sie zögernd. »Hatte ich jedenfalls gehofft. Aber du hast ja nur von diesem beruflichen Kram gesprochen.«

»Es ist ja auch ein sehr dringendes berufliches Problem, das ich habe. Mein Job ist verdammt hart. Und der Druck von oben mächtig. Ständig muß man Spitzenleistungen erbringen, sonst ist man ganz schnell weg vom Fenster. Will heißen, man verliert gewisse Privilegien. In letzter Zeit hatte ich ein wenig Pech, einige sehr vielversprechende Projekte sind gescheitert. Ich bin bei meinen Arbeitgebern deswegen in Ungnade gefallen.«

»Und welche Privilegien hast du eingebüßt?« fragte Kati neugierig. »Keinen Schlüssel mehr zur Chéftoilette? Keinen Firmenwagen mehr?«

»So ähnlich. Vielleicht ist dir aufgefallen, daß ich durch die Tür gekommen bin wie ein ganz normaler Sterblicher.«

»Ist mir nicht aufgefallen«, sagte Kati. »Du warst plötzlich einfach da.«

»Nachdem ich die Wohnungstür mit einem Dietrich geöffnet hatte, ja«, sagte Jaromir. »Glücklicherweise habt ihr wie immer vergessen, die Sicherheitskette vorzulegen, sonst hätte ich die auch noch durchknipsen müssen! Die Fähigkeit zu erscheinen und zu verschwinden, wann und wo es mir beliebt, hat man mir nämlich genommen. Eine ziemliche Schmach für einen Teu-... für einen wie mich.«

»Du mußt da aber wirklich was total verbockt haben«, sagte Kati.

»Na ja, wie gesagt, es lief nicht unbedingt blendend in letzter Zeit. Aus einer geplanten Massenprügelei im Fußballstadion wurde ein Happening, bei dem sich die Fans der beiden Mannschaften brüderlich in den Armen lagen, und die Überlebenden des in den Anden abgestürzten Flugzeugs haben mir zu einem einzigen Debakel verholfen. Anstatt sich gegenseitig umzubringen und aufzuessen, haben sie Schmelzwasser getrunken, meditiert und gesungen. Als sie gefunden wurden, waren sie sogar bei bester Gesundheit.« Jaromir seufzte. »Ach ja, und Meg Ryan ist auch wieder zu Dennis Quaid zurückgekehrt.«

»Die hatten dich auf Meg Ryan angesetzt?« Kati war beeindruckt.

Jaromir antwortete nicht. »Jedenfalls bin ich kurz davor, aus der – aus der Firma zu fliegen. Sie haben mich dazu verdonnert, wie ein ganz gewöhnlicher Mensch zu leben, mit all seinen widerwärtigen Bedürfnissen. Hunger, Durst, Schlaf, Atmen – entsetzlich. Ich hätte mir nie träumen lassen, wie anstrengend es allein ist, zu *verdauen*.« Er machte eine kurze Pause, in der er seine Hand auf die Magengegend legte. »Nie wieder Big Mac, sage ich nur! Vorgestern hatte ich sogar Zahnschmerzen und mußte einen Zahnarzt aufsuchen. Unglaublich, was man dort erleiden muß! Und das schlimmste: Wenn ich das nächste Projekt auch noch versaue, dann bleibe ich für immer so!«

»Und da soll ich dir helfen, das zu verhindern?«

»So ist es.«

»Aber wenn du im Augenblick ein ganz gewöhnlicher Sterblicher bist, dann kannst du mir doch überhaupt nichts Reizvolles dafür bieten«, sagte Kati.

»Nein. Nichts außer Geld«, sagte Jaromir. »Viel Geld. Heiratsschwindel, Drogenhandel, Erpressung, Diebstahl – an Geld kommt man auch ran, wenn man sich mit Verdauung und Zahnschmerzen herumschlagen muß. Vorgestern zum Beispiel hat ein gewisser Linus Backhaus die Sparkasse in – na ja, du mußt nicht wissen wo – überfallen, gleich neben meinem Zahnarzt. Backhaus ist das mit dem Überfall wie immer ziemlich stümperhaft angegangen, hat die Maske zu früh abgenommen und noch mal doof in die Überwachungskamera gegrinst. Aber immerhin hat er es geschafft, mit vierhunderttausend Mark quer durch die Fußgängerzone zu fliehen. Zu Hause wartete dann schon die Polizei auf ihn. Die wollte ihm partout nicht glauben, daß ihm die Plastiktüte mit dem Geld unterwegs geklaut worden war. Tja, armer Backhaus. Du hättest mal sein blödes Gesicht sehen sollen, als ich ihm das Geld im Vorbeifahren einfach aus der Hand genommen habe. Ich habe sogar danke gesagt.«

»Du hast also vierhunderttausend Mark?«

»Unter anderem.« Jaromir nickte. »Interessiert? Sehe ich da den altbekannten, gierigen Funken in deinen blauen Augen aufblitzen?«

Ein Kratzen an der Badezimmertür ersparte Kati die Antwort. Vom Flur her ertönte eine schwache Stimme.

»Kati? Ist das das Badezimmer? Ich glaub', ich muß mich übergeb'n. Ach, wenn ich nur die Klinke erwisch'n könnte.«

»Komm schon rein, Cosima, die Tür ist nicht abgeschlossen«, sagte Kati. »Und du verschwinde, Jaromir.«

Wieder kratzte es an der Tür. »Aber ich kann die Klinke nich' einfang'n«, nuschelte Cosima. »Sie is' einfach zu schnell für mich. Immer wenn ich sie fast geschnappt habe, flutscht sie mir wieder weg. Verdammt flink, das Biest. Oh, aber mir is' so schlecht.«

»Konzentrier dich«, sagte Kati. »Nimm beide Hände, dann erwischst du sie schon!« An Jaromir gewandt setzte sie hinzu: »Du bist ja immer noch da! Ach ja, ich hab' vergessen, daß du dich nicht mehr in Luft auflösen kannst. Dann stell dich aber wenigstens in die Duschkabine. Ich glaube nicht, daß Cosima heute nacht noch in der Verfassung ist, einen Gehörnten kennenzulernen.«

»Jetz' hab' ich dich!« Mit diesem Triumphgeschrei öffnete sich endlich die Badezimmertür, und Cosima taumelte herein, an Jaromir vorbei, als wäre er überhaupt nicht vorhanden.

»Nein, das ist das Waschbecken, das Klo ist eins weiter«, versuchte Kati sie zu dirigieren. »Und klapp um Himmels willen den Deckel und die Brille hoch.«

»Ich hab' doch gar keine Brille«, sagte Cosima, während sie sich über das Klo beugte. Kati und Jaromir verzogen beide das Gesicht, als sie die Würgelaute hörten, die Cosima von sich gab.

»Jemand sollte ihren Kopf halten«, schlug Kati vor, aber Jaromir fühlte sich offenbar nicht angesprochen.

»Das ist ja widerlich. Nicht mal betrinken kann man sich als Mensch, ohne dafür gleich wieder bestraft zu werden.«

»Das ist doch keine Strafe«, brachte Cosima zwischen zwei Brechanfällen hervor. »Das ist phantastisch.«

»Phantastisch?« Jaromir half Cosima sich aufzurichten.

Cosima sah ihn mit glasigen Augen an. »Ja, phantastisch«, wiederholte sie, verzog aber dabei schmerzvoll das Gesicht. Ihr Magen tat schrecklich weh. »Oh, ich glaube, es ist noch nicht vorbei.«

Es war noch lange nicht vorbei. Jedesmal, wenn Cosima sich aufrichtete, überkam sie ein neuer Brechanfall. Dabei hielt sie ihre Zuschauer und -hörer über alles auf dem laufenden, was im Klo landete.

»Das war der Wein ... noch mehr Wein ... Oh, das sieht wie Zitrusschokolade aus. Na ja, wie verdaute Zitrusschokolade ... Und Wein ... Und das sind die Mozzarella-Tomaten. Und natürlich Wein.«

»Cosima, jetzt ist es aber gut«, sagte Kati schließlich. Ihr war auch schon ganz flau im Magen.

Cosima betätigte die Klospülung und faßte sich enttäuscht an den Bauch. »Die verdammte Gesichtsmaske ist aber noch nicht wieder draußen. Wahrscheinlich ist sie längst verdaut und auf meinen Hüften festgewachsen. Mist.« Ihr Blick fiel auf Jaromir, der kopfschüttelnd und mit leicht grünlicher Gesichtsfarbe auf dem Badewannenrand saß. »Danke, daß Sie mir so nett geholfen haben. Wer sind Sie eigentlich?«

»Wen meinst du?« fragte Kati.

»Na, ihn da, diesen George-Clooney-Typen auf dem Wannenrand«, sagte Cosima und zeigte auf Jaromir.

Jaromir grinste. »George Clooney – na ja. Könnte schlimmer sein. Obwohl ich ungleich schönere Augen habe.«

»Du kannst ihn sehen?« Kati holte tief Luft. »Aber er ist ein Produkt meiner Phantasie. Mein Unterbewußtsein halli ... halluni ... denkt ihn sich von Zeit zu Zeit herbei. Vor allem, wenn ich was getrunken habe.«

»Toll«, sagte Cosima. »Und was macht er dann so?«

»Nichts.« Kati zuckte mit den Schultern. »Redet dummes Zeug.«

»Ach so, schade!« Cosima sah Jaromir enttäuscht an. »Freut mich trotzdem, Sie kennenzulernen.«

»Ganz meinerseits«, sagte Jaromir.

Bei dem Versuch, ihm ihre Hand hinzustrecken, knickten Cosima die Beine weg. Jaromir fing sie auf, bevor sie auf den Badezimmerteppich sinken konnte.

»Uuups«, sagte sie matt. »Ich glaube, ich bin immer noch besoffen.«

»Ja, das glaube ich allerdings auch«, sagte Kati, die sich vergleichsweise nüchtern, nur eben todmüde, vorkam. In ein Handtuch gewickelt folgte sie Jaromir, der Cosima in deren Zimmer trug und dort aufs Bett legte.

»Vielen Dank«, murmelte Cosima noch höflich, bevor sie die Augen schloß und einschlief.

Katis Blick fiel auf die Uhr. Fünf Uhr morgens. Höchste Zeit für ihren Schönheitsschlaf. Sie war so müde, daß ihr für einen Augenblick nicht mal mehr ihr Nachname einfiel. Irgendwas mit G Oder D?

»Weißt du was, Jaromir«, sagte sie, während sie nach

nebenan zu ihrem eigenen Bett taumelte. »Mir ist ganz egal, ob du nun eine Hazinullation bist oder George Clooney persönlich. Ich werde jetzt einfach schlafen.« Immer noch in das Handtuch gewickelt, ließ sie sich rückwärts auf ihr Bett plumpsen. »Mach die Tür hinter dir zu, wenn du gehst.«

»Ich decke dich nur noch zu«, sagte Jaromir, und das war das letzte, das Kati hörte, bevor sie in einen tiefen, traumlosen Schlaf fiel.

Der Duft frischaufgebrühten Kaffees stieg ihr in die Nase. Hm, lecker. Schade, daß ihr Kopf so schmerzte. Und nicht nur ihr Kopf. Der Glühwein steckte ihr noch in allen Gliedern.

Mühsam setzte Kati sich auf und versuchte sich zu orientieren. Es war Sonntag, und sie hatte einen Kater. Und eine sehr lebendige Halluzination in der Badewanne hinter sich. Das feuchte Badetuch lag neben dem Bett auf dem Fußboden.

»Kaffee? Vitamin C?« In der Zimmertür erschien Jaromir mit einem Tablett, auf welchem eine dampfende Tasse und eine geschälte Orange zu sehen waren.

»Was machst du denn noch hier?« Kati ließ sich wieder auf das Kissen zurückfallen. Gott sei Dank! Er war immer noch da. Und das, obwohl der Restalkohol in ihrem Blut unter ein Promille gesunken sein mußte.

Aber er sollte sich trotzdem keine Schwachheiten einbilden.

»Ich hatte wirklich gehofft, ich hätte dich nur geträumt«, sagte sie kühl.

Jaromir setzte sich auf die Bettkante und reichte ihr

die Kaffeetasse. »Also, schlafend warst du viel netter. Du hast dich sogar an mich geschmiegt und meinen Namen gesagt.«

»Du hast in meinem Bett geschlafen?« Kati wollte sich erneut aufrichten, aber dann fiel ihr ein, daß sie ja nackt war.

»Wo denn sonst? Diese gräßliche menschliche Angewohnheit, sich mit Schlaf regenerieren zu müssen, ist unglaublich mächtig. Egal, wie man auch dagegen angehen mag, irgendwann überkommt es einen, und man will nur noch schlafen. Was für eine Zeitverschwendung! Und wie hilflos und verletzbar man in dieser Phase ist.«

Kati schlürfte ihren Kaffee und blinzelte Jaromir mißtrauisch an. »Und ich soll mich wirklich an dich geschmiegt haben?«

»Und wie! Ich mußte dich mit Gewalt auf deine Seite zurückrollen«, beteuerte Jaromir. »Obwohl es mir schwerfiel. Du hattest das Badetuch längst auf den Boden geworfen und warst so weich und warm und wohlriechend ...«

Trotz ihres desolaten Zustandes überzog es Kati bei seinem Worten mit einer wohligen Gänsehaut. Hm, hm, er sah George Clooney wirklich verdammt ähnlich, und wann hatte man den schon mal in seinem Bett liegen?

Jaromir sah aus dem Fenster. »Ich konnte nicht mehr schlafen, weil diese verdammten Kirchenglocken so laut geläutet haben. Immer wenn eine Kirche Ruhe gab, fing, bimbam, bimbam, der nächste Kirchturm an, entsetzlicher Lärm. Wie haltet ihr Menschen das bloß jeden Sonntag aus?«

»Wir machen die Fenster zu, dann hören wir's nicht«, sagte Kati. »Sag mal, bist du in der – ähm – in deiner Firma so tief gesunken, daß du jetzt nicht mal mehr ein – ähm – ein Zuhause hast? Oder warum bist du hiergeblieben?«

»Damit du jemanden zum Anschmiegen hattest.« Jaromir machte eine kleine Pause. »Außerdem habe ich diese Luxushotelzimmer ausgesprochen satt! Und seit ich wie ein menschlicher Wurm leben muß, ist es auch kein Vergnügen mehr, von A nach B zu kommen. Ich habe mir zwar einen hübschen, schnittigen Jaguar angeschafft, aber verglichen mit früher bewege ich mich immer noch wie eine Schnecke durchs Universum. Je eher dieser Zustand beendet ist, desto besser. Urrrgh, da sind schon wieder diese abscheulichen Glockentöne!« Er hielt sich die Ohren zu.

»Die Kirche ist aus.« Kati stellte die leere Kaffeetasse neben dem Bett ab und sah Jaromir nachdenklich an. Seit er nicht mehr über übersinnliche Fähigkeiten verfügte, war er ihr bedeutend sympathischer geworden, weniger furchteinflößend, aber deshalb nicht weniger sexy. Auch wenn er das Gesicht schmerzlich verzogen hatte wie jetzt, war er immer noch der bestaussehende Mann, den sie kannte. Wenn man ehrlich war, mußte man zugeben, daß George Clooney ein Dreck dagegen war. Ihre nackte Haut unter der Bettdecke kribbelte angenehm. Sie erinnerte sich daran, wie er sie einmal geküßt hatte – Jaromir, nicht Clooney ... Wahnsinn! Küssen hatte seither einfach keinen Spaß mehr gemacht, egal mit wem. Der unglaublich aufregende Kuß hatte allerdings zu einer Zeit stattgefunden, zu der Jaromir noch durch Wände gehen und Spucke in Frösche hatte verwandeln können. Möglicherweise war die Fähigkeit, so wunderbar sinnlich zu küssen, auch eines der Privilegien, die er verloren hatte. Es wäre interessant, das herauszufinden.

Sie schloß die Augen. »Jaromir? Kannst du mich mal bitte küssen?«

»Nein«, sagte Jaromir. »Ich habe meine Zähne noch nicht geputzt – und du auch nicht.«

Ernüchtert öffnete Kati wieder die Augen. »Der Kiosk gegenüber verkauft auch Zahnbürsten«, sagte sie.

»Gut zu wissen.« Mürrisch verschränkte Jaromir die Arme über der Brust. »Wie sieht es nun aus, Kati, wirst du mir helfen und dabei reich werden, oder läßt du mich in meinem Elend hängen und bleibst selber pleite?«

»Wenn ich dir nicht helfe – bei was auch immer –, was passiert dann?«

»Du wirst in den Ruin schlittern, und zwar mit Schwung. Ohne Geld bist du völlig aufgeschmissen! Du weißt es noch nicht, aber es ist viel schlimmer als du denkst. Und wenn du mir tatsächlich nicht helfen solltest, dann werde ich meine ganze verbleibende Energie daran setzen, daß du es zutiefst bereuen wirst!«

»Ich meine, was passiert mit *dir*?«

»Ich – ach, ich werde weiter jeden Morgen mit diesem pelzigen Gefühl im Mund aufwachen. Ich werde joggen müssen, um nicht fett zu werden, ich werde mich weiter jeden Tag rasieren müssen und Falten und Hängebacken bekommen! Und irgendwann werde ich alt und wacklig werden und schließlich sterben. Urrrgh! Sogar meine Hörner werden mit jedem Tag, den ich als Mensch verbringen muß, ein wenig kleiner. Eines Tages werden sie ganz verschwunden sein. Hoffentlich willst du nicht, daß ich dieses Schicksal erleiden muß.«

»Ich finde, das hört sich gar nicht so schlimm an«, sagte Kati. »Ich meine, du hast immer noch eine Menge Vorteile gegenüber anderen Menschen.«

»Ja, aber ich bin nun mal kein Mensch!«

»Du könntest aber einer werden«, sagte Kati. »Und weißt du was, ich glaube, ein paar Falten werden dir sogar gut stehen.« Sie meinte es ernst. Sie konnte nicht verhindern, daß vor ihrem inneren Auge ein Bild auftauchte: Sie und Jaromir auf einer großen Terrasse im Morgensonnenschein, etwa zehn Jahre später. Jaromir trug einen luxuriösen Morgenmantel, um seine Augen hatten sich ein paar sehr sympathische Lachfältchen gebildet. Er hatte den einen Arm um ihre Schulter gelegt, mit dem anderen streichelte er einen haarigen Hund, der zu seinen Füßen lag. Im Hintergrund, zwischen den Gipfeln einiger Palmen, funkelte eine Wasseroberfläche ... vielleicht der Lago Maggiore? Kati schüttelte den Kopf, um das schöne Bild wieder zu vertreiben, aber es wollte einfach nicht verschwinden.

»Du bist schrecklich kaltherzig«, klagte Jaromir. »Aber ich bin wenigstens in der glücklichen Lage, dir viel, viel Geld bieten zu können. Soviel, daß du dir nie wieder Sorgen machen mußt.«

»Magst du eigentlich Hunde?« fragte Kati.

Jaromir sah sie ärgerlich an. »Warum habe ich nur das Gefühl, meine Zeit zu verschwenden?«

»Weil ich nicht unbedingt glaube, daß ich dir wirklich etwas Gutes tue, wenn ich dir helfe, wieder ein richtiger Teufel zu werden!«

»Himmel, Arsch und Zwirn!« rief Jaromir aus. »Du sollst mir nichts Gutes tun, du sollst es wegen des Geldes tun. Das du sehr gut gebrauchen kannst.«

Kati war immer noch auf der großen Terrasse über dem See. In Gedanken ersetzte sie Jaromir durch Julian, verpaßte auch ihm ein paar dekorative Fältchen um die Augen herum und legte ihm den Hund zu Füßen. Auch ein schönes Bild, unbestritten, aber das gewisse Kribbeln fehlte. Plötzlich wußte sie ganz genau, was sie wollte. Was sie schon seit längerem gewollt hatte. Jetzt schien es zum Greifen nah.

»Kennst du die oberitalienischen Seen?« fragte sie träumerisch.

»Ja«, sagte Jaromir kurz angebunden. »Kommen wir zum Geschäftlichen. Ich biete dir eine halbe Million in bar ...«

Kati setzte sich auf, ohne Rücksicht darauf, was sie anhatte beziehungsweise nicht anhatte. »Nein, danke. Mein Entschluß steht fest. Ich werde dir und deiner obskuren Firma nicht helfen. Geld ist schließlich nicht alles auf dieser Welt. Wenn auch das Haus, das zu dieser herrlichen Terrasse über dem See gehören muß, sicher nicht billig ist. Aber ich sag' dir was: Wenn man etwas nur ernsthaft genug haben will, dann bekommt man es auch.«

Jaromir stöhnte. »Was ist nur aus meiner geldgierigen Kati geworden? Okay, eine Million in bar und ...«

»Nein!« sagte Kati bestimmt. »Wirklich, Jaromir, es ist nur zu deinem Besten! Du hast mich als Freund um Hilfe gefragt, und als Freund sage ich dir: Es ist gar nicht so schlecht, ein Mensch zu sein.«

»Was zu meinem Besten ist oder nicht, das entscheide ich immer noch selber«, sagte Jaromir. »Gut, dann sag einfach, wieviel du haben willst.«

»Gar nichts«, wiederholte Kati geduldig. »Jedenfalls nicht von dir.«

Jaromir erhob sich mit ärgerlicher Miene vom Bett. Der grimmige Gesichtsausdruck stand ihm gut, wie Kati fand. »Ich sehe, du mußt erst so richtig auf die ... Nase fallen, bevor du erkennst, wie dringend du mein Geld nötig hast«, sagte er. »Ich wollte es dir ja eigentlich ersparen, aber nun muß ich die Dinge wohl etwas beschleunigen.« Mit einem maliziösen Lächeln schaute er auf sie runter. »Aber das nächste Mal, meine liebe Kati, wird mein Angebot sicher nicht so großzügig sein.«

»Das macht nichts«, sagte Kati. »Dann fällt es mir um so leichter, es abzulehnen.«

»Du wirst es annehmen, meine Liebe, und du wirst mir die Hände dafür küssen!« Mit dieser letzten Drohung spazierte Jaromir aus dem Zimmer.

Kati sah ihm mit einer Mischung aus Sehnsucht und Abscheu hinterher. Er würde wiederkommen, hatte er gesagt. Und das war die Hauptsache.

Cosimas streng geheimes Tagebuch

7. Oktober, 14 Uhr

Hurra! Hurra! Hurra! Dreimal hurra! Ich habe ungelogen drei Kilo abgenommen. Es ist so einfach, wenn man das Geheimnis kennt: Saufen statt laufen! Saufen statt schnaufen und Kalorien zählen. Habe Samstagnacht mit Kati ein Glühweinbesäufnis veranstaltet, in dessen Folge ich ungelogen zwei ganze Tage lang nichts zu mir nehmen konnte, außer ein paar Scheiben Knäckebrot und Fencheltee. Habe vorgestern vorsichtig wieder mit anderer Nahrung begonnen, aber Appetit auf Schokolade ist wie weggeblasen. Es ist, wie ich es immer schon ahnte: Dummheit frißt, Klugheit säuft. Bin froh, daß ich endlich klug geworden bin. Wenn das so weiter geht, bin ich bereits im Dezember eine ätherisch zarte Elfe, passe mühelos in Größe 34, und mein Hintern hat die Größe einer Erbse. Zum ersten Mal in meinem Leben freue ich mich auf die Weihnachtsfeier bei Oma Hertha. Ich werde ein wenig zu spät kommen, wenn alle meine widerwärtigen Verwandten, die gönnerhaften Onkel und Tanten, meine Eltern, diese Kameradenschweine, meine eingebildeten Cousinen und deren glatzköpfiger Nachwuchs bereits in Oma Herthas grauenhaftem Wohnzimmer stehen und das viele Lametta bestaunen. Oma Hertha wird spätestens zu fünf vor sieben mit ihrer Feldwebelstimme fragen, wo ich denn bliebe.

»Wo ist denn deine Tochter, diese ... diese Dings, diese Cosima, Albert? Hat man ihr nicht ausgerichtet, daß pünktlich um sieben gegessen wird?«

Und während mein Vater sich noch windet und nach einer Ausrede sucht, sagt eine meiner widerwärtigen Cousinen, wahrscheinlich Bernadette: »Ach, Oma Hertha, du weißt doch wie das ist. Die arme Cosima ist es ja nicht gewöhnt, daß jemand auf sie wartet, sie ist ja ganz allein auf dieser Welt, hat keinen Mann, kein Kind, nicht mal einen Liebhaber.«

Und während Oma Hertha noch ihre Augen rollt, wird eine meiner gräßlichen Tanten, wahrscheinlich Tante Regina, sich an meine Mutter wenden und sagen: »Ach, hat die arme Cosima immer noch keinen Mann, Helenka, Liebes? Vielleicht sollte sie mal dieses neuartige Pulver aus der Apotheke ausprobieren, eine Freundin von mir hat damit sensationelle 27 Kilo abgespeckt.«

Und während nun also meine Mutter beschämt schluckt und nach einem Zettel sucht, auf dem sie sich den Namen des Diätpulvers notieren kann, mein Vater sich immer noch verlegen windet, Oma Hertha mit den Augen rollt, Tante Regina und Bernadette hämisch grinsen und irgendein Kleinkind unbemerkterweise eine von Oma Herthas Baumkugeln (eine ganz kleine) verschluckt, betrete ich den Raum.

Ich trage dieses schwarze Strickkleid von Dressed to kill, halb Seide, halb Kashmir, das sich lässig und doch wie eine zweite Haut um meinen perfekt modellierten Körper schmiegt. Mein Haar schimmert im Kerzenlicht, meine reine, strahlende Haut benötigt weder Make-up noch Rouge. Nur die Lippen sind geschminkt, in dezentem Rosenholzfarben, mit gleichfarbigem Konturenstift umrahmt, und die Wimpern achtfach getuscht, um die Augen in meinem schmal gewordenen Gesicht zu betonen.

Bernadette läßt vor Schreck den Mund offen stehen, Tante Regina stolpert rückwärts und setzt sich in Oma Herthas Käsesahnetorte. Das Kleinkind spuckt die unbemerkt verschluckte Weihnachtskugel direkt in die Punschschüssel, und mein Vater und meine Mutter ... oh, es klingelt an der Tür! Ausgerechnet im schönsten Augenblick meines Lebens.

4

Falls es Bernadette ist, dachte sich Cosima, habe ich diesmal wenigstens keine Maske im Gesicht. Ich werde ihr sagen, daß ich absolut keine Zeit habe, mir ihr blödes Gewäsch über ihre Hochzeit anzuhören. Und wenn sie noch mal sagt, daß sie Größe 36 trägt, haue ich ihr eine Pfanne über den Kopf.

Aber es war nicht Bernadette. Es war dieser dunkelhaarige George-Clooney-Typ, der ihr neulich so nett beim Kotzen geholfen hatte. Und laut Kati hatte er sie anschließend sogar ins Bett getragen.

Peinlich.

»Äh, Kati ist leider nicht da«, stotterte sie. »Sie ist auf Jobsuche.«

»Dann warte ich, bis sie wiederkommt.« Der George Clooney-Typ schob sich in den Flur und grinste sie an. »Wenn ich dich nicht bei irgendwas Wichtigem störe.«

Cosima wurde knallrot. »N-nein. Ich wollte mir gerade einen Tee machen. Wenn ... Sie, ähm, wenn du etwas mittrinken willst ...«

»Gerne.« Der George-Clooney-Typ folgte ihr in die Küche. Cosima machte sich am Wasserkocher zu schaffen.

»Tut mir leid, aber ich habe Ihren äh deinen Namen leider nicht behalten. In dieser Nacht war ich nicht ganz auf der Höhe.«

»Ich erinnere mich«, sagte der George-Clooney-Typ

höflich, ohne die näheren Umstände für Cosimas Zerstreutheit zu erwähnen. »Ich heiße Jaromir.«

Mit Vornamen oder mit Nachnamen, hätte Cosima am liebsten gefragt, aber sie wollte nicht unhöflich sein.

»Mit Vornamen«, ergänzte ihr Gegenüber trotzdem.

Cosima riß ihre Augen auf. »Kannst du Gedanken lesen?«

»Manchmal«, sagte Jaromir.

»Und was denke ich jetzt gerade?«

»Ob ich wohl mit George Clooney verwandt bin«, sagte Jaromir.

»Falsch.« Cosima lachte erleichtert. »Ich habe mich gefragt, wie alt du wohl bist.«

Jaromir machte ein nachdenkliches Gesicht. »Wie alt ist George Clooney?«

»Demnächst vierzig, glaube ich«, sagte Cosima. »Der alte Knacker.«

»Ich bin auf jeden Fall jünger. Ungefähr dreißig, ist das okay? Na, sagen wir neunundzwanzig. Das hört sich besser an«, sagte Jaromir. Besorgt setzte er hinzu: »Oder sehe ich älter aus?«

Cosima musterte ihn kritisch. »Nein, eigentlich nicht. Du siehst ziemlich perfekt aus. Keine Falten, kein Doppelkinn, keine verstopften Poren. Ach, und diese Wimpern. Ich würde meine Mutter für solche Wimpern verkaufen. Allerdings, da über den Schläfen, diese Beulen, die sehen etwas merkwürdig aus ...«

»Überbeine«, sagte Jaromir. »Hat jeder in unserer Familie. Im Alter verlieren sie sich.«

»Du kannst ja deine Haare etwas länger wachsen lassen und einfach drüber kämmen«, schlug Cosima vor.

»Ich würde meinen Vater verkaufen für solche wunderschönen schwarze Locken.«

»Danke. Deine Haare sind aber auch recht schön«, sagte Jaromir.

Cosima sah ihn verächtlich an. »Meine Haare sind ein Witz. Sie hängen glatt wie Spaghetti über meine Ohren, und sie haben nicht mal eine richtige Farbe. Sie sind weder blond noch braun noch rot. Sie sind gar nichts. Ich würde sie mir ja kurz schneiden lassen, damit man nicht so viel davon sieht, aber bei meinem Kloßkopf würde das alles nur noch schlimmer machen. Meine Mutter sagt immer, ich solle mir blonde Strähnchen machen lassen, das sorgt für mehr Volumen und macht mich weniger fad, sagt sie, aber ich hasse es zu tun, was meine Mutter mir rät.«

»Es ist auch der falsche Rat«, sagte Jaromir. »Zu deinen goldbraunen Augen wären blonde Strähnchen völlig unpassend.«

Goldbraune Augen – das klang richtig schön. Cosima hatte ihren Augen bisher nie besondere Bedeutung zugemessen. Wer achtete schon auf ihre Augen, wenn er gleichzeitig ihre riesengroße Nase anschauen mußte. Unwillkürlich faßte Cosima an ihren Riechzinken.

»Nein, die ist nicht zu groß«, antwortete Jaromir auf ihre unausgesprochene Frage. »Sie ist wunderbar gerade, keine dieser kleinen Stupsnäschen, wie sie bei Barbiepuppen beliebt sind. Ich für meinen Teil mag markante Nasen lieber als solche Frühkartöffelchen. Sie müssen nur im richtigen Verhältnis zum Rest des Gesichtes stehen. Und deine Nase ist absolut richtig proportioniert. Die Augen sind groß und damit dominant, und deine Lippen sind zwar schmal, aber schön geschwungen. Insgesamt ein Greta-Garbo-Typus. Auch die Göttliche genannt. Ich persönlich finde es schade, daß dieser Typus im Augenblick aus der Mode ist.«

»Oh«, machte Cosima, die knallrot angelaufen war. Komplimente war sie nicht gewöhnt, schon gar nicht, wenn sie so gebündelt kamen.

»Ich meine, ich habe nichts gegen Julia Roberts einzuwenden«, fuhr Jaromir fort. »Aber diese Frau besteht quasi nur aus Lippen.«

Der Wasserkocher schaltete sich aus. Cosima goß das heiße Wasser in zwei Tassen, in die sie jeweils einen Teebeutel gehängt hatte.

»Also, ich würde gerne so aussehen wie Julia Roberts«, sagte sie, während sie Jaromir eine Tasse hinstellte. »Ich würde meine Mutter, meinen Vater und Oma Hertha dafür verkaufen, wenn ich ihren Körper mit meinem tauschen könnte.«

»Ja, das ist das Problem bei euch Frauen. Ihr versucht niemals das Beste aus dem zu machen, was ihr seid, sondern verflucht euer halbes Leben lang, daß ihr nicht ausseht wie irgend jemand anders. Und dann seid ihr auf einmal alt und klagt über Falten und darüber, daß ihr eure Jugend nicht richtig genossen habt. Du kannst es mir glauben oder nicht, aber auch Julia Roberts ist mit ihrem Äußeren nicht wirklich zufrieden.«

»Tatsächlich nicht?« Cosima fischte den Teebeutel aus ihrer Tasse und nahm einen kleinen Schluck. »Bist du sicher?«

Jaromir nickte. »Ja, wir beide hatten mal ein kleines Gespräch darüber.«

»Was? Du und Julia Roberts?«

»Ich und Julia, ja.«

»Jetzt schwindelst du aber«, sagte Cosima.

Jaromir zuckte mit den Schultern. »Wie dem auch sei, die einzige Frau, die ich kenne, die kein Problem mit ihrem Aussehen hat, ist Kati.«

»Kein Wunder. Kati sieht perfekt aus.«

»Das tut sie nicht«, widersprach Jaromir. »Weil es nämlich überhaupt keinen Maßstab für Perfektion gibt! Aber sie findet sich genau richtig wie sie ist, und eben das strahlt sie auch aus. Niemand käme deshalb auf die Idee, sie nicht perfekt zu finden.«

»Hm, hm«, machte Cosima nachdenklich. »Das ist eine wirklich interessante Sichtweise. Aber es gibt einen kleinen Haken bei der Sache: Auch wenn ich mich so mögen würde wie ich bin, würde mein Doppelkinn nicht verschwinden.«

»Aber wenn du dich mögen würdest, wie du bist, würde dich dein Doppelkinn überhaupt nicht stören.«

»Du findest also auch, daß ich ein Doppelkinn habe?« fragte Cosima.

Jaromir schaute sie verdutzt an. »Was? Ja, ich meine, nein, ich meine, es spielt keine Rolle, ob ...«

»Hatte Greta Garbo ein Doppelkinn?« nagelte ihn Cosima endgültig fest. Jaromir antwortete nicht. Das Gespräch hatte augenscheinlich eine andere Wendung genommen, als er gedacht hatte.

»Wahrscheinlich nicht, denn sonst hätte man sie wohl kaum *die Göttliche* genannt«, beantwortete Cosima sich ihre Frage gleich selbst. »Es ist nun mal Fakt, daß ich zu fett bin, auch wenn meine Nase möglicherweise wirklich gar nicht so schlimm ist.«

Jaromir schüttelte nur den Kopf.

»Frauen«, murmelte er. »Euch werde ich auch in zehntausend Jahren nicht verstehen!«

Cosima trank noch einen Schluck Tee. »Glücklicherweise bin ich wenigstens von meiner Schokoladensucht befreit. Immer, wenn ich Hunger habe, rufe ich mir diese Nacht in Erinnerung, in der ich über der Kloschüssel gehangen habe, und plötzlich ist der Hunger wie weggeblasen. Mit einem Apfel oder einer Scheibe Knäckebrot bin ich dann vollkommen zufrieden. Schon fast eine Woche liegen zwei Tafeln weiße Zitrusschokolade hier herum. Glaub mir, so alt ist Schokolade bei mir noch nie geworden! Außer ich habe sie so gut vor mir versteckt, daß ich sie hinterher selber nicht mehr finden konnte.«

Jaromir trank seinen Tee und verzog das Gesicht. »Fenchel«, sagte er.

»Ja, nicht lecker, aber ungeheuer gut für den Magen«, sagte Cosima heiter. »Und null Kalorien.«

Es regnete in Strömen. Kati hatte die Bahn genommen, nicht das Fahrrad, wie sonst immer. Sie mußte feststellen, daß sie für dieselbe Strecke mit der Bahn exakt zwanzig Minuten mehr benötigte. Nun ja, die Bahn konnte ja auch nicht gegen die Einbahnstraße fahren und quer durch den Park gurken, sondern mußte auch noch an jeder Station halten. Der einzige Vorteil: Man wurde nicht naß. Nachdenklich schaute Kati auf den Arbeitsvertrag, den sie in der Hand hielt. Kellnern im *Tomatissimo*, einem In-Bistro mit haarsträubend hohen Preisen auf der Speisekarte und haarsträubend niedrigen Löhnen für die Angestellten. Dort würde sie also künftig ihre Montag-, Mittwoch- und Donnerstagabende verbringen, sowie den gesamten Freitag. Die besser bezahlten Wochenenddienste waren alle schon vergeben gewesen, klar, da gab es auch mehr Kundschaft und somit mehr Trinkgeld. Zähneknirschend las Kati noch einmal die Passage, die besagte, daß sie sechzig Prozent ihres Trinkgeldes abzugeben habe. Diese Ausbeuter würden allenfalls zwanzig Prozent bekommen, das nahm sie sich fest vor. Trotzdem stand ihr ziemlich viel Arbeit für ziemlich wenig Geld bevor.

Seufz.

Während sie mit dem *»Tomatissimo«*-Manager verhandelt hatte, war ihr mehrfach Jaromirs Angebot durch den Kopf geschossen. Eine Million – damit kam man schon eine ganze Weile über die Runden. Ganz kurz, in dem Augenblick, als der Manager des *»Tomatissimo«* ihr gesagt hatte, wie streng die Trinkgeldkontrollen seien und daß der Versuch einer Unterschlagung als fristloser Kündigungsgrund ausreichte, war sie versucht gewesen, den Vertrag hinzuschmeißen und Jaromirs Angebot anzunehmen. Aber erstens wußte sie gar nicht, was sie für das viele Geld eigentlich würde tun müssen, und zweitens war ihr die Vorstellung, daß Jaromir ein Mensch bleiben mußte, gar nicht unangenehm.

Solange er Gedanken lesen und nach Belieben hatte erscheinen und verschwinden können, war er ihr unheimlich gewesen. Schließlich war mit seinen Arbeitgebern wirklich nicht zu spaßen, auch wenn er selbst den gängigen Klischees weniger entsprach. Trotzdem waren ihr ihre Gefühle für Jaromir ebenfalls unheimlich gewesen. Daß sie ihn sympathisch und sexy fand, hatte sie stets weit, weit von sich gewiesen. Für ein Wesen mit Hörnern zu schwärmen – nun, das war ihr nahezu pervers erschienen. Es gab auch nirgendwo entsprechende Hinweise in Frauenzeitschriften oder Psychohandbüchern – Männer mit Hörnern wurden nirgendwo erwähnt, außer bei den Brüdern Grimm.

Inzwischen sah die Sache schon anders aus. Die Hörner waren zwar noch da, aber nun, wo Jaromir sich mit annähernd menschlichen Problemen herumschlagen mußte, konnte er durchaus auch als Zielscheibe für annähernd menschliche Gefühle herhalten.

Kati stieg aus der Straßenbahn und klappte ihren – eigentlich war es Cosimas – Regenschirm auf. Auf dem kurzen Weg bis zur Wohnung überkam sie urplötzlich ein heftiges Glücksgefühl. Verliebt zu sein in einen Teufel, war eine Sache (eine wenig aussichtsreiche Sache!), verliebt zu sein in einen Ex-Teufel eine andere. Kati war versucht, mit beiden Beinen in eine Pfütze zu springen und dabei laut »Sing'n in the rain« zu singen.

Endlich durfte sie ihre Gefühle zulassen! Endlich durfte sie berechtigte Hoffnungen hegen, den Mann ihrer Träume tatsächlich zu bekommen! Wenn das die Welt nicht in rosarotes Licht tauchte, was dann?

Wenn sie Jaromir ihre Hilfe – bei was auch immer!? – verweigerte, würde seine Firma ihn endgültig rausschmeißen, und er mußte bleiben, wie er augenblicklich war. Wieso sollte er dann nicht auf die Idee kommen, ein Haus am Lago Maggiore zu erwerben, um dort mit Kati in der Morgensonne in aller Seelenruhe frühstücken zu können?

Kati schloß die Haustür auf und schüttelte ihren Schirm wie einen nassen Hund.

»Bist du das, Kati?« Cosima kam sofort in den Flur gehechtet. »Na, wie war's?«

»Ich würde sagen, die Novembermiete ist gesichert«, antwortete Kati.

»Du hast einen Job?«

»Einen miesen Job, ja, aber einen Job.« Kati warf ihre Jacke über die Sessellehne und ordnete im Spiegel ihre feuchten Locken. Die Welt war rosarot, jawohl.

»Jaromir sagt, er hat dir auch einen Job angeboten, aber du hättest abgelehnt«, sagte Cosima. »Was macht er denn eigentlich beruflich? Model?«

»Jaromir war hier?« Rosarot, rosarot!

»Ja, er hat zwei Stunden mit mir Tee getrunken und auf dich gewartet. Er ist wirklich nett. Woher kennt ihr euch eigentlich?«

»Von diesem Job in der Kunststiftung, von dem ich dir erzählt habe. Warum ist er gegangen?«

Cosima zuckte mit den Schultern. »Vermutlich habe ich ihn gelangweilt. Irgendwann ist er aufgesprungen, hat gesagt, jetzt reicht es ihm, diese Warterei ginge ihm schrecklich auf den Keks, und weg war er. Er wollte aber später noch mal wiederkommen. Dieser Kunststiftungsjob, war das der, bei dem du so wahnsinnig viel Kohle verdient hast?«

»Hm, ja«, sagte Kati. »Hat er noch irgendwas gesagt?«

»Nur daß ich dir ausrichten soll, daß sein Angebot noch steht«, sagte Cosima. »Ach ja, und Julian hat angerufen. Er möchte dich heute abend zum Essen einladen. Wieder mal. Zum Italiener. Das ist ungerecht! Wenn ich so oft aus essen wäre wie du, wäre ich so umfangreich wie eine Bohrinsel. Du sollst ihn jedenfalls zurückrufen.«

»Hm, gegen eine Pizza hätte ich jetzt nichts einzuwenden.« Kati suchte in ihrem Adreßbuch nach Julians Nummer und nahm den Hörer ab. Sie hatte Julian im Überschwang ihrer Gefühle für Jaromir völlig vergessen.

»Sag mal, ist Jaromir noch in der Kunstbranche tätig?« wollte Cosima wissen. »War das irgendwie illegal, was du da gemacht hast? Und was genau hast du eigentlich gemacht? Ich meine, könnte ich es nicht auch tun? Wenn du nicht willst, natürlich nur. Sechzigtausend Mark könnte ich nämlich gut gebrauchen. Ich würde das Geld nehmen, um eine Fettabsaugung am Kinn vornehmen zu lassen. Möglichst noch vor Weihnachten.«

»Du kannst ihn ja mal fragen«, sagte Kati. »Ehrlich gesagt, ich habe keinen Schimmer, was das für ein Job ist, den er mir angeboten hat. Ich weiß nur, daß die Bezahlung hoch ist.« Sie tippte Julians Nummer ein und sah Cosima vielsagend an.

»Wie hoch?« wollte Cosima wissen, ihre Blicke ignorierend.

»Vierhunderttausend«, erwiderte Kati trocken. »Mindestens.« Am anderen Ende der Leitung ertönte ein Freizeichen. »Cosima, ich würde jetzt gerne telefonieren.«

»Vierhunderttausend – was? Lire?«

»Mark«, sagte Kati und legte seufzend den Hörer auf. Zwecklos telefonieren zu wollen, während Cosima einem das andere Ohr abquatschte. »Oder möglicherweise auch Euro. Keine Ahnung.«

»Vierhunderttausend Mark!« Cosimas Mund wurde ganz trocken. »Was muß man dafür tun?«

»Ich weiß es nicht«, sagte Kati. »Frag Jaromir selber, wenn du ihn noch mal siehst. Ich nehme den Job jedenfalls nicht an.«

»Aber warum nicht? Ich meine, *vier-hundert-tausend* Mark! Oder sogar Euro! Das ist der helle Wahnsinn! Wahrscheinlich muß man dafür dreißig Kilo Kokain schmuggeln. Oder jemanden umbringen.«

»Wahrscheinlich«, sagte Kati. »Wie gesagt, ich würde jetzt gerne telefonieren, ich verhungere nämlich.«

»Nein, echt? Jemanden umbringen?« Cosima schaute sie entsetzt an. »Ich dachte, Jaromir ist im Kunsthandel tätig. Oh, wahrscheinlich muß man einen geklauten Picasso durch den Zoll schmuggeln. Was meinst du?«

»Wie oft muß ich es dir noch sagen, Cosima, ich weiß es nicht!«

»Aber du hast doch mal für ihn gearbeitet! Was mußtest du denn damals tun?«

»Ich mußte eine wertvolle Statue aus einem Privathaushalt entwenden und an einen Interessenten verkaufen«, sagte Kati.

Cosima schaute sie ungläubig an. »Und dafür gab's nur sechzigtausend?«

»Achtzigtausend, um genau zu sein. Und zwanzigtausend für meinen Partner.«

»Aber, aber«, stotterte Cosima. »Dann bist du ja ... also, ich faß' es einfach nicht! Hast du so einen schwarzen Anzug angehabt und dich an Seilen durch die Infrarotstrahlen der Überwachungskameras gehangelt, so wie Kim Basinger als Karen McCoy, die Katze? Wow! Ich meine, das muß man doch gelernt haben, das kann doch nicht jeder. Ich mit meinem Fitnessgrad von minus vier, ich wäre hoffnungslos aufgeschmissen, wenn ich irgendwo herumhangeln müßte. Abgesehen davon, daß ich in so einem hautengen schwarzen Dings unmöglich aussehen würde. Ich könnte nicht mal über ein Grundstück mit lauter scharfen Dobermännern schleichen ... Ich darf gar nicht daran denken!«

»Nein, so kompliziert war es gar nicht«, sagte Kati. »Und ich hab's auch nicht wegen des Geldes getan.«

»Du hättest im Gefängnis landen können!« Cosima schlug sich die Hand vor den Mund. »O mein Gott, ich lebe mit einer Kriminellen zusammen! Unfaßbar.«

»Wie gesagt, das gehört der Vergangenheit an«, sagte Kati. »Ich werde Jaromirs neuen Job keinesfalls annehmen.«

»Oh, aber er hat gesagt, du würdest es dir schon noch anders überlegen!«

»Das hat er gesagt?« Kati sah Cosima scharf an. »Tatsächlich?«

»O ja. Er sagte, wenn du nur erst den Ernst deiner Lage begriffen hättest, würdest du sein Angebot in jedem Fall annehmen. Und dann sagte er noch, daß er im Notfall eben nachhelfen müßte.« Cosima rieb sich aufgeregt die Nase. »Du Kati, ich meine, vierhunderttausend Mark – also, das ist wirklich eine Menge Geld, oder? Andererseits sind zwanzig Jahre Gefängnis auch eine Menge Zeit. Trotzdem – wenn man nicht unbedingt Bauchmuskeln dafür braucht und niemandem damit schadet ... –, ich meine, so ein Picasso kann ja auch ab und zu mal den Besitzer wechseln, nicht wahr? Ach, warum hat Jaromir denn mich nicht gefragt?«

»Vermutlich, weil du so überhaupt keine kriminellen Anwandlungen in dir trägst, Cosima!« Kati war in die Küche gegangen und hatte den Kühlschrank geöffnet.

»Leer! Gähnend leer. Cosima, meinst du nicht, es wäre mal langsam wieder an der Zeit, feste Nahrung zu dir zu nehmen?«

»O nein«, sagte Cosima. »Drei Kilo hab' ich mir runtergesoffen und da sollen sie auch bleiben. Findest du nicht, daß meine Backenknochen schon viel deutlicher zu sehen sind? Ich wußte bisher gar nicht, daß ich überhaupt welche habe.«

»Ich habe Hunger«, sagte Kati. »Ich rufe jetzt Julian an, und du hältst mal für eine Minute die Klappe.«

»Ich hätte da noch zwei Tafeln weiße Zitrusschokolade anzubieten«, sagte Cosima. »Sag mal, wie findest du eigentlich Greta Garbo?«

»Ziemlich tot«, sagte Kati.

Während sie sich im Badezimmer für das Abendessen mit Julian zurechtmachte, malte Kati sich ihre Zukunft in durchaus optimistischen Farben aus. Gut, der neue Job war zwar nicht unbedingt ein Traumjob, aber er sicherte ihr Überleben in den nächsten Monaten. Gleich würde sie eine dicke Pizza verzehren und Julian dabei sagen, daß sie gerne gute Freunde bleiben könnten, aber leider nicht mehr. Tatsächlich sei nämlich ein ... ein Jugendfreund aufgetaucht, für den sie schon immer geschwärmt habe, und diesmal sei er frei. Sozusagen. Julian würde das sicher verstehen und nicht übelnehmen, schließlich war zwischen ihnen noch gar nichts gelaufen, von harmlosen Flirtereien mal abgesehen.

»Ich bin wirklich ein besserer Mensch geworden«, dachte Kati. »Früher hätte es mir überhaupt nichts ausgemacht, mit zwei Männern gleichzeitig zu flirten. Jetzt erscheint es mir als Gebot der Fairness, Julian die Hoffnung auf mehr zu nehmen. Es ist unfaßbar, aber Kati Gluboschinski wird auf ihre alten Tage noch richtig moralisch.«

Wenn Jaromir seine Drohungen wahr machen und sich so schnell nicht abwimmeln lassen würde, dann stand ihr ein herrlich aufregender Winter bevor. Und wenn dann im Februar, pünktlich zu Beginn der Semesterferien, die Maledivenzinsen fällig waren, würde sie ihre Sachen packen und zu den fünf Sternen fliegen. Hoffentlich nicht alleine ...

Es klingelte.

Kati steckte sich eilig die Haare zu einem lässigen Knoten auf und verließ das Badezimmer, um ihre Schuhe zu suchen. Natürlich hatte Cosima in der Zwischenzeit längst den elektrischen Türöffner betätigt.

»Das ist sicher Jaromir«, sagte sie. »Ich werde ihn fragen, wie kriminell dieser Job denn genau ist, den er anzubieten hat.«

»Das ist Julian«, sagte Kati. »Er kommt mich abholen zum Essen.«

Aber es war weder Julian noch Jaromir. Es war ...

»Tante Alicia!« Kati starrte die elegante Erscheinung in der Tür mit offenem Mund an.

»Richtig«, sagte Tante Alicia. »Kind, was bist du groß geworden. Und wirklich hübsch. Kein Wunder, daß deine Mutter dich rausgeschmissen hat – du mußt der alten Schabracke ja tierisch die Show gestohlen haben.«

»Möglich«, sagte Kati. »Aber mein Interesse an den Loosertypen, auf die Mutti stand, hielt sich in Grenzen. Was machst du denn hier, Tante Alicia? Wie ich gehört habe, bist du raus aus dem Knast und überdies wieder verheiratet. Herzlichen Glückwunsch.«

»Danke.« Tante Alicia zog ihren Mantel aus und legte ihn der verdutzten Cosima in die Arme. »Bitte aufhängen, Kleine, er ist vom Regen ganz feucht. Wenn er nicht auf einen Kleiderbügel kommt, knittert er.«

Verdutzt wie sie war, gehorchte Cosima.

»Tatsächlich ist das kein Höflichkeitsbesuch«, sagte Tante Alicia. »Ich komme, um dich zu fragen, ob du weißt, wo deine Mutter ist?«

»Ich habe keine Ahnung«, sagte Kati. »Vermutlich zu Hause. Tante Alicia, es ist sehr schön, dich zu sehen, zumal ich in letzter Zeit öfter von dir träume, aber leider habe ich jetzt überhaupt keine Zeit ...«

»Zu Hause ist sie nicht«, unterbrach Tante Alicia sie. »Genauer gesagt wohnt sie nicht mal mehr in ihrer alten Wohnung. Dort haust jetzt eine gewisse Familie Schneider.«

»Also, vor ein paar Wochen wohnte sie aber noch dort«, sagte Kati. »Sie hat einen neuen Lover, vielleicht hat ist sie ja zu ihm gezogen. Er heißt Heiner Schukowski.«

»Ja, das dachte ich auch«, sagte Tante Alicia. »Dummerweise ist auch dieser Heiner Schukowski nicht auffindbar. Ja, er steht nicht mal im Telefonbuch.«

»Er hat ein schickes Büro in der Innenstadt. Vielleicht können die dir ja dort sagen, wo er ist. Ich tippe mal auf Grand Cayman. Also, wie gesagt, Tante Alicia, ich würde ja gerne noch mit dir plaudern, aber ich ...«

»Das schicke Büro gehört einem Immobilienmakler. Er sagt, er hat noch wie was von einem Heiner Schukowski gehört.«

»Nicht?« Allmählich wurde es Kati ein wenig unbehaglich zumute. »Aber ... bist du denn sicher, daß es das richtige Büro war?«

»Absolut sicher.« Tante Alicia spitzte ihre sorgfältig geschminkten Lippen und pustete ein nicht vorhandenes Stäubchen von ihrem Kaschmirpullover. »Der Vertrag mit dem Vormieter lief auf einen gewissen Heiner Renski. Dummerweise gibt es aber auch keinen Heiner Renski im Telefonbuch.«

»Das muß gar nichts heißen«, sagte Kati, mehr zu sich als zu ihrer Tante.

Tante Alicia setzte sich in den Sessel neben dem Telefontischchen und schlug ihre hübschen Beine übereinander. »Nun ist es keineswegs so, daß ich gesteigerten Wert darauf lege, die richtigen Namen der Liebhaber deiner Mutter zu kennen, aber in diesem Fall ... Nun ja, Heiner hat eine Menge Geld von mir bekommen.«

»Von dir auch?« Kati starrte sie perplex an.

Tante Alicia nickte wieder. »Deine Mutter rief mich an, um mir von einer Fünf-Sterne-Anlage auf den Malediven zu erzählen, die eine Menge Zinsen brächte ...«

»Dreißig Prozent«, ergänzte Kati. »Ich weiß. Mir gehört auch ein kleines Stückchen davon.«

»Tatsächlich?« Tante Alicias fein gezupfte Augenbrauen hoben sich. »Na ja, die liebe Doris war nie besonders zimperlich, wenn es darum ging, andere zu übervorteilen. Aber daß sie sogar ihre eigene Tochter hintergeht, das hätte ich wirklich nicht gedacht. Na ja, dann sitzen wir ja im selben Boot. Wieviel hast du denn ...?«

»Genug«, sagte Kati. »Und du?«

»Sagen wir mal so, ich gehörte zu den Glücklichen, die ein Flugticket erster Klasse dazu geschenkt bekamen. Habe es aber leider nie bekommen.«

»Woher hast du soviel Geld? Mit Verlaub, ich glaube nicht, daß man im Knast so viel verdient ...«

»Mein Mann«, sagte Tante Alicia kurz. »Der Gute mußte dafür seinen Sparstrumpf leeren und seinen alten Vater wegen eines Voraberbes anbetteln. Wir kennen uns noch nicht so lange, und es wäre mir äußerst peinlich, wenn sich das Geld nun zusammen mit diesem Heiner und deiner Mutter in Luft aufgelöst hätte.«

»Aber das kann ja gar nicht sein«, sagte Kati. »Der Vertrag ist absolut wasserdicht, und der Mann hat einen wirklich seriösen Eindruck gemacht. Und die Angaben und die Fotos von der Anlage, die waren auf jeden Fall echt.«

»Das waren sie«, bestätigte Tante Alicia. »Allerdings, als ich dort anrief, hatte man noch nie etwas von einem Heiner Schukowski gehört. Auch nicht von einem Heiner Renski. Überhaupt von keinem Heiner. Der Nobelschuppen gehört einem arabischen Geschäftsmann namens Abdul Al'Farad. Oder so ähnlich.«

»Oh, oh«, machte Cosima, die das Gespräch mit offenem Mund verfolgt hatte.

»Oh, oh«, echote Kati.

»Ich will nicht voreilig sein«, sagte Tante Alicia. »Aber wie's aussieht, hat uns deine Mutter gelinkt und ist mit dem schönen Geld und ihrem Heiner, wie immer er auch heißen mag, abgedüst in den sonnigen Süden.«

»Ich habe gleich gesagt, daß dreißig Prozent Zinsen zu schön sind, um wahr zu sein«, ließ sich Cosima vernehmen. »Du als künftige Betriebswirtin solltest so etwas wirklich besser wissen.«

Kati kaute nachdenklich auf ihrer Unterlippe herum. »Wie bist du denn überhaupt darauf gekommen, daß etwas nicht stimmt, Tante Alicia?«

»Leider nicht von alleine«, sagte Tante Alicia. »Nein, ein weiterer Kunde von Heiner hat mich drauf gebracht. Ein gewisser Jaromir Jorgens.«

»Was?« rief Kati aus.

»Ist das *unser* Jaromir, Kati?« fragte Cosima.

»Wie viele Männer, die Jaromir heißen, kennst du denn, Cosima?« fuhr Kati sie an.

»Ein netter Kerl, dieser Herr Jorgens«, sagte Tante Alicia. »Umsichtigerweise hat er einen Privatdetektiv auf deine Mutter und ihren Liebhaber angesetzt. Hoffen wir, daß er sie bald findet, sonst können wir unserem Geld ade sagen. Und ich meinem Ehemann.«

»Noch ist Preußen nicht verloren«, murmelte Kati zähneknirschend. »Wenn Jaromir da seine Finger drin hat, ist die Sache möglicherweise gar nicht so, wie sie aussieht.«

»Ach nein?« Tante Alicia erhob sich und entnahm ihrer Handtasche eine zierliche Visitenkartenmappe. An Cosima gewandt, sagte sie: »Meinen Mantel bitte, Kleine.«

Cosima half Tante Alicia protestlos in den Mantel.

»Also, mir sieht das ganz nach einem riesengroßen Nepp aus«, sagte Tante Alicia. »Du bist jung, du kannst dich von diesem Debakel noch erholen. Wie ich immer sage, wenn alle Stricke reißen, kannst du immer noch einen reichen Mann heiraten. Aber ich stecke ziemlich tief in der Scheiße.« Sie legte eine Visitenkarte auf dem Telefontischchen ab. »Ich weiß nicht, worüber ich mich mehr ärgern soll: daß ich darauf hereingefallen bin, oder daß meine dumme Schwester sich mit meinem Geld ein schönes Leben macht! Ich möchte nicht wissen, wie viele Idioten noch darauf hereingefallen sind. Vermutlich Doris' gesamter Bekanntenkreis.«

»Onkel Pitt, Onkel Billy, Onkel Willi, Onkel Fred, Onkel Didi, Onkel Josef«, zählte Kati auf. »Na ja, wenn die Geld hatten, dann haben sie's auf jeden Fall gut geheimgehalten.«

»Wie dem auch sei, ungeschoren wird sie auf keinen Fall davonkommen.« Tante Alicia rauschte aus der Tür. »Mach's gut, Nichte, und halte mich über jede Neuigkeit auf dem laufenden, meine Telefonnummer hast du ja jetzt.«

Kati sah ihr sprachlos hinterher.

»Uff«, schnaufte Cosima, als die Schritte der Tante im Treppenhaus verhallt waren. »Deine Familie ist wirklich total gaga.«

Kati zog sich vor dem Spiegel ihre Lippen nach und versuchte, möglichst lässig zu wirken.

»Deine Hände zittern«, bemerkte Cosima. »Kein Wunder, du Arme. Von der eigenen Mutter abgezockt. Sechsundsechzigtausend Mark zum Teufel.«

»Ja, zum Teufel«, knirschte Kati. »Ich wette, der hat da seine Finger im Spiel.«

Wieder klingelte es, und Cosima drückte auf den Türöffner. Sie hatte nicht vor, den Flur in nächster Zeit zu verlassen. Hier tobte das Leben!

»Wenn sie deine Mutter erwischen, muß sie sicher ins Gefängnis«, sagte sie nachdenklich. »Das ist irgendwie tragisch und doch total aufregend. Das Schlimmste, das meine Mutter jemals tun wird, ist, zuviel Curry an ihre Kürbissuppe zu tun. Ich glaube nicht, daß da Gefängnis drauf steht.«

»Tu mir einen Gefallen und halt den Mund, Cosima«, sagte Kati. »Ich muß nachdenken.«

»Sehr löblich!« Jaromir lehnte lächelnd im Türrahmen. Er war ein wenig außer Atem, was verriet, daß er die Treppenstufen nicht hinaufgeflogen war. Ansonsten sah er überirdisch gut aus. »Ich sagte doch, du steckst tiefer in der Tinte als du ahnst, Schätzchen. Willst du dir mein Angebot nicht noch mal überlegen?«

Kati sah ihn finster an. »Da hast du doch deine Finger im Spiel gehabt!«

»Nein, keinesfalls! Leider.« Jaromirs Lächeln wurde etwas säuerlich. »Deine Mutter und Heiner werden von einem Kollegen von mir betreut. Nachdem sie mit dem Geld nach Südamerika abgehauen sind, ist er befördert worden. Schwein gehabt.«

»Tante Alicia hat gesagt, du hättest ebenfalls investiert, stimmt das?«

Jaromir lachte. »Wohl kaum, Kati. Auf so eine hirnrissige Idee wäre ich niemals gekommen. Nein, ich habe deiner Tante – und damit dir – nur ein bißchen auf die Sprünge helfen wollen. Damit du den Ernst deiner Lage erkennst und wir beide endlich ins Geschäft kommen. Schließlich verfüge ich immer noch über hervorragende Kontakte zu meinen Kollegen in aller Welt und bin besser informiert als Interpol.«

Kati kniff mißtrauisch ihre Augen zusammen, aber

eine innere Stimme sagte ihr, daß er nicht log. Nein, nein, die Sache war ihrer Mutter durchaus zuzutrauen. Sechsundsechzigtausend Mark – pfffffffft – zum Teufel.

Sie atmete tief durch. Jetzt mußte sie erst mal einen klaren Kopf bekommen.

»Was sind schon sechsundsechzigtausend Mark, verglichen mit einer halben Million«, sagte Jaromir. »Wenn du dich für eine Zusammenarbeit mit mir entscheidest, sichere ich dir neben dieser stolzen Summe außerdem zu, daß wir deine Mutter finden und einem Lynchkommando übergeben. Oder in den Knast schicken, ganz wie du willst. Und diesen Heiner natürlich auch. Sein richtiger Nachname lautet übrigens Hose. Seine Freunde nennen ihn liebevoll *Spendierhose*, seine Ex-Frauen weniger liebevoll *tote Hose*.«

Es klingelte erneut.

»Was genau müßte man denn für die halbe Million tun?« fragte Cosima, während sie zum dritten Mal den elektrischen Türöffner betätigte. »Und handelt es sich um Mark oder um Euro?«

»Sehr gute Frage.« Jaromir schenkte ihr ein Lächeln. »Nimm dir ein Beispiel an Cosima, Kati, die geht die Sache pragmatisch an.«

Kati schulterte ihre Handtasche und schritt mit zurückgeworfenem Kopf an Jaromir vorbei. »Wenn das so ist, dann kannst du die Sache ja mit Cosima besprechen. Ich muß jetzt auf jeden Fall gehen. Auf Wiedersehen, Jaromir. Tschüß, Cosima, und viel Spaß noch als Karen McCoy, die Katze.«

»Tschüß«, sagte Cosima verblüfft.

»Wo geht sie hin?« wollte Jaromir wissen und gab der Tür einen Fußtritt.

»Mit Julian essen. Pizza. Zwölfhundert Kalorien wie nichts.«

»Wer ist Julian?«

»Er ist wissenschaftlicher Assistent bei Professor Berlitz«, erklärte Cosima.

»Also ein armer Schlucker«, sagte Jaromir nicht ohne Erleichterung in der Stimme. »Hast du nicht auch Hunger auf Pizza, Cosima?«

»Pizza? Nein!« Cosima hielt abwehrend die Hände nach oben. »Viel zu viele Fetteinheiten.«

»Dann eben einen Salat«, sagte Julian und packte ihren Ellenbogen. »Komm, mein Auto wartet unten.«

»Aber ... aber ich muß mir was anderes anziehen«, protestierte Cosima.

»Blödsinn, du siehst phantastisch aus.« Jaromir zog sie energisch zur Tür. »Unterwegs erörtern wir dann noch mal die Greta-Garbo-Frage.«

»Lieber wäre mir, du würdest etwas über diesen Job erzählen«, sagte Cosima, während sie hinter ihm her die Treppe hinabstolperte. »Ich meine, ich bin zwar nicht gerade Karen McCoy, die Katze, aber eine halbe Million könnte ich gut gebrauchen. Für eine Fettabsaugung am Kinn.«

»Die ist doch viel billiger zu haben«, sagte Jaromir. »Außerdem, wenn du noch ein, zwei Kilo abnimmst, ist nichts mehr da, was sie absaugen können.« Draußen regnete es immer noch in Strömen. Sie sahen, wie Kati in einen alten Polo stieg, der dann Richtung Innenstadt fuhr.

Jaromir schubste Cosima sanft in ein schnittiges, schwarzes Auto, das mitten auf dem Bürgersteig geparkt war.

»Nur ein, zwei Kilo«, wiederholte Cosima und griff sich ans Kinn. »Also, das ist das mit Abstand Netteste, das jemals jemand zu mir gesagt hat!«

»Gern geschehen.« Jaromir war an der Fahrerseite eingestiegen und startete den Motor. Rasch holte er den Polo ein und hängte sich an seine Rücklichter.

»Ist das ein Jaguar?« fragte Cosima. »Wow! Du mußt wirklich gut verdienen. Schade, daß es illegal ist. Es ist doch illegal, oder?«

»Cosima, nicht jeder, der einen Jaguar fährt, verdient sich sein Geld mit kriminellen Machenschaften.«

»Na ja, aber fünfhunderttausend Mark zahlt man doch nicht für einen legalen Job, oder? Genauso wenig, wie man dreißig Prozent Zinsen ohne Risiko versprechen kann. Wow, ist das echtes Gold? Bestimmt. Echtes Holz, echtes Leder, echtes Gold. Eine wirkliche Luxuskarosse. Ich bin noch nie in so einem Schlitten gefahren. Es ist schade, daß ich diesen Schlabberpullover anhabe. Hierfür wäre das kleine Schwarze angemessen. Nicht daß ich ein kleines Schwarzes besäße, aber ... Wow, du bist bei Rot über die Kreuzung gefahren!«

»Nur ausnahmsweise. Wir dürfen Kati nicht aus den Augen verlieren«, entgegnete Jaromir. »Ich habe das Gefühl, der Italiener, zu dem sie gehen will, ist ein echter Geheimtip.«

»Hoffentlich ist es dort nicht zu elegant«, sagte Cosima und schaute auf ihre Füße hinunter. »Ich habe nämlich noch meine Pantoffeln an.«

Cosimas streng geheimes Tagebuch

8. Oktober, 7.00 Uhr

Wow, kaum ist man mal drei Kilo schlanker, wird das Leben plötzlich herrlich aufregend: Ich bin gestern mit einem äußerst gutaussehenden Mann in einem Jaguar herumkutschiert, habe von kellnernden Italienern mindestens siebzehn Komplimente erhalten – alle ernst gemeint! – und habe eine Eins für meine Hausarbeit in Personalwirtschaftslehre bekommen. Es ist wirklich ein erhebendes Gefühl, Berlitz' wissenschaftlichen Assistenten persönlich zu kennen und eine solch gute Nachricht bei Kerzenschein und Pizzaduft serviert zu bekommen. Kati hat auch eine Eins – na ja, das war ja abzusehen. Jedenfalls ist es bei so vielen positiven Erlebnissen ganz einfach, nichts zu essen. Nach einer halben Pizza war ich absolut und vollkommen satt. Das ist mir wirklich noch nie passiert, nicht mal, wenn ich vorher einen riesigen Vorspeisenteller hatte. Ich war so glücklich darüber, daß der hübsche Kellner sicher nicht gelogen hat, als er sagte: »Die Signorina hat das zauberhafteste Lächeln der Welt.« Oder war es: »Wenn die Signorina lächelt, geht die Sonne auf!«??? Ich wünschte nur, ich hätte es auf Band aufgenommen!

Ach, das Leben ist herrlich! Heute morgen war ich noch ein Pfund leichter, trotz halber Pizza und einem kleinen Grappa, und Karl-Heinz, der Pickel, der seit Monaten meine linke Schläfe dominiert, macht eindeutig Anstalten, abzuheilen. Hurra!

Kati hat ziemlich finster dreingeschaut, als ich und Jaromir so plötzlich in ihrem Restaurant aufgetaucht sind. Aber sie hatte nichts dagegen, daß wir uns an ihren Tisch setzten.

Julian auch nicht. Er schien sich sogar zu freuen, Katis Freunde endlich mal näher kennenzulernen. Ich glaube, er ist schrecklich verliebt in Kati. Als wir zusammen auf dem Klo waren, sagte ich ihr das auch. Sie schien darüber nicht gerade erfreut zu sein.

»Ich an deiner Stelle wäre sehr glücklich«, sagte ich ihr – ganz ohne Neid. Neid ist meinem Wesen völlig fremd geworden, seit ich drei Kilo schlanker bin! »Du bist besser dran als jede Krankenschwester bei Emergency Room. Wann erlebt man schon mal, daß Doktor Carter und Doktor Clooney in ein und dieselbe Person verliebt sind?«

Da lachte Kati laut. »Wenn du glaubst, daß Jaromir irgendwelche Gefühle für mich hegt, dann liegst du aber völlig falsch«, sagte sie. Leise setzte sie hinzu: »Leider.« Aber ich bin ja nicht blöd. Ich habe keine Minute geglaubt, daß Jaromir gerne mit MIR essen gehen wollte. Er wollte lediglich in Katis Nähe sein. Ja, ich glaube sogar, dieser Job, von dem er ständig redet, ist bloß erfunden.

Mir kam kurz der Gedanke, daß das Leben doch ungerecht sei: Da hatte Kati die Wahl zwischen Doktor Carter und Doktor Jaguar, und mir blieben nur die windigen Komplimente der Kellner, die lediglich den Appetit und damit den Umsatz fördern sollen – und die albernen Pantoffeln an den Füßen. Plötzlich bekam ich schrecklichen Hunger auf Tiramisu. Oder auf eine richtig gute Zabaione.

Aber zurück an unserem Tisch sagte Julian dann, daß ich eine Eins in der Hausarbeit habe, und Jaromir meinte, im Kerzenlicht erinnere ich ihn eher an Juliette Lewis als an Greta Garbo. Mein Appetit und meine schlechte Laune verflüchtigten sich. Ist Juliette Lewis nicht diese unglaublich schöne amerikanische Filmschauspielerin? Werde gleich mal im Filmalmanach nachschlagen. Gleich nach meiner

Morgen-ACG und dem Wechselduschen. Bin neuer, verbesserter Mensch.

9.00 Uhr

Verdammt! Hatte Juliette Lewis mit Juliette Binoche ver-
wechselt. Binoche ist wunderschön, Lewis hat riesengroße
Nase. Verdammt!

9.10 Uhr

Juliette Lewis ist eigentlich gar nicht so schlimm. Sie hat auf
jeden Fall das gewisse Etwas. Und sehr schöne Augen. Sicher wäre sie keine bekannte Schauspielerin geworden,
wenn sie häßlich wäre. Ihre Backenknochen sind toll. Werde die Zitrusschokolade nicht anrühren.

5

Im Grunde wäre es ein ganz einfacher Job«, sagte Jaromir. »Ich brauche nur ein gutaussehendes, charmantes Mädchen wie dich, um Charmaine von Zanger eifersüchtig zu machen. Kein Diebstahl, keine Erpressung, überhaupt nichts Kriminelles. Nur ein paar romantische Treffen mit einem gutaussehenden Mann.«

»Ich kenne keine Charmaine Zange, und ich habe auch kein Interesse daran, sie eifersüchtig zu machen«, erklärte Kati mit Nachdruck. »Was ist das überhaupt für ein saublöder Name? Außerdem, was du nur ein paar romantische Treffen mit einem gutaussehenden Mann nennst, hört sich für mich so ähnlich an wie Prostitution!«

»Na hör aber mal«, sagte Jaromir in empörtem Tonfall. »Du sollst ja nicht mit ihm schlafen. Jedenfalls nicht, wenn du nicht willst!«

»Ich bin kein Begleitservice«, sagte Kati. »Ich mache andere Frauen nicht auf Kommando eifersüchtig.«

»Auch nicht für eine halbe Million? Du müßtest dafür lediglich ein bißchen mit ihrem Verlobten flirten.« Jaromir lächelte sie an. »Ich bin sicher, du bist sein Typ. Du bist jedermanns Typ.«

»Und was soll das Ganze? Soll die eifersüchtige Zange ihm ein Messer in den Bauch rammen und dafür in die Hölle kommen?«

»Die Details mußt du nicht wissen«, sagte Jaromir.

»Aber heutzutage kommt man ja wegen Mord im Affekt nicht mehr unbedingt in die Hölle.«

»Also, ehrlich gesagt, interessieren mich die Details auch gar nicht«, sagte Kati. »Weil ich den Job nämlich auf keinen Fall annehme.«

Jaromir sank kopfschüttelnd auf den Sessel, auf dem Kati fast ihre gesamte Garderobe geparkt hatte. Es war früher Morgen, und er hatte sich wieder einmal mit dem Dietrich Einlaß in ihre Wohnung verschafft. Als Kati aufgewacht war, hatte er bereits an ihrem Bett gesessen und finster auf sie hinunter geschaut.

»In meinem Traum hast du viel netter ausgesehen«, hatte Kati geseufzt.

»In deinem Traum war ich auch sicher ausgeschlafen und hatte meine Probleme voll im Griff.«

Eigentlich war es Kati gewesen, die er im Traum voll im Griff gehabt hatte, aber das wollte Kati ihm nicht verraten. Ihre schöne Stimmung verflog dann auch sogleich, als Jaromir wieder mit seinem Job anfing.

»Und du glaubst, du bist ein besserer Mensch geworden? Daß ich nicht lache. Da bittet dich ein Freund um deine Mithilfe, und du lehnst eiskalt ab. Obwohl es so leicht für dich wäre.«

»Du weißt selber, daß das Unsinn ist«, sagte Kati. »Tatsächlich helfe ich dir mehr, wenn ich dir nicht helfe, wenn du verstehst. Was ist so schlimm daran, ein Mensch zu sein?«

»Du willst mich in den Ruin treiben«, sagte Jaromir finster. Er tippte sich auf seine Hörner. »Hier, siehst du das? Seit gestern sind sie um mindestens einen halben Zentimeter geschrumpft. Wenn das so weitergeht, werden sie in ein paar Tagen ganz verschwunden sein.«

»Ich finde, es steht dir«, sagte Kati freundlich. »Wozu braucht man die Hörner denn? So was ist doch höchstens in der Tierwelt nützlich.«

Jaromir schüttelte nur den Kopf. »Es geht mir von Tag zu Tag mieser. Morgens werde ich nur mit Hilfe von Unmengen von Kaffee wach, ich habe Ringe unter den Augen, wenn ich weniger als sieben Stunden schlafe, das sieht beschissen aus, und wenn mir mein Butterbrot hinfällt, dann garantiert mit der Marmeladenseite nach unten.«

»Willkommen im Leben«, sagte Kati.

»Das hält doch der stärkste Mann nicht aus«, jammerte Jaromir. »Früher hat das Leben noch Spaß gemacht, da konnte man an mehreren Stellen gleichzeitig sein und den Menschen direkt in den Kopf gucken. Damals wußte ich genau, was in dir vorging, während du mir jetzt wie ein Buch mit sieben Siegeln vorkommst. Warum lockt dich mein Geld nicht? Du hast doch keins, schon gar nicht, seit du weißt, daß deine Mutter sich mit deinen sechsundsechzigtausend Mark in Südamerika ein schönes Leben macht! Warum hilfst du mir nicht einfach, diese Charmaine von Zanger an meine Firma zu liefern, und kassierst dafür so richtig ab? Danach gehe ich meiner Wege und lasse dich für den Rest deines Lebens völlig unbehelligt.«

»Eben drum«, sagte Kati leise.

»Wie bitte?«

»Ich sagte: Aus Prinzip nicht.«

»Prinzip, Prinzip! Wie ich dieses Wort hasse.« Jaromir raufte sich die Haare. »Früher hattest du nur ein Prinzip, und das hieß: Für Kati nur das Beste! Es war ein gutes Prinzip! Man muß sich nicht schämen, käuflich zu sein.«

»Ich habe dir schon mal gesagt, daß Geld nicht das wichtigste im Leben ist«, sagte Kati.

»Es *ist* das wichtigste, glaub mir«, erwiderte Jaromir.

»Nein, ist es nicht«, sagte Kati. »Wenn man krank und einsam ist, dann nutzt einem Geld nämlich auch nichts.«

»Ha, wenn man ein armer Schlucker ist, wird man früher oder später krank und einsam werden«, hielt Jaromir dagegen. »Es sei denn, man heißt Mutter Teresa. Glaub mir, mit Geld ist fast alles möglich.«

»Aber eben nur *fast* alles.«

Katis Zimmertür öffnete sich und Cosima steckte ihren Kopf zu ihnen hinein. »Kati, Telefon. Es ist Julian. Oh, hallo Jaromir, auch schon wieder da? Juliette Lewis hat einen viel größeren Mund als ich. Man kann uns nicht vergleichen, finde ich.«

»Da hat sie ausnahmsweise recht«, sagte Kati, schwang die Bettdecke zurück und ging in den Flur hinaus zum Telefon. Bis auf ein knappes Höschen war sie splitternackt. Aber Jaromir schenkte dieser Tatsache keine Beachtung.

»Na ja, dann vielleicht nicht Juliette Lewis, sondern Winona Rider«, sagte Jaromir. »Ihr habt sehr ähnliche Augen.«

»Tatsächlich?« Cosima riß ihre Augen geschmeichelt auf. »Aber ihre Nase ist winzig, geradezu nicht vorhanden. Und sie ist brünett, ich straßenköterblond.«

»Das war Winona auch mal«, sagte Jaromir. »Glaub mir.«

»Wirklich? Aber sie sieht so echt aus.«

»Ja.« Jaromir nickte. »Weil ihr Charakter durch und durch brünett ist. Du solltest es mal mit einer Tönung in Kastanienbraun oder Mahagoni versuchen.«

»Also, ich weiß nicht, ob ich nicht doch zu viele Anteile einer Dunkelblondine in mir trage«, sagte Cosima. »Allerdings wäre es einen Versuch wert. Jetzt, wo man meine Wangenknochen besser sieht ...«

Kati kam ins Zimmer zurück und begann, ihre Klamotten vom Boden aufzusammeln und in den Schrank zu hängen oder in den Wäschekorb zu werfen.

Cosima räusperte sich.

»Ich weiß nicht, ob du es gemerkt hast«, zischte sie. »Aber du bist nackt.«

»Ach, tatsächlich?«

»Und wir haben Herrenbesuch«, ergänzte Cosima.

»Der ist kein Herr«, sagte Kati. »Außerdem läßt es ihn völlig kalt, ob ich nackt bin oder nicht. Stimmt's, Jaromir?«

»Stimmt«, sagte Jaromir.

»Mistkerl«, sagte Kati leise.

»Du, Kati, findest du, ich bin vom Charakter her eher blond oder eher brünett?« wollte Cosima wissen.

»Eher dunkelblond«, sagte Kati.

»Das stimmt nicht«, sagte Jaromir. »Cosima würde eine wunderbare Brünette abgeben.«

Cosima nickte. »Winona Rider.«

Kati lachte. »Aber sicher, du und Winona Rider, ihr könntet Schwestern sein.«

Cosima machte ein beleidigtes Gesicht.

»Was wollte denn der liebe Julian?« erkundigte sich Jaromir ablenkend.

»Er wollte ein neues Treffen mit mir vereinbaren, weil er immer noch etwas Wichtiges mit mir zu besprechen hat«, sagte Kati. »Gestern kamen wir ja leider nicht dazu.«

»Oh, haben wir gestört, Cosima und ich?«

»Ja, allerdings«, sagte Kati.

»Also, ich hatte aber nicht den Eindruck, daß wir stören«, schaltete sich Cosima wieder ein. »Julian hat sich sogar richtig gefreut, als wir kamen. Er ist ein netter Kerl.«

»Ja, das ist er«, sagte Kati. »Aber ich fürchte, er will mehr von mir als ich von ihm.«

»Wie tragisch«, sagte Jaromir.

»Ja«, sagte Kati wieder. »Gestern bin ich ja nicht dazu gekommen, ihm reinen Wein einzuschenken. Und heute abend will er mich unbedingt seinem besten Freund vorstellen. Er läßt fragen, ob du nicht mitkommen möchtest, Cosima?«

»Wer, ich? Warum?«

»Damit es so eine Art Rendezvous zu viert ist, nehme ich an«, sagte Kati.

»Hm«, machte Cosima und wußte nicht, ob sie beleidigt oder geschmeichelt sein sollte. »Rendezvous zu viert will mir Bernadette auch immer aufdrängen. Mit diesen speckigen Besserwissern, die Vincent seine Freunde nennt.«

»Tut mir leid, ich kann dir auch nichts Näheres über Julians Freund sagen«, meinte Kati. »Ich habe mir nur seinen Namen gemerkt, Christoph von Hütwohl, lustig, oder? Aber wenn du dir nicht vorstellen kannst, Cosima von Hütwohl zu heißen, dann bleib ruhig zu Hause. Ich überlebe auch ein Rendezvous zu dritt.«

»Christoph von Hütwohl?« rief Jaromir aus. »Bist du ganz sicher?«

Kati nickte. »Hat er gesagt. Christoph von Hütwohl ist Julians bester Freund seit Schultagen. Kennst du den etwa auch?«

»Wenn es der von Hütwohl ist, den ich meine ...« Jaromir verzog das Gesicht, als habe er auf eine Zitrone gebissen. »Aber wie konnte mir entgangen sein, daß er mit deinem Julian befreundet ist?«

»Das weiß ich auch nicht«, sagte Kati. »Schlechte Recherche, würde ich sagen. Kommst du nun mit, Cosima? Daß Jaromir diesen Christoph kennt, muß nicht unbedingt gegen ihn sprechen.«

»Ich weiß nicht«, sagte Cosima. »Wie ist dieser von Hütwohl denn so, Jaromir?«

»Zu ärgerlich!« Jaromir antwortete nicht. »Wenn ich das gewußt hätte! Das hätte mir von Anfang an ganz andere Perspektiven eröffnet.«

»Woher kennst du denn nun diesen von Hütwohl?« erkundigte sich Kati.

»Cosima von Hütwohl – das klingt gar nicht so schlecht, finde ich«, sagte Cosima nachdenklich. »Baronin Cosima von Hütwohl? Gräfin Hütwohl?«

»Von Hütwohl ist der Verlobte von Charmaine von Zanger«, sagte Jaromir.

»Etwa der Charmaine von Zanger, an der deine Firma so interessiert ist?« fragte Kati, und Cosima rief gleichzeitig: »Etwa der Charmaine von Zanger von *High Society*?«

Jaromir nickte.

»Wie klein die Welt doch ist«, sagte Cosima. »Charmaine von Zanger richtet nämlich Bernadettes Hochzeit aus.«

»Und ihr Verlobter ist Julians bester Freund«, stellte Kati fest. »Wirklich, die Welt ist klein.« Sie musterte Jaromir mit mißtrauisch zusammengekniffenen Augen. »Und du hast wirklich nicht gewußt, daß Julian und

Hütwohl Freunde sind? Also, das nehme ich dir nicht ab. Du bist exakt dann aufgetaucht, als ich Julians Bekanntschaft gemacht hatte.«

»Pah«, machte Jaromir. »Es ist mir scheißegal, ob du mir glaubst oder nicht. Daß Hütwohl und dein wissenschaftlicher Langeweiler irgendwie bekannt sind, ist meinen Recherchen entgangen. Konnte ja auch keiner ahnen. Von Hütwohl entstammt einer der reichsten Familien der Stadt. So reich, daß sie sich im letzten Jahrhundert ein ›von‹ für ihren Namen gekauft haben. Seither schauen die von Hütwohls auf alle hinab, die kein ›von‹ in ihrem Namen tragen oder nicht wenigstens über ein astronomisch hohes Barvermögen verfügen. Und Charmaine von Zanger dankt ihrem Schicksal jede Nacht, daß sie sich einen Mann wie Christoph geangelt hat.«

»Wie rührend menschlich«, sagte Kati. »Und womit hat die gute Dame das Interesse deiner Firma verdient?«

»Was für eine Firma?« fragte Cosima.

»Charmaine ist besessen davon, in Hütwohls Kreise aufzusteigen«, erklärte Jaromir.

»Aber sie ist doch selber adelig«, sagte Kati.

»Und verkehrt mit jeder Menge Berühmtheiten«, wußte Cosima beizusteuern. »Bernadette sagt, sie war schon ganz oft in der Gala.«

»Von Zanger«, sagte Jaromir verächtlich. »Was soll das denn bitte für ein Adelshaus sein?«

»Also mich mußt du da nicht fragen«, sagte Kati. »Ich kenne mich bei Blaubluts nun wirklich nicht aus. Aber von Zanger klingt in meinen Ohren nicht schlechter als von Hütwohl.«

»Oder von Schachte«, sagte Cosima. »Wir hatten eine

von Schachte in unserer Klasse. Die war angeblich sogar Baroneß. Wir haben sie die alte Adelsschachtel genannt.«

»Charmaine behauptet, sie entstamme einem alten österreichischen Adelsgeschlecht«, sagte Jaromir. »Ich nehme an, die österreichischen Blaublüter sind euch ebenfalls nicht geläufig?«

Kati und Cosima schüttelten nur die Köpfe.

»Dachte ich's mir doch«, sagte Jaromir. »Von Hütwohl und seine Freunde kennen sich da auch nicht so gut aus. Ja, sie sind sogar derart schlecht über Österreich informiert, daß sie Charmaines Bergdorf-Dialekt für charmanten Wiener Schmäh halten.«

»Warum erzählst du uns das alles?« fragte Kati. »Das interessiert uns nicht die Bohne.«

»O doch«, widersprach Cosima. »Ich finde es höchst interessant. Weiter, Jaromir. Charmaine von Zanger kommt also aus einem österreichischen Bergdorf, sagt aber, sie ist eine Wienerin?«

Jaromir nickte. »Dabei kommt sie aus der finstersten Provinz. Und sie heißt auch nicht Charmaine.«

»Das habe ich mir gleich gedacht«, sagte Cosima eifrig. »So heißt doch kein normaler Mensch. Wahrscheinlich heißt sie Liesl. Oder Bärbel. Oder Katrinchen. Katreinerle, wie die Österreicher sagen.«

»Eigentlich heißt sie Heidelinde«, sagte Jaromir.

»Heidelinde von Zanger«, sagte Cosima. »Klingt schon ganz anders.«

»Ohne *von*«, sagte Jaromir. »Die Zangers sind eine alteinsessene Bergbauernfamilie, die im Sommer eine Gastwirtschaft auf der Alm betreiben.«

»Heidelinde Zanger«, wiederholte Cosima. »Keine Baroneß, sondern Bergbauerntochter. Da klingt ja Cosima Schmitz noch vornehmer. Obwohl, ich finde das ja schade, seine Herkunft zu verleugnen, wenn sie so interessant ist. Sicher kann Heidelinde Kühe melken und Käse machen, das ist irgendwie beeindruckend.«

»Das sieht unsere Heidelinde alias Charmaine wohl anders«, sagte Jaromir.

»Sie ist also eine Hochstaplerin«, faßte Kati ungeduldig zusammen. »Na, das ist doch toll für dich, Jaromir. Was willst du denn noch mehr?«

»Ich – das heißt, meine Firma – also, wir wollen, daß Charmaine sich noch ein bißchen mehr zuschulden kommen läßt, als nur bei ihrer Herkunft zu schummeln. In ihr steckt echtes Potential.«

»Was ist denn das für eine Firma?« wollte Cosima wieder wissen. »Ich dachte, du bist im Kunsthandel tätig.«

Jaromir beachtete sie nicht. »Im Augenblick ist Charmaine sich ziemlich sicher, ihren Christoph fest an der Leine zu haben. Würde sie allerdings das Gefühl bekommen, ihn möglicherweise an eine andere zu verlieren – nun, unseren Berechnungen zufolge würde sie dann so richtig zur Hochform auflaufen. Intrigen, Verleumdungen, Mord, Totschlag – alles wäre drin.«

»Jetzt habe ich es einigermaßen verstanden«, sagte Kati. »Du suchst eine Frau, die Charmaine-Heidelinde ihren Verlobten ausspannt, damit die so richtig gemein wird? Ist das nicht ein ziemlich riskanter Job?«

»Aber gut bezahlt«, sagte Jaromir.

»Ich verstehe«, ließ sich Cosima vernehmen, die eigentlich überhaupt nichts verstand, sich das aber ungern anmerken ließ. »Du arbeitest für eine Detektei, stimmt's? Wer hat dich denn auf Charmaine angesetzt?

Warte, warte, ich weiß es: Es war sicher seine Mutter, stimmt's? Mütter glauben doch immer, daß die Auserwählte ihres Sohnes nicht gut genug für ihn ist. Arme Heidelinde.«

»Wie dem auch sei«, sagte Kati. »Auf meine Mitarbeit mußt du in diesem Fall verzichten, Jaromir. Erstens habe ich nach wie vor kein Interesse, den Job von dir anzunehmen, und zweitens kann ich wohl kaum mit Julians bestem Freund flirten, das siehst du doch wohl ein, oder?«

»Nein«, knirschte Jaromir. »Früher wäre dir so was völlig egal gewesen!«

»Du sitzt auf meinem Bademantel«, sagte Kati.

»Was denn! Das war der Job, den du Kati angeboten hast?« rief Cosima aus. »Einer anderen den Mann auszuspannen? Für vierhunderttausend Mark? Mann, die Mutter muß aber echt Kohle haben. Für soviel Geld kann sie Heidelinde doch auch um die Ecke bringen und vier Meter tief im Wald verbuddeln lassen. Aber so was tut man wahrscheinlich in diesen Kreisen nicht. Vierhunderttausend, um einen Mann auszuspannen!«

»Cosima scheint an dem Job interessiert zu sein, Jaromir.« Kati hatte ihren Bademantel unter Jaromirs Hinterteil hervorgezogen. »Nur schade, daß sie im Ausspannen und Anmachen zu wenig Übung hat. Eigentlich sogar keine. Cosima gehört zur aussterbenden Rasse der Jungfrauen, nicht wahr, Cosima.«

»Du bist gemein«, sagte Cosima beleidigt. »In Wirklichkeit bin ich Zwilling.«

Kati verschwand achselzuckend im Badezimmer.

»Tatsächlich?« fragte Jaromir.

»Tasächlich was?« schnauzte ihn Cosima an. »Ja, ich

bin noch Jungfrau, na und? Ist es eine Schande, wenn man auf den Richtigen warten will? Ich kann ja nichts dafür, daß ich nur Vollidioten kennenlerne. Und andere wollten mich bisher leider nicht.«

»Kaum zu glauben«, sagte Jaromir und sah sie mit zusammengekniffenen Augen an. »Wo du doch eine wirklich attraktive Person bist.«

»Bis auf das Doppelkinn, den zu kleinen Busen, die zu dicken Oberschenkel und den Monsterhintern«, leierte Cosima herunter.

»Die gigantische Nase nicht vergessen«, schrie Kati aus dem Bad.

»Genau, die Nase«, seufzte Cosima. »Schade, schade. Diesen von Hütwohl hätte ich gerne kennengelernt, schon aus purer Neugier. Auf den Fotos sieht er jedenfalls immer ziemlich gut aus. Aber verlobt ist verlobt, egal, ob sie nun Charmaine oder Heidelinde heißt.«

»Moralische Bedenken? Also, die beiden sind sowieso nicht füreinander gemacht«, sagte Jaromir.

»Nein, ich habe keine moralischen Bedenken. Aber gegen eine Charmaine Dingsdabums kann ich im Moment noch nicht anstinken. Meine Zeit kommt noch. Ich werde zu Hause bleiben, meine ACG machen und mich erst mal auf die Weihnachtsfeier bei Oma Hertha freuen.«

»Auf keinen Fall«, rief Jaromir aus. »Du wirst von Hütwohl gefallen.«

»Aber ich trage weder ein ›von‹ in meinem Namen noch verfüge ich über Vermögen«, sagte Cosima. »Abgesehen davon bin ich nicht ...«

»Das macht überhaupt nichts«, sagte Jaromir.

»Also, mir schon«, gab Cosima zurück.

Kati, die mit dem Ohr an der Badezimmertür lauschte, hielt die Luft an. Was denn, Jaromir glaubte doch nicht wirklich, daß Cosima *ihren* Job übernehmen konnte? Wie lächerlich! Cosima war ungefähr so verführerisch wie eine Politesse beim Ausstellen eines Strafmandates. Abgesehen davon war ihr Hintern zu dick. Sagte sie selber doch auch immer. Jaromir mußte schon sehr verzweifelt sein, wenn er Cosima für die Rolle der großen Verführerin vorsah.

»Hunderttausend Mark«, sagte Jaromir.

»Boah«, machte Cosima nur. »Für mich ganz allein?«

Jaromir nickte, und Kati hinter der Tür knirschte mit den Zähnen. Mit Geld war Cosima immer zu ködern, der alte Geizknochen.

»Cosima, erzähl Jaromir doch von deinen Spitznamen«, rief Kati laut.

»Welche Spitznamen?« fragte Cosima zurück.

»Spaßbremse, Spielverderber, Partyschreck«, listete Kati auf. »Flirtmuffel, Fettnapfqueen und Charmekiller.«

»Hör nicht auf sie«, sagte Jaromir zu Cosima. »Sie unterschätzt dich offenbar gewaltig. Zehntausend, wenn du dich heute abend beim Essen von deiner besten Seite zeigst. Zwanzigtausend, falls es danach zu einem Treffen zu zweit kommt, nur du und von Hütwohl. Und noch mal zwanzigtausend, wenn Charmaine kalte Füße bekommt.«

»Das sind aber erst sechzigtausend«, sagte Cosima.

»Die restlichen vierzigtausend gibt es, wenn der Plan komplett aufgeht.«

Was immer das auch heißen mochte, dachte Kati hinter der Badezimmertür.

»Boah«, sagte Cosima wieder. Dann fiel ihr etwas ein.

»Aber sagtest du nicht, der Job bringt vierhunderttausend?«

»Na ja«, sagte Jaromir. »Vierhunderttausend hätte es bei vollem körperlichen Einsatz gegeben, wenn du verstehst.«

»Ach so«, machte Cosima. »Na ja, hunderttausend sind auch schon eine ganze Menge.«

»Das will ich meinen«, sagte Jaromir und streckte ihr die Hand hin. »Also, sind wir Partner?«

Cosima schlug ein. »Partner«, sagte sie aufgeregt. »Von wegen Flirtmuffel!«

Kati hinter der Badezimmertür verdrehte die Augen.

»Los, nimm deinen Mantel, wir gehen ein paar Besorgungen machen«, sagte Jaromir. »Und du, Kati, kannst aufhören zu lauschen. Tut mir wirklich leid, aber das Jobangebot ist soeben erloschen.«

»Das ist gut«, sagte Kati. »Mir fing deine Aufdringlichkeit nämlich schon an, auf die Nerven zu gehen.«

»Und mir deine Überheblichkeit«, gab Jaromir kalt zurück. »Du sitzt immer noch ziemlich tief in der Patsche, Schätzchen, und ich bin mir sicher, daß du es noch zutiefst bereuen wirst, mein Angebot ausgeschlagen zu haben.«

»Und ich bin sicher, daß du es noch zutiefst bereuen wirst, Cosima den Job gegeben zu haben«, sagte Kati, aber sie sagte es so leise, daß sie niemand hörte.

»Sie wird dir gefallen«, sagte Julian zum wiederholten Mal, und Christoph antwortete, ebenfalls zum wiederholten Mal: »Ja, ich weiß, sie ist so herrlich unkonventionell, wunderschön und intelligent. Und außerdem weiß sie, daß de Beers keine holländische Baseball-mannschaft ist. Das ist gut, denn eine holländische Baseballmannschaft kann man sich ja nur schwerlich an den Finger stecken.«

»So weit sind wir ja noch nicht«, sagte Julian. »Erst mal kommt ja der schwierige Teil: Ich muß ihr beichten, daß ich kein armer Uni-HiWi bin, sondern ...«

»... schweinereich und nur zu blöd, dein Geld auszugeben«, ergänzte Christoph. »Also, ich würde mal sagen, die Chancen, daß sie dir wegen dieser skandalösen Enthüllung den Laufpaß gibt, stehen eins zu einer Milliarde.«

Die beiden Männer, die sich seit ihrer frühen Kindheit kannten und gemeinsam durch dick und dünn gegangen waren, sahen einander so ähnlich, daß manche sie auf den ersten Blick für Brüder hielten. Beide waren blond, groß und gutaussehend. Christoph war der Kräftigere von beiden, und neben seinem braungebrannten Gesicht wirkte das von Julian blaß und schmal.

»Wie eine Büromaus eben«, pflegte Christoph zu sagen. »Wann warst du das letzte Mal in der Karibik? Ibiza? Sylt? Weißt du, im Grunde bin ich froh, daß du so verhärmt und erholungsbedürftig aussiehst. So sehen die Mädels wenigstens nicht, daß du eigentlich der Hübschere von uns beiden bist.«

Das stimmte: Julian hatte die feingeschnitteneren Gesichtszüge, seine Nase war schmal und gerade, die von Christoph war weitaus kräftiger und weniger formschön. Er nannte sie selber liebevoll seine »Kartoffel«.

»Du bist ziemlich leichtsinnig, mir deine wunderbare Kati jetzt schon vorzustellen. Du weißt doch, daß die

Frauen mir nicht widerstehen können«, sagte er jetzt lachend. »Und wenn sie wirklich so wunderbar ist, dann kann ich für nichts garantieren.«

»Sie ist wirklich so wunderbar«, sagte Julian. »Aber erstens hat sie einen exquisiten Männergeschmack, und zweitens hast du doch deine Charmaine.«

Christophs Miene verfinsterte sich merklich. »Charmaine, ja. Sie hat gestern beschlossen, daß unsere Hochzeit im nächsten August stattfinden wird. Und daß sie am liebsten noch in der Hochzeitsnacht schwanger werden will.«

»Oh, gratuliere! Und warum jubelst du nicht vor Glück? Noch vor einem Jahr war Charmaine die wunderbarste Frau unter der Sonne für dich.«

»Das ist sie ja auch jetzt noch«, versicherte Christoph. »Aber in letzter Zeit muß ich öfter über das nachdenken, was du mir gesagt hast: Von wegen, daß das wirkliche Leben außerhalb des Clubs der Reichen und Schönen tobt.«

»Du hast gesagt, das stört dich nicht«, erinnerte sich Julian. »Hauptsache, du hast ...«

»... gutes Essen, guten Wein, schnelles Auto, hübsche Frauen, ja, ja, ich weiß, was ich gesagt habe.« Christoph betrachtete das Muster der Tischdecke. »Weißt du, ich bin ein Faulpelz, ein Müßiggänger, ein Langschläfer. Ich spiele gerne Golf, gehe gern auf Partys und reise gern in exotische Länder.«

»Alles in allem keine besonders ausgefallenen Vorlieben. Und auch keine besonders verwerflichen«, sagte Julian und sah auf die Uhr. Fünf vor acht, noch fünf Minuten bis zu Katis Eintreffen. Es war so selten, daß Christoph mal persönlich wurde, daß er diese fünf Minuten unter vier Augen so intensiv wie möglich nutzen wollte. »Was hat das nun mit Charmaine zu tun, Christoph?«

Sein Freund schaute immer noch auf die Tischdecke. »Alles und nichts«, sagte er. »Ich bewundere Charmaine, sie ist jung, sie ist schön, und sie ist wirklich clever. Ihre Firma hat sie ganz allein aufgebaut und innerhalb kürzester Zeit zum Erfolg geführt. Sie ist weltgewandt, elegant und immer bestens informiert. Sie ist ein echtes Tennistalent, und ihr Handicap im Golf ist beachtlich. Sie liebt Reisen in exotische Länder und ist auf Partys ein richtiger Knüller. Alle beneiden mich um sie.«

»Ihr paßt also hervorragend zusammen«, resümierte Julian und sah wieder ungeduldig auf die Uhr. »Wo ist das Problem? Der Prinz küßte die schöne Prinzessin, sie bekamen viele, viele Prinzen- und Prinzessinnenkinder, und wenn sie nicht gestorben sind, dann leben sie noch heute.«

»Genau«, sagte Christoph. »Ich bin der verwöhnte Prinz, der letzte Sprößling der von-Hütwohl-Generation, und Charmaine ist die Prinzessin auf der Erbse.«

»Eine berufstätige Prinzessin immerhin«, warf Julian ein.

Christoph winkte ab. »Ich bin auch berufstätig, wenn man's genau nimmt. Ich leite schließlich die von-Hütwohl-Stiftung.«

»Ich glaube aber, daß Charmaine ihre Firma nicht vom Bett und vom Golfplatz aus führen kann«, sagte Julian.

»Ja, schon, aber deshalb ist sie trotzdem eine Prinzessin auf der Erbse. Du solltest sie mal erleben, wenn im

Restaurant das Perrier nicht exakt die Temperatur hat, die sie wünscht. Oder wenn ihre Haushälterin eines ihrer Gläser zerdeppert. Dabei mußte sie wie ich in ihrem ganzen Leben niemals etwas entbehren. Wir haben von unseren Eltern doch alles in unseren Hintern geschoben bekommen, und der liebe Gott hat uns oben drauf noch gutes Aussehen und natürliche Intelligenz gepackt.«

»Na ja, über letzteres läßt sich streiten«, sagte Julian. »Ich verstehe immer noch nicht, worauf du hinauswillst.«

»Es ist die berühmte Sinnfrage, weißt du. Wieso ist das so? Wozu bin ich auf dieser Welt? Was macht's das alles für einen Sinn?«

»Jetzt verstehe ich«, sagte Julian. »Du zweifelst plötzlich daran, ob es tatsächlich Sinn macht, lange zu schlafen, Golf zu spielen und übers Wochenende nach Sylt zu fliegen.«

»Na ja, solange ich für mich alleine lebe, macht es ja möglicherweise auch Sinn«, sagte Christoph leise. »Aber seit ein paar Tagen frage ich mich die ganze Zeit, was sich ändert, wenn wir ein Kind hätten, so wie Charmaine es plant. Ich meine, was sollen wir beide diesem Kind denn beibringen? Wie man Golf spielt, wie man Geld verdient und wie man Dienstboten herumkommandierst? Das wahre Leben, hast du selber gesagt, tobt außerhalb unserer Schloßmauern. Das arme Kind tut mir jetzt schon leid. Es hat bessere Eltern verdient als Charmaine und mich.«

»Jetzt übertreibst du aber«, sagte Julian. »Du liebst Charmaine doch noch, oder?«

»Also ...«, begann Christoph mit ernster Miene, aber

dann ging ein Strahlen über sein Gesicht. »Du, ich sehe was, was du nicht siehst, und das ist blond.«

Julian drehte sich um und sah Kati am Eingang stehen und mit dem Kellner reden. »Ja, das ist sie«, sagte er.

Christoph pfiff leise durch die Zähne. »Nicht übel, wirklich nicht. Obwohl die Klamotten von H&M sind und die Schuhe höchstens hundert Mark gekostet haben.«

»Das siehst du auf diese Entfernung?«

Christoph nickte. »Wenn man zwei Jahre lang mit Charmaine zusammen ist, bekommt man einen Blick für solche Dinge.«

»Meine Sachen sind von C&A«, sagte Julian.

»Was du nicht sagst!« Christoph lachte. »Ich liebe dich aber trotzdem, Kumpel. Und ich werde ganz reizend zu deiner Kati sein, versprochen.«

»Sie wird sicher auch reizend zu dir sein. Ob sie allerdings vom Golfen Ahnung hat, wage ich zu bezweifeln.« Julian stand auf, um Kati zu begrüßen.

»Wolltest du nicht deine Freundin Cosima mitbringen?«

»Cosima hat eben noch zu Hause angerufen und gesagt, daß sie ein bißchen später kommt«, informierte ihn Kati und ließ sich wenig anmutig auf den Stuhl fallen, den Julian ihr zurechtgezogen hatte. Sie war nicht besonders gut auf Cosima zu sprechen. Erst war sie den ganzen Vormittag verschwunden gewesen, und als sie mittags endlich zurückgekommen war, war sie mit Unmengen von Tüten und Taschen beladen gewesen. Und hatte über das ganze Gesicht gegrinst.

»Fällt dir was auf?« hatte sie gefragt.

»Meinst du das dämliche Grinsen?« hatte Kati erwidert. Der Gedanke, daß Cosima den ganzen Morgen mit Jaromir durch die Geschäfte gezogen war, stimmte sie äußerst aggressiv.

»Nein, in meinem Gesicht«, hatte Cosima gesagt.

»Ich meinte das Grinsen in deinem Gesicht! Oder wo grinst du denn sonst noch mit?« Kati hatte mißtrauisch die Augen zusammengekniffen und ihre Freundin genau betrachtet. »Du – oh, du hast doch nicht etwa das Fett unterm Kinn ansaugen lassen?«

»Nein, natürlich nicht ... Was denn, sieht das etwa so aus?« Cosima war aufgeregt vor den Spiegel gerannt. »Oh, wirklich, wirklich! Das Doppelkinn schrumpft. Ich meine, es ist zwar noch vorhanden, aber es ist nicht mehr so puddingmäßig und auffallend. Ich habe bestimmt noch mal ein Pfund abgenommen, anders ist das nicht zu erklären! Na ja, ich habe ja auch nichts gegessen außer zwei Kiwis zum Frühstück und einen Cracker bei Balenciaga. Wahnsinn! Mein Doppelkinn verschwindet, ohne daß ich auch nur eine müde Mark dafür zahlen muß! Nein, aber was dir wirklich auffallen hätte sollen, sind meine Augenbrauen. Sie sind gezupft worden. Sanfte, schmale Bögen, die meine goldbraunen Augen perfekt betonen. Und die Kosmetikerin hat auch noch gesagt, meine Haut sei eigentlich recht gut. Etwas überdüngt von zu vielen Pflegemitteln, etwas unrein, etwas fettig, aber dafür sehr elastisch, regenerationsfähig und vor allem faltenfrei. Sie hat ein Peeling mit mir gemacht, danach ...«

»Du gehst mir auf den Nerv«, war Kati ihr laut ins Wort gefallen. »Du willst doch nicht allen Ernstes Jaromirs Job annehmen und diesen von Hütwohl beflirten?«

»Ich *habe* den Job schon angenommen!« Cosima hatte ihr ein Bündel Geldscheine unter die Nase gehalten. »Sieh doch nur, ist das nicht phantastisch? Wenn du ganz brav bist, gebe ich dir auch ein bißchen davon ab, schließlich hätte ich den Job ohne dich niemals bekommen.«

»Steck dir dein blödes Geld sonstwohin.«

Cosima hatte sie traurig angesehen. »Sollte Jaromir am Ende recht haben, und du bist wirklich neidisch auf mich?«

»Ich? Neidisch auf dich? Cosima, eins mußt du noch lernen, und das ist, niemals auf das zu hören, was Jaromir dir sagt. Du kannst nicht allen Ernstes glauben, dieser Hochzeitsservicetante aus dem Hochgebirge den Mann ausspannen zu können. Ist dir nicht schon mal der Gedanke gekommen, du könntest dich blamieren?«

»Doch, ganz kurz«, hatte Cosima eingeräumt und sie gleich wieder breit angegrinst. »Aber dann habe ich mir gedacht, was soll's, für zehntausend Mark kannst du dich auch schon mal blamieren. Sonst blamiere ich mich auch, krieg aber nie Geld dafür. Und weißt du, was ich gratis dazu bekomme?« Sie hatte auf ihre vielen Taschen und Tüten gezeigt. »Da: Jil Sander, Ralph Lauren, Armani, Issey Miyake ... – eine komplette Herbstgarderobe. Heute nachmittag habe ich einen Termin beim Friseur, und Schuhe müssen wir auch noch kaufen. Dann bin ich perfekt ausgerüstet.«

»Toll«, hatte Kati gesagt. »Hätte nicht gedacht, daß du auf diese Modekinkerlitzchen hereinfällst.«

»Oh, also, das hätte ich auch nicht gedacht. Ehrlich gesagt habe ich dieses Getue um Markenklamotten immer für völlig überzogen gehalten«, hatte Cosima eifrig erwidert. »Ich meine, H&M kopiert die Sachen direkt vom Laufsteg, und ich habe sowieso nie auf die Marke geachtet, sondern darauf, daß das Teil auch meinen Hintern bedeckt. Außerdem dachte ich, die Modeschöpfer schneidern eben nur für langbeinige, erbsenpopoige Models. Was meinst du, wie verblüfft ich war, daß ich in eine Jeans von Ralph Lauren gepaßt habe. Und bei Jil Sander hat mich niemand nach meiner Größe gefragt, und du weißt ja, wie kompliziert das bei mir ist: Ich brauche sechsunddreißig obenherum und zweiundvierzig untenherum. Sie haben mir einfach einen 38-Anzug gebracht. Weißt du, was passiert ist?«

»Du hast ihn gesprengt«, hatte Kati gesagt und beinahe gehofft, es stimmte.

»Aber nein«, hatte Cosima ausgerufen. »Er paßte! Er paßte! Ein 38-Hosenanzug von Jil-Sander. Und ich paßte hinein!« Sie war in infernalisches Freudengelächter ausgebrochen. »Paßte hinein! Paßte hinein!« hatte sie immer wieder ausgestoßen.

Kati hatte sich schließlich die Ohren zugehalten. »Also gut, wenn du glaubst, Größe 38 macht dich zum Experten auf dem Gebiet der Verführung, genauer gesagt auf dem Gebiet der Verführung von Verlobten anderer Frauen, dann freut es dich sicher zu hören, daß Julian und sein Freund heute im »Cristóbal« auf uns warten.«

»Wow! In diesem sündhaft teuren spanischen Restaurant?« hatte Cosima beeindruckt gesagt und war für einen Augenblick ganz die alte gewesen. »Hoffentlich laden sie uns ein, da verarmt man schon bei der Vorspeise. Um wieviel Uhr sollen wir dort sein?«

»Um acht. Ich habe gesagt, wir treffen uns lieber vor Ort, war dir das recht, Messalina?«

»Sehr recht. Ich bin dann gegen sechs wieder hier, dann können wir uns gemeinsam schön machen.« Wieder hatte Cosima zu lachen angefangen. »Wow, das »Cristóbal« ist ideal. Ich kann meinen neuen Hosenanzug anziehen, ohne overdressed auszusehen. Wenn du möchtest, leihe ich dir mein Hérmestuch.«

»Danke, nein. Die Tücher sind mir zu spießig. Hoffentlich bist du nicht wieder so deprimiert, wie sonst immer, wenn du vom Friseur kommst«, hatte Kati spitz gesagt.

Aber Cosima war nicht aus der Ruhe zu bringen gewesen. »Ach, keine Angst, ich gehe doch nicht zu *Flink und Günstig*, wo sie mir immer nur den gleichen Pagenkopf zusammenstutzen, sondern zu Jaromirs Friseur. Er ist ein Zauberer, sagt Jaromir. Wir wollen meinen Typ ganz neu entdecken. Sozusagen die innere Cosima nach außen locken.«

»Na dann, viel Spaß«, hatte Kati nur noch erwidert und unzufrieden angefangen, in ihrer eigenen »Garderobe« zu wühlen. Plötzlich erschien ihr alles ziemlich schäbig. Gerade als sie sich entschlossen hatte, ihr schokoladenbraunes Wollkostüm von H&M mit dem Kunstpelzkragen an der Jacke anzuziehen und dabei war, die Knitterfalten mit Hilfe von Bügeleisen und feuchten Handtüchern zu beseitigen, hatte das Telefon geklingelt. Es war Cosima gewesen, sie riefe von ihrem Handy an.

»Aber du hast doch überhaupt kein Handy«, hatte Kati gerufen.

»Jetzt schon«, hatte Cosima erwidert. »Jaromir sagt, die Dinger sind zwar lästig, aber heutzutage ginge es nicht mehr ohne. Ich wollte nur sagen, daß ich ein bißchen später komme. Fahr schon mal ohne mich hin, wir treffen uns dann im »Cristóbal«. Ach ja, und schöne Grüße von Jaromir.«

Kati hatte nur noch mit den Zähnen geknirscht. Bis jetzt war ihre Laune ausgesprochen schlecht.

Ohne zu lächeln erwiderte sie Christophs Händedruck.

»Freut mich sehr, dich kennenzulernen, Kati. Julian hat mir schon eine Menge Gutes von dir erzählt.« Er setzte sein gewinnendes Lächeln auf, aber Katis Blick blieb kühl und ihre Laune weiterhin schlecht. Was saß sie hier eigentlich mit zwei Typen im Restaurant herum, während der einzige Mann/Teufel/Ex-Teufel, der sie wirklich interessierte, sich ganz woanders – wo? Und mit wem? – herumtrieb.

Christoph war ihr auf den ersten Blick unsympathisch. Sein taxierender Blick war ihr nicht entgangen.

»Snob«, dachte sie. »Gönnerhafter Schnösel.«

In Christophs Anzugjacke ertönte eine leise Melodie. Es war »We are the champions« von Queen.

»Ein Handy«, stellte Kati fest. »Ich dachte, in anständigen Restaurants seien die verboten.«

»Sind sie auch«, sagte Julian. »Aber Christoph ist so wahnsinnig wichtig, der muß überall erreichbar sein.«

»Ich stell's aus«, sagte Christoph. »Das ist sowieso nur wieder Charmaine.«

»Woher weißt du das denn?« fragte Kati.

»Das erkenne ich an der Melodie«, sagte Christoph. »Ich habe jedem meiner Freunde und Bekannten eine bestimmte Melodie zugeordnet.«

»Was für eine habe ich?« wollte Julian wissen.

»Du hast weder ISDN-Anschluß noch Handy, da funktioniert es nicht. Aber wenn du so was hättest, würde ich dir *I'm a poor man* zuordnen«, sagte Christoph lachend. »Womit wir ja beim Thema wären ...«

»Was möchtest du trinken, Kati?« fragte Julian hastig.

»Wasser«, sagte Kati.

»Perrier oder Apollinaris? Oder Evian?« erkundigte sich Christoph, während er den Kellner heranwinkte.

»Einfach Wasser«, wiederholte Kati stur. Was für ein blöder, verschwendeter Abend. Wahrscheinlich hatte Cosima im letzten Moment kalte Füße bekommen und würde gar nicht erst hier auftauchen. Am besten wäre es, Julian auf der Stelle reinen Wein einzuschenken – »du bist zwar sehr nett, aber dummerweise bin ich in jemand anders verliebt, der deutlich weniger nett, aber dafür deutlich mehr sexy ist« – und abzuhauen. Dagegen sprach nur, daß sie Hunger hatte wie ein Wolf und der Kühlschrank zu Hause wieder einmal gähnend leer gewesen war.

»Mit oder ohne Kohlensäure?« versuchte es Christoph noch einmal.

»Mit«, sagte Kati.

»Mit viel oder mit wenig Kohlensäure?«

Herrje! Hörte der denn niemals auf? Wie konnte man nur wegen gewöhnlichem Mineralwasser so ein Theater veranstalten!

»Mit wenig Kohlensäure, bitte«, sagte Kati gereizt und setzte ironisch hinzu: »Und einer Temperatur von 15 Grad Celsius. Maximal sechzehn.«

Christoph nickte und gab die Bestellung an den Kellner weiter: »Ein Apollinaris medium, etwas kühler als zimmerwarm, bitte.«

Kati faßte es einfach nicht. »Ist der immer so?« flüsterte sie Julian zu.

»Er hat eine anspruchsvolle Freundin«, flüsterte Julian zurück. »Charmaine kann dreißig verschiedene Mineralwässer allein an den Sprudelbläschen unterscheiden.«

Wider Willen mußte Kati kichern. »Ach so.«

»Deine Freundin kommt also auch noch?« fragte Christoph, als der Kellner wieder weg war. »Julian hat erzählt, daß ihr euch eine Drei-Zimmer-Wohnung teilt. Ich dachte immer, Frauen können nicht auf so engem Raum miteinander leben, ohne sich wegen jeder Kleinigkeit in die Haare zu kriegen.«

»Wer sagt, daß wir das nicht tun?«

»Julian. Er sagt, ihr würdet euch wunderbar verstehen, und meine Meinung über Frauen sei von erschreckenden Klischees bestimmt, für die ich mich schämen müßte.«

Kati sah ihn nur fragend an.

»Na ja«, sagte Christoph. »Frauen sehen sich grundsätzlich als Konkurrentinnen. Frauen klauen einander die Lippenstifte. Frauen neiden einander die Männer.«

Cosima hat keine Männer, die ich ihr neiden könnte, dachte Kati, sie hat nicht mal Männer, die ich ihr nicht neiden würde, und wenn sie mal einen Lippenstift benutzt, dann einen unsichtbaren, nicht meine Farbe. Bis heute habe ich auch niemals Konkurrenz in ihr gesehen. Allerdings widmet Jaromir ihr verdammt viel Zeit ...

Sie merkte, daß ihr die Kontrolle über ihre Gesichtszüge entglitten war und konnte gerade noch verhindern, daß sie mit den Zähnen knirschte. Aber Christoph sah sie ohnehin nicht mehr an, er schaute auf etwas über ihrem Kopf.

»Also, wir klauen uns nicht gegenseitig die Lippenstifte, weil Kati Chicogo und Jade benutzt, und ich ausschließlich Produkte von Helena Rubinstein«, sagte eine Stimme hinter ihr.

Kati drehte sich um.

Da stand Cosima – und auch wieder nicht. Es war Cosima, aber sie sah nicht aus wie Cosima. Die Person, die soeben ihren Mantel an einen Kellner abgab, hatte kurze, fransig geschnittene, dunkelbraune Haare und machte in einem schlichten, schwarzen Hosenanzug eine ziemlich gute Figur.

»Verblüffend!« rief Kati aus.

»Ja, nicht wahr?« Cosima lächelte sie an. Sie war geschminkt, und zwar so gut, daß Kati daraus schloß, daß sie es auf keinen Fall selber gemacht hatte. Cosima war nämlich eine absolute Schminkniete. Sie hantierte ungeschickt mit einem blauen Kajal, besagten farblosem Lippenstift und jeder Menge Pickelabdeckpaste herum – das Ergebnis war jedesmal verheerend. Cosima war die einzige Frau, die Kati kannte, die ohne Make-up besser aussah als mit.

Aber jetzt – wow! Ihre Augen waren mit braunem und grauem Lidschatten betont und wirkten tatsächlich doppelt so groß wie sonst. Die neue Haarfarbe sah echt aus und paßte hervorragend zu dem in natürlichen Farben gehaltenen, dezenten, aber äußerst wirkungsvollen Make-up.

Kein Zweifel, Jaromirs Typberatung war ein voller Erfolg gewesen. Cosima hatte sogar Backenknochen! Und eine Taille! Vielleicht war ja doch etwas dran an dem alten Spruch »Kleider machen Leute«.

»Tut mir leid, daß ich zu spät bin«, sagte Cosima und setzte sich.

»Das macht nichts«, sagte Kati etwas spitz. »Ich habe

ihnen schon erklärt, daß du Kandidatin bei der Vorher-Nachher-Show bist und daß es wegen der Dreharbeiten etwas später werden könnte.«

Cosima lachte nur.

»Du siehst wirklich irgendwie anders aus«, sagte Julian. »Hast du eine neue Frisur?«

»Ja«, sagte Cosima freimütig. »Außerdem habe ich vier Kilo abgenommen, bin geschminkt und habe etwas Anständiges an.«

»Jil Sander, nicht wahr?« Christoph sah anerkennend an ihrem Hosenanzug hinab.

Cosima schüttelte den Kopf. »Nein, Cosima Schmitz.« Sie reichte ihm über den Tisch hinweg ihre Hand. »Sehr erfreut.«

»Christoph von Hütwohl«, sagte Christoph.

»Oh, einer von den von Hütwohls?« fragte Cosima.

»Wie meinst du das?«

»Na, einer von den reichen, wohltätigen von Hütwohls, die diese Stiftung für obdachlose Jugendliche haben und immer diese snobistischen Partys feiern, bei denen alles, was Rang und Namen hat, sich von der Yellow-press ablichten läßt«, sagte Cosima freundlich.

»Genau, einer von denen«, sagte Christoph. »Allerdings sind unsere Partys nicht snobistisch.«

»Nicht?« Cosima zog ihre Augenbrauen hoch. »Natürlich sind sie das. Da kommen nur Leute hin, die Geld haben, berühmt sind oder gerade mit jemandem schlafen, der Geld hat oder berühmt ist. Normale Menschen haben dort doch keinen Zutritt.«

»Das liegt vielleicht daran, daß Christoph nur Leute kennt, die Geld haben oder berühmt sind«, mischte sich Julian ein. »Normale Leute kennt er nämlich nicht.«

»Das stimmt nicht«, verteidigte sich Christoph. »Aber ich gebe zu, daß die Menschen, die mit uns verkehren, über ein gewisses Niveau verfügen.«

»So wie dieses blondierte Silikonbusenwunder, das im Augenblick mit Fritjof Hellmann, dem Politiker, liiert ist, der sich derzeit vor dem Untersuchungsausschuß wegen der Spendenaffaire verantworten muß?« fragte Kati.

»Diese Babs soundso? Die hat auf die Frage, was sie denn von den neusten Diskussionen über Gorleben hielte, geantwortet: Ich kenne den Herrn Gorleben nicht und möchte mich daher auch nicht negativ über ihn äußern«, wußte Cosima beizusteuern.

Julian lachte, Christoph fühlte sich bemüßigt, Babs das Busenwunder zu verteidigen.

»Nun ja, man kann schließlich nicht erwarten, daß jedermann zu jeder Zeit auf jede Frage die richtige Antwort kennt«, sagte er. »Dafür kennt Babsi sicher die Antwort auf so manche Frage, von der ihr nicht den geringsten Schimmer habt.«

»Bestimmt sogar«, sagte Kati. »Ob man mit kiloweise Silikon im Busen noch auf dem Bauch schlafen kann und ob Fritjof Hellmann im Bett genauso eine Niete ist wie in der Politik.«

Wieder lachte Julian, und Christoph blieb ernst.

»Das ist wohl typisch für Deutschland. Die Erfolgreichen werden von den weniger Erfolgreichen angegriffen und niedergemacht. In Amerika ist das anders. Da ist man stolz auf seine reichen und berühmten Landsmänner und neidet ihnen nicht den Erfolg«, sagte er.

»Vielleicht hat er ja recht«, sagte Kati und grinste Cosima an. »Vielleicht ist das der Neid der Besitzlosen, was, Cosima? So ein bißchen Silikon hätten wir beide auch gern. Das spart einem diese lästigen Wonderbras.«

»Genau. Und mit dem glatzköpfigen, alternden, stiernackigen Fritjof Hellmann wollte ich auch schon immer mal schlafen«, stimmte Cosima fröhlich zu. »Er kommt auf meiner Liste gleich hinter Brad Pitt. Habt ihr schon bestellt? Die sollen hier hervorragenden Schwertfisch haben. Und natürlich will ich mir auch die Tapas nicht entgehen lassen.«

»Ich auch nicht«, sagte Julian schnell, erleichtert, daß es zu einem Themenwechsel kam. Während sie sich in ihre Speisekarten vertieften und anschließend die Bestellung aufgaben, herrschte eine trügerisch friedliche Stimmung.

Aber kaum war der Kellner verschwunden, sagte Christoph: »Es ist doch lächerlich, daß man sich heutzutage dafür entschuldigen muß, reich zu sein. Reich sein heißt doch nicht automatisch, oberflächlich oder weltfremd zu sein. Nehmt zum Beispiel unseren Julian hier ...«

»Aber eben hast du doch selber gesagt, daß du dich manchmal fragst, worin der Sinn deines Lebens liegt«, unterbrach ihn Julian.

»Du bist mal ganz still«, fuhr Christoph ihn an. Dann lehnte er sich zurück und begann zu lachen. »Das ist verrückt! Ich dachte wirklich, alle Frauen, hätten sie die Wahl, würden sich eher für einen reichen als für einen armen Mann entscheiden.«

Cosima und Kati sahen einander erstaunt an.

»Darum geht es hier?« fragte Cosima. »Und ich dachte, wir hätten nur ein bißchen über Babsi das Busenwunder und ihr angebliches Niveau gelästert.«

»Also habe ich doch recht, Frauen bevorzugen Millionäre, stimmt's?« fragte Christoph lauernd.

»Na ja.« Cosima legte überlegend ihren Kopf schräg. »Also, wenn ich die Wahl zwischen einem häßlichen, alten, stinkenden Penner und einem reichen, gutaussehenden, intelligenten Millionär hätte, dann würde ich schon den Millionär favorisieren. Aber der Penner wäre mir immer noch tausendmal lieber als Fritjof Hellmann, glaube ich. Und ehrlich gesagt, Single zu sein, ist gar nicht so schlimm, wenn man die Alternativen bedenkt.«

»Ich glaube, was Cosima damit sagen will, ist, daß Reichtum nicht an erster Stelle auf der Wunschliste der Frauen steht, nicht wahr?« Julian sah Christoph zufrieden an. »Und daß es nicht das Geld ist, das einen Mann ausmacht. Du hingegen beurteilst die Frauen, die du kennenlernst, nach dem, was sie anhaben und wie teuer ihr Schmuck ist und was sie von Golf wissen.«

»Tatsächlich?« fragte Cosima.

»Nein«, verwahrte sich Christoph. »Das unterstellt Julian mir nur. Charmaine, meine Freundin ...«

»... Verlobte«, warf Julian ein.

»Charmaine jedenfalls schätzt Menschen manchmal aufgrund ihrer Kleidung ab«, fuhr Christoph fort. »Sie sagt, daß es große Unterschiede zwischen Chanel-Handtaschenbesitzerinnen und Louis-Vuitton-Trägerinnen gibt.«

»Ja, das sage ich auch immer«, behauptete Cosima, obwohl sie heute zum ersten Mal den Namen Louis Vuitton hörte. Sie zeigte auf Katis »Handtasche«, die über ihrer Stuhllehne hing. »Was sagt Charmaine denn über Leute, die Rucksäcke von H&M tragen?«

»Nichts«, sagte Christoph wahrheitsgemäß. Tatsache war, daß niemand, den er oder Charmaine kannten, bei H&M einzukaufen pflegte. »Aber wahrscheinlich glaubt sie, daß solche Leute in eine gesonderte Hölle kommen.«

»Nun schieb mal nicht alles auf die arme Charmaine ab«, sagte Julian. »Du bist doch nicht weniger snobistisch als sie. Die Wahrheit ist, daß du es nie wagen würdest, dich mit einem weiblichen Nobody irgendwo sehen zu lassen.«

»Das stimmt nicht«, sagte Christoph mit Nachdruck.

»Dann würdest du also zum Beispiel auch mit jemandem wie mir ausgehen?« fragte Cosima.

Kati hielt verblüfft die Luft an. Seit fünf Minuten hatte sie kein Wort mehr gesagt, sondern nur gestaunt. Cosima hielt sich recht wacker. Sie entfachte zwar kein Feuerwerk der Flirtkunst, aber sie machte ihre Sache gar nicht mal schlecht. Am Ende schaffte sie tatsächlich noch, diesen Christoph abzuschleppen. Jaromir würde entzückt sein.

»Warum nicht?« antwortete Christoph vergnügt. »Ich kann mir wirklich Schlimmeres vorstellen.«

»Na ja, ich bin ein weiblicher Nobody«, sagte Cosima. »Ich meine, das hört man doch schon am Nachnamen. Obwohl wir Vorstadt-Schmitzens uns finanziell vergleichsweise gutstehen. Meine Großeltern väterlicherseits hatten eine Metzgerei, meine Großeltern mütterlicherseits einen Haufen Schrebergartengrundstücke, die Ende der Sechziger Bauland wurden. Daher besitzt unsere Familie einige Immobilien, und mein Papa fährt sogar einen Mercedes, neuestes Modell. Meine Mutter sagt immer, es gibt solche und sonne Schmitzens. Wir, liebe Cosima, gehören zu den solchen. Keine Ahnung, was sie damit meint. Aber wer weiß schon, was im Kopf seiner Mutter vorgeht? Ähm – wo war ich stehengeblieben? Ach ja, wie gesagt, ich bin gesellschaftlich ein absoluter Nobody. Alles, was ich über die High-Society weiß, habe ich aus *Elle* und *Cosmopolitan*. Und ich habe jede Menge Sachen von H&M zu Hause. Und kein Silikon im Busen, was man auch auf den allerersten Blick erkennen kann.«

»Aber der Anzug ist von Jil Sander«, sagte Christoph ironisch. »Das habe ich gleich gesehen.«

»Ja, und zwar Größe 38.« Cosima lachte, als es ihr wieder einfiel. Immer, wenn sie an sich hinabsah, wurde sie ganz glücklich. Größe 38, Wahnsinn! Da hatte sie jahrelang nur XXL-Säcke angezogen, um ihren dicken Hintern zu verdecken, und jetzt stellte sich heraus, daß sie unter den Säcken in Wahrheit eine 38-Figur versteckt hatte. Das Leben war ja so schön!

Sie strahlte Christoph an. »Du bist eigentlich viel weniger unsympathisch, als ich mir dich vorgestellt hatte.«

»Du aber auch«, sagte Christoph.

Kati verdrehte die Augen. »Also, ich finde reiche Männer zum Kotzen«, sagte sie leise zu Julian, ohne genau zu wissen, warum.

»Wie bitte?« Julian sah sie erschreckt an.

Kati zeigte auf Christoph, der damit beschäftigt war, Cosima tief in die Augen zu schauen. »Na, sieh ihn dir doch an. Wenn Cosima keinen Jil-Sander-Anzug tragen würde, dann hätte er sie nicht mal beachtet. Und jetzt treffen sie eine Verabredung, obwohl er eine Verlobte hat. Pfui.«

»Aber das hat doch nichts mit Geld zu tun«, sagte

Julian. »Außerdem kann man doch nicht alle reichen Männer über einen Kamm scheren.«

In diesem Augenblick brachte der Kellner die Vorspeisen.

»Was wolltest du mir eigentlich so Wichtiges sagen?« fragte Kati.

»Ach so, das«, sagte Julian und machte ein unglückliches Gesicht. »Ich glaube, das hat sich erledigt.«

Cosimas streng geheimes Tagebuch

8. Oktober, 21.20 Uhr
auf dem Damenklo vom »Cristóbal«
Mata Hari an Oberst Dingsda: Das Paket ist geschnürt, geht morgen zur Post. Nein, das kapiert ja kein Schwein. Besser: Victor Charlie Charlie ruft Alpha Foxtrott: Mission impossible in vollem Gang. Im Klartext:

Cosima Schmitz hat ein Rendezvous mit Christoph von Hütwohl.

Cosima Schmitz trifft Millionärssohn (nächsten Samstag, selbe Zeit, selber Ort).

Adeliger Gesellschaftslöwe fährt voll auf Cosima Schmitz ab.

ECHT WAHR!

Das ist der tollste Job, den ich jemals gemacht habe. Würde auch ohne Geld mit Christoph ausgehen, aber das braucht Jaromir ja nicht zu wissen. Das ist der bisher tollste Tag in meinem Leben. Wirklich, besser hätte ich es mir nicht ausmalen können: Den ganzen Tag mit George

Clooney in Nobelboutiquen shoppen, ein Besuch beim Friseur und bei der Kosmetikerin, um dann abends Brad Pitt zu treffen. Christoph hat vielleicht eine etwas weniger schöne Nase als Brad, aber ansonsten hat er verdammt viel Ähnlichkeit mit ihm.

Wow, das Klo hier ist echt schick, so schick, daß es den Namen Klo gar nicht verdient hat. Im Spiegel sehe ich super aus. Der helle Wahnsinn. Ehrlich, Winona und Greta und Juliette sind ein Dreck dagegen. Der teure Blazer macht alle meine Problemzonen unsichtbar, Bauch sieht flach, Taille schmal und Po annähernd normal aus – ein Wunder! Busen sieht aus, wie er ist, klein, aber fein. Gut, im Gesicht kann der Blazer nichts ausrichten, da ist ein Ansatz zum Doppelkinn zu erkennen, und die Nase ist etwas markant. Aber zu perfekt ist auch nicht mehr schön, wie ich immer sage. Okay, okay, dann sage ich es eben heute zum ersten Mal. Muß zurück, Brad wartet, und George will, daß ich mein Bestes gebe. Aaaaah, das Leben ist ja so schön! Verstehe gar nicht, daß es Leute gibt, die sich von der Autobahnbrücke stürzen wollen.

6

Na, sie macht sich doch nicht schlecht, unsere Cosima, oder?« Jaromir lehnte lässig am Waschbecken, als Kati aus der Toilettenkabine kam.

»Das hier ist das Damenklo, Jaromir, falls dir das entgangen ist«, sagte sie kühl. Es war komisch. In einem Moment sehnte sie sich danach, ihm in die Arme zu fallen, im nächsten wollte sie ihn am liebsten erwürgen. »Woher weißt du überhaupt, wie Cosima sich anstellt, von hier drinnen wirst du sie ja wohl kaum hören können.«

»O doch«, sagte Jaromir und hielt ein kleines Aufnahmegerät in die Höhe. »Man versteht es sogar ganz gut.«

»Du hast Cosima *verdrahtet?*« rief Kati aus.

»Ja«, sagte Jaromir. »Man möchte schließlich wissen, was so abgeht, wenn man nicht dabei ist. Früher, da konnte ich mich in einen Salzstreuer verwandeln und alles vor Ort beobachten. Aber derzeit muß ich mir mit solch archaischen Geheimdienstmethoden weiterhelfen. Na ja, das Elend wird ja nun hoffentlich bald sein Ende haben. Meinen Berechnungen zufolge stehen die Chancen, daß Charmaine-Heidelinde, wenn sie befürchten muß, Christoph zu verlieren, zur gemeingefährlichen Intrigantin mutiert, achtzig zu zwanzig. Sie wird die Hochzeit todsicher vorverlegen und ihre armen Eltern nicht mal dazu einladen.«

»Und vorher wird sie Cosima mit Rattengift aus dem

Weg räumen«, schlug Kati vor. »Hast du ihr eigentlich eine Gefahrenzulage gezahlt?«

»Nur kein Neid darüber, daß Cosima dir die Show stiehlt, Kati«, sagte Jaromir mit diesem ganz speziellen Lächeln, das Kati so unwiderstehlich fand. »Du hast heute wohl nicht deinen besten Tag, hm? Ich habe dich jedenfalls schon charmanter und unterhaltender erlebt. Du läßt nach. Wahrscheinlich war meine Entscheidung, Cosima den Job zu geben, gar nicht mal so schlecht.«

»Es war nicht deine Entscheidung, sondern meine.« Kati schubste ihn beiseite, um sich die Hände zu waschen. »Cosima war nur deine Notlösung.«

»Zugegeben. Aber für eine Notlösung ist sie ziemlich gut, das mußt du doch zugeben. Wie gefällt dir ihr neuer Look?«

»Sie sieht für ihre Verhältnisse wirklich toll aus«, sagte Kati ehrlich. »Aber sie ist eben immer noch Cosima. Und Cosima hatte bisher bei Männern kein Glück. Daran wird auch ihr neuer Look nichts ändern.«

»Wird Zeit, daß sich das Blatt mal wendet.« Jaromir lächelte sie im Spiegel sardonisch an.

»Man kann nicht sein Leben lang Pech haben. Manchmal allerdings kommt es auch knüppeldick. Bei dir zum Beispiel, da kommt im Augenblick Murphys Gesetz zur Anwendung.«

»Murphys Gesetz?«

»Ein Unglück kommt selten allein«, erklärte Jaromir.

Katis Blick fiel auf eine bunte Zeitschrift, die die Toilettenfrau an ihrem Tischchen liegen hatte, gleich neben dem Teller mit Kleingeld. (Das heißt, so klein war das Geld gar nicht, es lagen überwiegend Fünfmarkstücke drin. Im Gegensatz zu vielen ihrer Kolleginnen, die das Silbergeld stets herausfischten und nur ein paar kümmerliche, mitleiderweckende Groschen liegen ließen, folgte diese Toilettenfrau einer anderen Theorie: Je spendabler die Vorgänger erschienen, desto eher würde auch der nächste Kunde ein Fünfmarkstück herausrücken.)

»Du hättest den Job wirklich besser mal angenommen, Katilein«, sagte Jaromir, während Katis ganze Aufmerksamkeit der Boulevardzeitschrift gehörte. »Ich nehme es dir übel, daß du mich so hast hängen lassen. So was vergesse ich nicht.«

»Oh, sieh mal, was hier steht.«

»Verführerische Aprikosentorte«, las Jaromir. »Tss, und ich dachte, das sei Herzogin Sarah.«

»Nicht das«, sagte Kati ungeduldig. »Das!« Sie tippte mit dem Finger auf eine kleine Notiz, die besagte, daß Meg Ryan und Dennis Quaid nun doch wieder getrennt seien. »Dein Nachfolger hat seine Sache offenbar besser gemacht als du.«

»Lenk nicht ab«, sagte Jaromir. »Ich sagte gerade, daß ich nicht vergesse, wenn mir jemand eine Bitte abschlägt.«

»Du meinst, wenn jemand sich von dir nicht kaufen läßt, sorgst du dafür, daß er sich vor Problemen gar nicht mehr retten kann«, sagte Kati. »Na ja, wenn du das unter Freundschaft verstehst ...«

»Nun, ich finde, du hast eine kleine Lektion verdient.« Jaromir schnippte mit den Fingern. »Du bist in letzter Zeit entsetzlich überheblich geworden.«

»Mach doch, was du willst«, sagte Kati und stieß die Tür auf, um zu gehen. »Du bist nur sauer, daß du mich nicht kaufen konntest und möchtest deinen Frust an mir auslassen.«

»Und du bist sauer, daß ich dich jetzt gar nicht mehr kaufen will«, sagte Jaromir hinter ihr her.

»Morgen nachmittag um drei treffen sich alle Betroffenen in der Maledivenaffaire auf dem Polizeirevier vierzehn«, sagte Tante Alicia. »Du bist doch dabei, oder?«

»Ja«, seufzte Kati. »Obwohl es bestimmt nicht so spaßig ist, die eigene Mutter anzuzeigen. Ich habe außerdem Angst, daß das Finanzamt dumme Fragen wegen der sechzigtausend Mark stellt. Die habe ich nämlich damals ganz vergessen, bei der Steuer anzugeben.«

»Das ist natürlich ein wenig riskant«, sagte Tante Alicia. »Aber wenn du keinen Strafantrag stellst, wirst du am Ende die Steuern für etwas zahlen müssen, was du gar nicht mehr besitzt.«

»Das ist allerdings auch ein Argument«, gab Kati zu und legte nachdenklich den Hörer auf.

»Wer war das?« fragte Cosima. Sie sah sehr merkwürdig aus. Sie trug eine Radlerhose aus einer Art Gummistoff, hatte die Haare mit einem Handtuchturban umwickelt und eine bläuliche Maske im Gesicht.

»Du bist ein echter Hingucker«, sagte Kati. »Es war aber nicht für dich. Ist die Radlerhose von Jil Sander?«

»Nein, aber die Gesichtsmaske«, sagte Cosima und klatschte sich zwei Teebeutel auf die Augen. »Die Hose ist eine Thermo-Sauna-Anticellulitehose. Damit bekämpft man Cellulite, einfach indem man sie ausschwitzt.«

»Gibt es so was auch für dein Gehirn?« murmelte Kati.

»Glaub es oder glaub es nicht, aber ich habe doch tatsächlich noch mal ein ganzes Kilo abgenommen«, fuhr Cosima fort. »Es ist wie ein Wunder.«

»Es ist kein Wunder, Cosima, du ißt doch kaum noch was.«

»Ich esse noch eine ganze Menge«, widersprach Cosima. »Heute zum Beispiel ...«

Glücklicherweise wurde sie von der Türklingel unterbrochen.

»Das ist sicher Jaromir«, sagte sie und drückte den elektrischen Türöffner. »Er wollte mir ein Buch über Golfervokabular mitbringen. Golf für Anfänger und solche, die nur drüber reden wollen. Damit ich mich nicht blamiere, wenn Christoph über putzen und chipsen spricht oder wie das heißt.«

»Du kannst dir ja auch so ein spannendes Golfturnier auf DSF reinziehen«, schlug Kati ironisch vor. »Oder behaupten, daß Tiger Woods bei deinem letzten Urlaub in Florida im Hotelzimmer neben dir geschlafen hat.«

»Gute Idee!« Cosima lächelte sie an, wobei sich ihre an und für sich weißen Zähne gelblich von der blauen Maske abhoben. »Allerdings haben Jaromir und ich beschlossen, daß ich mich Christoph gegenüber so zeige, wie ich bin. Jaromir meint, ich bräuchte mich gar nicht zu verstellen, ich hätte so eine unverdorbene, schrullige Art, einen etwas ungehobelten Charme, der aber durchaus ankäme.«

»Ist dir schon mal der Gedanke gekommen, daß Jaromir dich nur so zuschleimt, damit du bei der Stange bleibst, bis Charmaine dich erschossen oder vergiftet hat?«

»Nein«, sagte Cosima. »Eigentlich sagt er mir nichts, was ich selber nicht auch schon mal gedacht hätte.«

»Was weißt du denn schon über Jaromir! Er ist ... ein Teufel«, sagte Kati.

»Ja, er ist ein Teufelskerl«, stimmte Cosima zu. »Ich mag ihn wirklich gern, Kati, aber du mußt keine Angst haben, daß ich ihn dir ausspannen will. Ich meine, das sieht doch ein Blinder, daß du in ihn verknallt bist. Und weißt du, ihr beide würdet ganz prima zusammen passen. Julian ist zwar auch nett und so, aber Jaromir ... fährt einen Jaguar.«

Ein Schatten fiel in den Flur.

»Cosima, bist du das? Jedes Mal, wenn ich komme, hast du eine andere Gesichtsmaske aufgetragen. Kein Wunder, daß du so viele Pickel hast.« In der offenen Wohnungstür war Bernadette erschienen, ihre Tochter Arielle an der einen, einen eleganten Hund an der anderen Seite. Arielle und der Hund waren in schwarzweißem Partnerlook gekleidet, Bernadette war ganz in Schwarz. »Und diese Saunahosen kannst du vergessen. Das ist der pure Nepp. Gegen Cellulite hilft nur eine Ernährungsumstellung, Sport und Gewichtsreduktion. Allenfalls noch Lymphmassagen, wenn sie denn richtig gemacht werden.«

»Bernadette«, knirschte Cosima und ärgerte sich grün und gelb, daß Bernadette sie in dieser unvorteilhaften Aufmachung antraf. »Was machst du denn schon wieder hier? Und daß du das Hundevieh bloß draußen läßt!«

»Das ist Balko. Er ist ein reinrassiger Dalmatiner. Vincent hat ihn mir passend zu meiner neuen Handtasche gekauft, ist das nicht süß?« Bernadette hob eine schwarzgefleckte Handtasche in die Höhe, die optisch mit dem schwarz-weiß gemusterten Plüschmäntelchen von Arielle harmonierte. »Ich war in der Nähe, und da wollte ich mal nach dem Rechten schauen«, sagte Bernadette. »Ach, hallo, Kati, du bist auch da. Das letzte Mal hat Cosima irgendwie deprimiert gewirkt. Vielleicht muntert es sie ja ein wenig auf, wenn ich ihr mitteile, daß zum derzeitigen Stand der Planung Vincents Freund Jochen als ihr Tischherr vorgesehen ist. Allerdings kann ich nicht garantieren, ob er bis April auch Single bleiben wird, bei Männern in seinem Alter weiß man das ja nie.«

»Wenn er ist wie Vincent, dann kannst du es sehr wohl garantieren«, murmelte Kati und nahm Arielle auf den Arm. »Na, kleine Dash! Du bist aber groß geworden.«

»Ich kann auch nicht garantieren, ob ich bis April noch Single bin«, sagte Cosima hochnäsig und stellte sich mit zurückgeworfenem Kopf vor ihre Cousine. Merkte sie denn nicht, daß unter der Gesichtsmaske, dem Handtuch und der Saunahose eine ganz neue, verbesserte Cosima steckte?

Offensichtlich bemerkte sie es nicht. Sie lachte lediglich albern.

»Was denn, willst du eine Kontaktanzeige aufgeben? Das ist nicht mal eine schlechte Idee, Cosima. Viele Menschen lernen sich auf diese Weise kennen, man muß sich deswegen nicht schämen.«

»Grrrrrrgh«, machte Cosima.

Arielle lachte und hielt sich dabei ihre Hand vor den Mund. »Hund«, sagte sie.

»Hand, Arielle, Hand«, sagte Bernadette.

»Das findest du komisch, wenn Cosima knurrt wie

ein Hund, was, Persil?« Kati kitzelte Arielle unter dem pummeligen Kinn. »Du hast Glück gehabt, du siehst deinem Papa überhaupt nicht ähnlich. Du hast jetzt schon mehr Hals, als er jemals hatte.«

»Ich kann dich voll und ganz verstehen«, sagte Bernadette zu Cosima. »Wenn ich an deiner Stelle wäre, würde ich auch zu drastischeren Mitteln greifen, um endlich einen Mann abzubekommen. Das ist ganz natürlich, ja biologisch bedingt. Ich würde auch sagen, du mußt dir keine Sorgen machen, für jeden Topf gibt es einen Dekkel, auch für dich.«

»Allerdings«, sagte Cosima. »Aber im Augenblick kann ich mich für keinen dieser Deckel entscheiden. Sie haben alle ihre Vor- und ihre Nachteile.« Türknallend verschwand sie im Badezimmer.

Bernadette zuckte mit den Achseln. »Sie ist so schrecklich sensibel, wenn das Thema angesprochen wird. Dabei meinen es doch alle nur gut mit ihr.«

»Grrrrrrgh«, machte Cosima aus dem Badezimmer.

Arielle versuchte einen Finger in Katis Auge zu bohren. »Guckuck«, sagte sie.

»Nein, Arielle, das ist ein Au-ge«, sagte Bernadette. »Au-ge.«

Es klingelte wieder.

»Willst du mal auf den Knopf drücken, Vernell?« Kati hielt Arielle vor den elektrischen Türöffner. »Das ist besser als Guckucks zudrücken.«

Der Dalmatiner jaulte kurz auf, als er Schritte auf der Treppe hörte.

»Schscht«, machte Bernadette. »Du sollst keinen Krach machen, Balko, du sollst nur gut aussehen. Ich finde, er gibt meinem Outfit heute das gewisse Etwas, findest du nicht? Auf der Straße haben uns alle nachgeschaut. Ich bin extra mit dem Mercedes von Vincent unterwegs und habe ihm für heute mein Cabrio aufgedrängt. Das Cabrio ist nämlich rot, der Mercedes aber schwarz. Genial, oder?«

»Doch, doch«, sagte Kati. »Aber was machst du, wenn du morgen mal was Wollweißes anziehen willst? Kommt Balko dann ins Tierheim?«

Balko jaulte wieder.

»Was haben wir denn da für ein nettes Hundchen?« sagte Jaromir und schob sich an Balko vorbei in den Flur.

»Das sind Bernadette, ihre Handtasche und ihre anderen Modeaccessoires«, stellte Kati vor. »Das kleine Accessoire hier heißt Tandil.«

»Arielle«, verbesserte Bernadette automatisch und sah Jaromir neugierig an. Wie immer sah er blendend aus, elegant und doch lässig in Jeans und Pullover, darüber eine sündhaft teuer aussehende Lederjacke. Auch die Details an seinem Schlüsselbund, den er noch in der Hand trug, entgingen ihren scharfen Augen nicht. Eindeutig ein Jaguarfahrer. Nicht schlecht!

»Sind Sie einer von Katis Freunden?« fragte sie sichtlich beeindruckt.

In Kati machte sich so etwas wie Besitzerstolz breit. Sie konnte nicht verhindern, daß sie lächelte.

»Nein«, sagte Jaromir liebenswürdig. »Ich bin einer von Cosimas Freunden. Ist sie da?«

»Sie ist im Bad«, sagte Kati, während ihr Lächeln in ihren Mundwinkeln festfror. Mistkerl!

Jaromir klopfte gegen die Badezimmertür. »Ich bin's, Cosima, Schätzchen!«

Schätzchen! Kati hätte ihn am liebsten in den Hintern getreten.

Arielle tippte mit ihrem Finger auf Katis Lippen. »Yam Yam«, sagte sie.

»O nein, Arielle, das ist ein Mund«, erklärte Bernadette. »Mu-und!«

Cosima öffnete die Tür. Sie hatte sich die Gesichtsmaske abgewischt und die Saunahose gegen ihren Bademantel getauscht. Der Kopf war immer noch mit einem Frotteeturban umwickelt. Kati wußte auch warum. Unter dem Frotteeturban wirkte nämlich gerade eine Maske aus gequirltem Eigelb und Cognac ein.

»Hallo«, sagte Cosima mit einem mürrischen Seitenblick auf Bernadette. »Ich habe gerade etwas Körperpflege betrieben. Hast du das Buch mitgebracht?«

»Das Buch und ein Video«, sagte Jaromir. »Komm, wir schauen es uns in deinem Zimmer an.« Er nahm Cosima an der Hand und zog sie an Bernadette und Kati vorbei. »Hat mich gefreut«, sagte er noch über seine Schulter, bevor er Cosimas Zimmertür hinter sich schloß. Kati sah gerade noch, wie sich Cosimas Miene aufhellte.

»Tsss«, machte Bernadette. »Am hellichten Tag Video gucken, und das im Bademantel. Wer hätte das von unserer braven Cosima gedacht?«

»Es ist ein Video über Golf«, sagte Kati.

»Brrrrm, brrrrrrm«, machte Arielle.

»Ach, Golf spielt der auch noch«, rief Bernadette entzückt. »Also, ich muß schon sagen!« Sie war offensichtlich sehr beeindruckt. »Wo hat sie einen wie ihn nur kennengelernt?«

»Jaromir ist eigentlich mit mir befreundet«, erklärte Kati. »Oder vielmehr war er es – bis Cosima auftauchte.«

181

»Was denn?« Bernadette riß ihre Augen weit auf. »Also, das ist wirklich unfaßbar. Niemals hätte ich gedacht, daß ausgerechnet die unscheinbare Cosima dir mal den Kerl ausspannen würde.«

»Ich auch nicht.« Kati beschloß, schleunigst das Thema zu wechseln. »Wie laufen die Hochzeitsvorbereitungen?«

Über Bernadettes Gesicht ging ein Strahlen. »Oh, es ist natürlich alles ungeheuer stressig. Aber Charmaine macht das hervorragend. Unsere Gästeliste enthält jetzt schon mehr Prominenz als bei der Hochzeit von Boris Becker zugegen war! Ist das nicht irre? Natürlich werden sie nicht alle zusagen, sagt Charmaine, aber der ein oder andere wird vielleicht kommen. Wahnsinn! Ich bin jetzt gerade auf dem Weg zu Charmaine von Zanger, um endgültig die Farben für die Dekoration festzulegen.«

»Das klingt schrecklich interessant«, sagte Kati und warf einen verstohlenen Blick auf Cosimas Zimmertür.

»Ich schwanke noch zwischen zwei wirklich verlockenden Ideen«, seufzte Bernadette. »Was findest du denn schöner: Königsblau mit einem Hauch von Gold oder alles mit dunkelroten Rosen?«

»Also, das ist schwer zu sagen«, meinte Kati zögernd, so als wäre ihr das nicht absolut und vollkommen piepegal. Ihr war soeben eine Idee gekommen. »Vielleicht sollte ich mal mitkommen zu Charmaine und es mir angucken? Nur wenn ich darf, natürlich.«

»Au ja«, sagte Bernadette erfreut. »Das wäre wirklich hilfreich. Also ehrlich, daß dich das interessiert, beruhigt mich. So allmählich war mir doch Verdacht gekommen, daß meine Hochzeit irgendwie alle nur anödet. Selbst Vincent tut so, als wäre das allein meine Angelegenheit. Ich mußte bisher alles ganz allein entscheiden. Dabei ist das doch so schrecklich aufregend. Allein diese Deko-Geschichte – also, da bekommt man doch schlaflose Nächte drüber.«

»Genau«, sagte Kati, die nichts öder fand, als die Dekoration für Bernadettes Hochzeit auszusuchen. Aber auf diese Weise würde sie Charmaine kennenlernen und Jaromirs Pläne durchkreuzen. Wenn er ihr einen Denkzettel erteilen wollte – bitteschön. Nur umgekehrt würde er dann eben auch einen bekommen!

»Am besten gehen wir sofort, ich kann meine Neugier nämlich kaum noch zügeln.«

Arielle faßte an Katis Nase. »Riechich«, lispelte sie.

»O nein, Arielle, das ist eine Nase«, sagte Bernadette. »Irgendwie plappert sie ja die ganze Zeit, aber sie hat keine Ahnung, wovon sie redet. Ich glaube, wenn das so weitergeht, muß ich mal zu einem Psychologen mit ihr. In dem Alter haben andere Kinder schon einen richtigen Wortschatz.«

Kati sah Arielle mitleidig an. »Mama macht blödes Blabla«, flüsterte sie in ihr Ohr.

»Ich kann dir dann auch gleich mal das Brautkleid zeigen«, freute Bernadette sich. »Du wirst tot umfallen, wenn du's siehst.«

»O ja, ganz bestimmt«, sagte Kati und griff nach ihrer Jacke. »Laß uns schnell gehen, sonst platze ich noch vor Neugierde.«

Charmaine von Zangers Firma trug den schlichten Namen *High Society* und war in einer stilvoll renovierten Jugendstilvilla untergebracht. Eine vornehme Kieseinfahrt führte bis zu den Parkplätzen vor einem hübschen Nebengebäude aus Backstein.

Kati war wider Willen beeindruckt. Charmaine hatte es wirklich zu was gebracht – verglichen mit dem Bergbauernhof ihrer Eltern war das hier ein Schloß.

»Sie vermietet auch Räumlichkeiten in der Villa für Feste«, erklärte Bernadette. »Aber Vincent und ich haben uns für Schloß Lerbach entschieden. Da stimmt einfach alles, von der Küche bis zum Ambiente. Und da Vincents Vater das Ganze ja bezahlt, müssen wir ja Gott sei Dank an nichts sparen.«

Charmaine von Zanger begrüßte sie in einem saalähnlichen Raum mit bodentiefen Fenstern und Stuckdecken. Sie war noch ziemlich jung, trotz der dick aufgetragenen Schminke schätzte Kati sie auf unter dreißig. Sie suchte die ganze elegante Erscheinung nach etwas ab, das verriet, daß Charmaine von Zanger eigentlich Heidelinde hieß und aus einem Tiroler Bergdorf stammte. Aber da war nichts, was darauf hinwies. Selbst der Dialekt, den Jaromir so verächtlich beschrieben hatte, war kaum herauszuhören. Charmaine sprach hochdeutsch mit einem leichten Akzent, den auch Kati gut und gerne für wienerisch gehalten hätte.

Bernadette stürzte sich begeistert auf die rotgrünkarierten Stoffproben, die mit einem vornehmen Goldfaden durchwebt waren.

»Oh, wie wunderschön. Klassisch und doch ganz besonders!« rief sie aus.

»Ich bereite gerade eine Adelstaufe vor, ein großes Ereignis, zu dem möglicherweise auch Caroline und Ernst-August erwartet werden«, sagte Charmaine. »Es wird ein wunderbares Fest, der Jahreszeit entsprechend

184

etwas weihnachtlich angehaucht. Ich hatte eine Deco im klassisch-englischen Christmas-Stil angedacht, was paßt, denn die Familie ist über ein paar Ecken mit der Queen verwandt. Einziger Wermutstropfen: der Name des kleinen Täuflings. Hiltrud! Wir Adeligen scheuen uns ja nicht, unserem Kind die unmöglichsten Namen aufs Auge zu drücken, und das nur, weil die in der Familie Tradition haben. Arme Hiltrud!«

»Ja, mit dem Namen kann man es einem Kind leicht oder schwer machen«, sagte Bernadette. »Vor Arielles Geburt haben wir uns intensiv mit dem Thema beschäftigt. Untersuchungen besagen, daß vom Namen einfach alles abhängt. Ob das Kind in der Schule beliebt ist, ob es künstlerisch begabt ist, ob es ein Sportler wird oder ob es als Model Karriere macht. Boris Becker wäre nie an die Weltspitze gekommen, wenn er Erwin Heinzelmann geheißen hätte. Und Carl-Uwe Steeb konnte sich nur deshalb als Profi etablieren, weil sein Vorname mit C und nicht mit K geschrieben wird. Mit einem K vorne wäre er allenfalls bis in die Regionalliga gekommen. Und kennt ihr vielleicht ein einziges Topmodel, das Gertrude heißt oder Edelgard?«

»Ach, ich glaube nicht daran, daß der Name so wichtig ist«, sagte Kati und sah Charmaine scharf an. »Man kann sicher auch glücklich werden und Karriere machen, wenn man Gertrude, Edelgard oder ... *Heidelinde* heißt.«

Charmaines Wimpern zuckten nervös. »Ja, aber höchstens eine Karriere als Melkerin, Folkloretänzerin oder Wirtin«, murmelte sie und sah Kati etwas mißtrauisch an.

Kati lächelte unschuldig. »Es gibt doch diese Schauspielerin namens Heidelinde, ist natürlich schon was länger her. Aber es ist doch ein passabler Name ... *Heidelinde* ...«

»Der falsche Vorname baut in den Köpfen der Menschen sofort Blockaden auf«, fiel ihr Bernadette ins Wort. »Und der richtige Vorname öffnet Türen und Herzen. Stand in diesem Buch. Man assoziiert automatisch Bilder und Begriffe mit einem Namen, ob man will oder nicht. Zum Beispiel Bernadette. Da fällt euch spontan was ein?«

»Heilig, Jungfrau Maria, französisch«, sagte Charmaine und klatschte in die Hände. »Oh, das ist lustig.«

»Reimt sich auf Bett und findet Vincent nett«, steuerte Kati bei. »Würde eine *Heidelinde* denn bei euch keine Türen und Herzen öffnen?«

Wieder zuckten Charmaines Wimpern.

»Käme wohl auf den Nachnamen an«, gab Bernadette zu. »Aber spontan würde ich bei Heidelinde folgendes assoziieren: Oktoberfest, fünf Maßkrüge in jedem Arm, Körbchengröße Doppel D und ein Mann namens Alois.«

»Also, ich denke bei Heidelinde an Tirol, an einen romantischen Bergbauernhof, an karierte Vorhänge und an freundliche Kühe im Stall«, sagte Kati. »Und Sie, Charmaine? Woran denken Sie, wenn Sie *Heidelinde* hören?«

Unter ihrer Schminke war Charmaine ziemlich blaß geworden. Ihre Stimme klang belegt, als sie sagte: »An Unmengen von Schnee, an schlecht geräumte Straßen und den Sohn vom Hotelier Sammer, der einen an den Zöpfen zieht und sagt: Du riechst nach Stall, Kuhlinde, du kriegst nie einen Mann ab.«

»Eine sehr plastische Assoziation«, sagte Kati und sah, daß sich Tränen in Charmaines Augen gebildet hatten. Wahrscheinlich vor Wut, weil sie an diesen Hoteliersflegel denken mußte. Dessen beleidigenden Satz über die »Kuhlinde« hatte sie in breitestem Tirolerisch gesprochen.

»Ja, sehr lebendig«, sagte Bernadette verwundert. »Aber im Grunde gingen unsere Vorstellungen alle in dieselbe Richtung. Was beweist, daß meine Theorie stimmt. Weiter: Woran denkt ihr, wenn ihr den Namen *Helmut* hört? Oder *Cosima*? Also, mir kommen bei *Cosima* folgende Worte in den Sinn: *sitzengeblieben, Torschlußpanik, spätes Mädchen* ... und natürlich *Wagner*.«

»Das ist ein sehr interessantes Spiel«, sagte Charmaine, die ihre Fassung wiedergefunden hatte. »Aber wir sollten uns doch wieder den Dekorationen zuwenden. Wofür hast du dich entschieden, Bernadette, für die Rosen oder für Blau-Gold? Wir können auch noch eine ganz neue Variante in Maigrün andenken, das wäre der Jahreszeit angemessen und wirkt sehr frisch.«

»Oh, das ist wirklich schwer«, seufzte Bernadette. »Kati, was meinst du denn? Rosen oder Maigrün?«

»Ich würde die Rosen nehmen«, sagte Kati und sah auf die Uhr. »Huch, schon so spät? Ich habe noch eine Verabredung in der Stadt. Nein, nein, Bernadette, bemüh dich nicht, ich nehme die Bahn. Ach, Charmaine, könnte ich wohl eine Ihrer Visitenkarten haben? Meine Mutter plant nämlich im Frühjahr ein großes Fest zu ihrem Fünfzigsten. Sie möchte eine Art Trachtenfest veranstalten, ganz rustikal. Alle sollen im Dirndl kommen, und meine Cousine *Heidelinde* aus *Tirol* soll ihre berühmten Alm-Jodler vormachen. Sie hat mehrere

Preise für ihre Jodelkunst erhalten, die *Heidelinde*, sie jodelt alle an die Wand. Die neidische Konkurrenz nennt sie nur die Jodelzange.«

»Also, ich glaube nicht, daß deine Mutter das Geld hat, *High Society* in Anspruch zu nehmen«, sagte Bernadette. »Charmaine betreibt schließlich nicht irgendeinen Partyservice. Hast du nicht mal gesagt, deine Mutter lebt in einer Sozialwohnung?«

»Das war einmal. Sie ist inzwischen zu Geld gekommen. Einer Menge Geld«, sagte Kati und knirschte in Gedanken an den frisch erworbenen Reichtum ihrer Mutter wieder mal mit den Zähnen. »Was meinen Sie, könnten Sie dem Fest wohl noch ein wenig Raffinesse und Flair verpassen, Charmaine?«

Charmaines Gesicht zeigte nun keinerlei Regung mehr. »Das hört sich durchaus interessant an«, sagte sie. »Am besten, Sie schreiben mir die Telefonnummer Ihrer Mutter auf, und ich setze mich dann mit ihr in Verbindung.«

Kati kritzelte ihre eigene Telefonnummer auf die Rückseite einer der feinen Visitenkarten von *High Society*, die in einem Kästchen auf dem Schreibtisch lagen. »Und rufen Sie bald an«, sagte sie. »Wir müssen die Einladungen rausschicken, sonst wird unsere Heidelinde am Ende noch von anderen entdeckt und engagiert.«

»Das wäre ihr sicher nicht recht«, sagte Charmaine todernst, nahm die Visitenkarte und steckte sie in die Tasche ihrer Kostümjacke. »Sagen Sie Ihrer Mutter, sie hört noch heute von mir.«

Kati nickte ernst. »Ja, je eher desto besser. Wiedersehen!«

»Ich nehme die Rosen«, sagte Bernadette, die sich endlich zu einer Entscheidung durchgerungen hatte. »Danke, daß du mir geholfen hast, Kati.«

»Keine Ursache. Obwohl das Maigrün ja auch ganz toll aussehen kann ... Tschüß!«

Bernadette sah ihr irritiert hinterher. »Also, jetzt bin ich wieder ganz verunsichert«, sagte sie. »Soll ich doch das Maigrün nehmen? Was meinst du, Charmaine?«

»Ja, ja«, sagte Charmaine zerstreut. Sie sah Kati durch das Fenster hinterher, bis sie um die Hausecke verschwunden war.

Zu Hause angekommen warf Kati ihre Jacke auf den Garderobenhaken und pflanzte sich auf den Sessel neben dem Telefon. Um nichts in der Welt wollte sie Charmaines Anruf verpassen.

»Wartest du auf bessere Zeiten, Kati?« erkundigte sich Jaromir, der mit einem Stück Streuselkuchen auf der Hand durch den Flur geschlendert kam.

»Wohnst du jetzt hier?« fragte Kati.

»Tut mir leid für dich, Kati, aber ich fürchte, auf bessere Zeiten kannst du lange warten.« Jaromir biß herzhaft in sein Kuchenstück. »Ich hatte dich gewarnt! Das ist Murphys Gesetz.«

»Ich weiß gar nicht, was du immer mit deinem Murphy hast, Jaromir.« Kati lehnte sich bequem in den Sessel zurück und ließ ihre Beine über die seitlichen Lehnen baumeln. »Ich bin jung, schön und gesund, habe einen Job, der mich zwar nicht glücklich macht, aber redlich ernährt, habe demnächst meinen Studienabschluß in der Tasche und damit einen wirklich gutbezahlten Job in Aussicht, habe Freunde, die mich liebhaben, und – last but not least – wird Interpol bald meine Mutter erwischt haben, und dann bin ich auch noch um sechsundsechzigtausend Mark reicher.«

Jaromir lachte. »Wunschdenken«, sagte er. »Das mit Interpol kannst du schon mal ganz abschreiben. Die finden nicht mal wen, wenn sie direkt davor stehen. Eigentlich hatte ich mich ja entschlossen, den Aufenthalt deiner Mutter preiszugeben, bevor sie all dein schönes Geld verpraßt hat, aber da ich ein klitzekleines Hühnchen mit dir zu rupfen habe, werden wohl auch alle anderen leichtsinnigen Anleger ihr Geld verlieren.«

Kati zuckte mit den Schultern. »Na ja, wenn es dich glücklich macht«, sagte sie.

»Glücklich würde ich nicht unbedingt sagen«, meinte Jaromir. »Aber es gibt mir eine gewisse Befriedigung. Ich möchte, daß du begreifst, daß es besser ist, sich nicht mit mir anzulegen. Am Ende habe ich nämlich immer recht.«

»Für jemanden, der kurz davor steht, aus seiner Firma zu fliegen, nimmst du den Mund aber ganz schön voll«, sagte Kati.

»Schätzchen, bei *dir* wirkt Murphys Gesetz, *ich* stehe kurz davor, in Gnaden wieder aufgenommen zu werden«, stellte Jaromir klar. »Das bedeutet, meine Stunden als gemeiner Erdenwurm sind gezählt, während deine gerade erst beginnen. Aber keine Angst, wenn es dir erst so richtig mies geht, du am Boden zerstört bist und mich um Verzeihung gebeten hast, dann werde ich für dich da sein. Schließlich sind wir ja Freunde!«

»Du bist offenbar doch schon so lange ein gemeiner Erdenwurm, daß du dich höchst unrealistischen, aber menschlichen Träumen hingibst«, sagte Kati. »Außerdem hast du eine ganz und gar fehlgeleitete Vorstellung von Freundschaft, mein Lieber. Freunde haben positive Gefühle füreinander.«

»Hm, zugegeben«, sagte Jaromir. »Mit Gefühlen kenne ich mich noch nicht so gut aus, sofern sie mich selber betreffen. Die Gefühle, die ich für dich habe, sind am ehesten mit Hunger zu vergleichen.« Wieder biß er herzhaft in seinen Butterstreusel. »Ist das gut?«

Kati wußte es nicht. »Sag mal, kann es sein, daß deine Hörner schon wieder etwas kleiner geworden sind? Eigentlich sieht man sie kaum noch.«

Verlegen strich sich Jaromir über die Schläfen. »Na ja, das wird ja nun bald ein Ende haben. Ich hoffe nur, sie wachsen genauso schnell wie sie geschrumpft sind!«

»Warum bist du dir eigentlich so sicher, daß deine sogenannte Firma dich wieder in Gnaden aufnehmen wird? Noch ist schließlich gar nichts passiert.«

»Weil Cosima eine Verabredung mit Christoph hat, und weil dies die erste Verabredung ist, die Christoph mit einer anderen Frau hat, seit er mit der Zielperson zusammen ist«, sagte Jaromir. »Die Chancen, daß ein derartiger Affront Charmaine zu einer Bluttat hinreißen werden, stehen nicht schlecht. Unseren Berechnungen zufolge liegt die Wahrscheinlichkeit, daß sie sich noch tiefer in Lügen verstrickt, bei einhundert Prozent, die Wahrscheinlichkeit, daß sie ihre Eltern vor aller Welt verleugnen wird, bei 78 Prozent, die Wahrscheinlichkeit, daß sie Christoph eine Schwangerschaft vortäuscht, um ihn zu halten, bei stolzen 38 Prozent, die Chancen, daß sie die Konkurrentin mit Gewalt beiseite schafft, bei immerhin 9 Prozent. Wenn sie ihn ganz verliert – und darauf arbeiten wir hin –, wird sie sich ganz fies rächen – die dafür berechnete Wahrscheinlichkeit liegt bei 89 Prozent – und sich danach mit List und Tücke den nächsten reichen Kerl angeln. Daß sie hierbei diesmal nicht vor verheirateten Exemplaren haltmachen wird, liegt bei einer Wahrscheinlichkeit von 72 Prozent. Ganz abgesehen davon wird die Schmach, von Christoph von Hütwohl so kurz vor der Hochzeit sitzengelassen zu werden, ihren beruflichen Ehrgeiz erneut anstacheln. Um allen zu beweisen, daß sie auf diesem Gebiet unschlagbar ist, wird sie mit achtundsechzigprozentiger Wahrscheinlichkeit auch im Geschäftsleben künftig über Leichen gehen. Alles in allem eine sehr vielversprechende Statistik.«

»Also, viel habe ich ja von der Schulzeit nicht gehalten«, sagte Kati. »Aber an eines kann ich mich noch gut erinnern. Unser Lehrer für Erziehungswissenschaften hat immer gesagt: Verlaß dich nie auf Statistiken, sonst bist du verlassen!«

»Jaromir, wo bleibst du denn?« rief Cosima aus der Küche und steckte ihren Kopf in den Flur. »Ah, du bist wieder da, Kati. Danke, daß du mir Bernadette vom Hals geschafft hast. Mußtest du mit ihr Brautkleider anprobieren, du Ärmste?«

»Nein. Ich war spazieren. Allein«, log Kati.

»Oh«, sagte Cosima. Ihr Blick ging vielsagend von Kati zu Jaromir und wieder zurück. »Verstehe, du wolltest mal in Ruhe über alles nachdenken. Hast du nicht Lust, mit uns zu spielen? In der *Cosmopolitan* war ein lustiges Spiel mit lauter witzigen Fragen und Aufgaben. Ich mußte mit erotischer Stimme aus dem Telefonbuch vorlesen, und Jaromir mußte einen Schluck Wasser in den Mund nehmen und Fischers Fritz fischt frische Fische sagen. Ich liege knapp vorne, aber du kannst noch mit einsteigen.«

»Hört sich sehr niveauvoll an«, sagte Kati. In diesem Augenblick klingelte das Telefon. »Aber leider muß ich jetzt telefonieren. Hallo?«

»Charmaine von Zanger«, sagte eine kühle Stimme am anderen Ende der Leitung.

»Oh, Onkel Luis! Von dir habe ich ja schon ewig nicht mehr gehört«, sagte Kati. Zu Cosima und Jaromir sagte sie: »Das ist mein Onkel aus Paraguay. Ich hoffe, er hat eine heiße Spur von meiner Mutti.« Sie grinste Jaromir an. »Onkel Luis kennt Südamerika wie seine Westentasche.«

»Paraguay«, sagte Jaromir verächtlich. »Ich kann nur sagen: Kalt, ganz kalt.«

»Auf deine Tips bin ich nicht angewiesen«, erwiderte Kati. »Schließlich spielen wir hier kein Topfschlagen. Nicht wahr, Onkel Luis?«

»Keine Ahnung, was Sie da für dummes Zeug reden«, sagte Charmaine. »Aber ich möchte Ihnen gleich sagen, daß ich mich nicht erpressen lasse. Nur weil Sie meinen bürgerlichen Namen zu kennen scheinen – den ich übrigens ganz korrekt beim Standesamt habe ändern lassen –, müssen Sie sich keine Schwachheiten einbilden.«

»Gut so, Onkel Luis«, sagte Kati. »Beim Standesamt nachzufragen, war eine hervorragende Idee.«

»Du bist dran«, sagte Cosima zu Jaromir. »Eine Verstandesfrage: Welche Tiere schmusen vor dem Geschlechtsakt stundenlang? a. Elche, b. Elefanten oder c. Schwäne?«

»Ich würde sagen, die Elche«, sagte Jaromir. »Oder sind es doch die Elefanten? Die haben ja schließlich auch einen eigenen Friedhof.«

»Ich würde sagen, diese interessante Frage erörtert ihr besser in der Küche«, sagte Kati. »Damit ich in Ruhe mit Onkel Luis in Paraguay telefonieren kann.«

Cosima und Jaromir trollten sich achselzuckend zurück in die Küche. Kati wartete, bis die Tür hinter ihnen ins Schloß gefallen war und sagte: »So, jetzt können wir richtig reden, Heidelinde Zanger aus Tirol. Ich glaube Ihnen sogar, daß Sie beim Standesamt die Heidelinde gegen die Charmaine eingetauscht haben, aber ich bezweifele doch stark, daß man Ihnen dort noch ein *von* zu Ihrem Namen dazugeschenkt hat.«

»Es ist ein Künstlername«, sagte Charmaine.

»Es ist der Name einer Hochstaplerin«, sagte Kati. »Da beißt die Maus nun mal keinen Faden ab. Keine Ahnung, wie Ihr Verlobter, Herr von Hütwohl, darauf reagieren wird.«

Charmaine schwieg. »Wieviel wollen Sie?« fragte sie dann leise.

»Oh, ich? Keinen Pfennig«, sagte Kati und fügte tugendhaft hinzu: »Geld ist für mich ohne jede Bedeutung. Da wirkt im Augenblick ohnehin Murphys Gesetz – wie gewonnen, so zerronnen.«

»Was wollen Sie dann?«

»Ich will Ihnen helfen«, sagte Kati. »Denn es gibt Leute, die Ihnen ernsthaft, nun ja, an den Karren pinkeln wollen. Diese Leute möchten Sie bloßstellen und zu Handlungen hinreißen, die Sie später bereuen würden.«

»Ich kann mir auch schon denken, wer dahinter steckt«, sagte Charmaine. »Diese alte, intrigante Schachtel! Tut immer so freundlich, aber hintenherum ... – na, das wundert mich überhaupt nicht!«

Kati fragte nicht, an welche alte, intrigante Schachtel Charmaine dachte. Sie sagte nur: »Vielleicht sollten wir uns mal zusammensetzen und über geeignete Gegenmaßnahmen nachdenken. Ich verfüge nämlich über Insiderinformationen, die Ihnen sehr nützlich sein können.«

»Und was wollen Sie dafür haben?«

»Ich habe keinerlei finanzielle Interessen«, erinnerte sie Kati. »Ich tu's allein, weil – weil wir Bauerntöchter doch zusammenhalten müssen.«

Cosimas streng geheimes Tagebuch

16. Oktober, 17 Uhr

War den ganzen Tag mit Jaromir golfen. Was für ein herrlicher Sport. Allein um die Regeln zu verstehen, verbraucht man Unmengen von Kalorien. Bin echtes Naturtalent, obwohl sonst sportlich eine absolute Null. Zum Golfen braucht man aber weder Muskeln noch Kondition – bessere Voraussetzungen bietet nur noch das Schachspielen, bin aber zu alt, um noch damit anzufangen. Golfen ist außerdem gesünder, da an der frischen Luft. Werde Christoph mit meinen Fachkenntnissen beeindrucken. Soll er doch noch mal denken, wir Schmitzens hätten vom Golfen keine Ahnung! Von wegen!

Heute abend ist es soweit: Das große Rendezvous. Cosima Schmitz trifft Christoph von Hütwohl. Allein!

Bin noch mal um ein halbes Pfund leichter geworden. Nicht sehr viel, Abnahme stagniert etwas, da ziemlich viel gegessen, aber die 250 Gramm Fett sind exakt unterm Kinn weggegangen, also war Woche trotzdem voller Erfolg. Bin eben in meinem Issey-Miyake-Outfit am Spiegel vorbeigegangen und habe mich selber nicht wiedererkannt.

18.30 Uhr

Gerade hat meine Mutter angerufen. Sie hat mich gefragt, ob ich schon wüßte, daß Bernadette mir Vincents Freund Jochen als Tischherrn ausgesucht hätte. Dieser Jochen habe seine eigene Kanzlei und sei sehr engagiert in der Regionalpolitik.

»Dieser Jochen hat auch einen eigenen Stiernacken und ist sehr engagiert im Frauenbeleidigen«, sagte ich meiner Mutter. Ist doch wahr! Das letzte Mal, als Bernadette die Frechheit besaß, mich neben diesen bauchigen Paragraphenschwätzer zu plazieren – auf Arielles Taufe –, da hat er mir einen frauenfeindlichen Witz erzählt und hatte dann die Frechheit zu sagen, ich hätte wohl leider keinen Humor.

»Entweder Sie haben den Witz nicht verstanden, oder Sie gehören zu diesen Emanzen, die zum Lachen in den Keller gehen«, hat er gesagt.

Und ich habe gesagt: »Gerade jetzt würde es mir schon reichen, zum Kotzen in den Keller gehen zu können.«

Hat er aber nicht auf sich bezogen, der fette Müllsack. Es ist unfaßbar, daß sowohl Bernadette als auch meine Mutter glauben, mich mit so einem Fiesling verkuppeln zu müssen.

»Mein liebes Kind, du bist ja nun auch nicht gerade Claudia Schiffer«, sagte meine Mutter auch eben prompt wieder. »Und die Uhr tickt.«

196

Was soll das heißen? Daß ich mich mit einem häßlichen, eingebildeten Dummbeutel zufriedengeben muß, nur weil meine Mutter eine ominöse Uhr ticken hört? Lächerlich! Ich setzte gerade zu einem Plädoyer über das Singleleben an, als mir wieder einfiel, daß ich ja heute abend ein Rendezvous habe. Ein Rendezvous mit Christoph von Hütwohl, reich, gutaussehend und adelig! Vor Schreck und Glück verschlug es mir glatt die Sprache. Fühlte mich wie ein Lottogewinner, der über Nacht vergessen hat, daß er Millionär ist.

»Tante Regina hat da übrigens so ein neuartiges Pulver aufgetan, mit dem auch hoffnungslose Fälle ganz schnell und gesund abnehmen können«, sagte meine Mutter. »Wenn du willst, dann besorge ich es dir in der Apotheke. Es ist nicht billig, aber für dich ist uns ja nichts zu teuer. Du bist schließlich unser einziges Kind.«

Die Arme, sie war völlig ahnungslos. Aber mir war irgendwie nach Singen und Jubilieren zumute, so sang ich das erstbeste Lied, das mir einfiel. Es war ausgerechnet: »Ich will so bleiben wie bin! Da-dam. Ich will so bleiben, wie ich bin.«

Aber es paßt. Tatsächlich beginne ich meinen breiten und bräsigen Hintern zu lieben. Zumal er nicht wirklich breit und ist, sondern in Größe 38 paßt.

Meine Mutter legte schließlich fassungslos auf, wahrscheinlich hält sie mich jetzt für vollkommen durchgeknallt. Aber meine gute Laune konnte sie mir nicht verderben. Dadam!

19.30 Uhr

Schminken ist eine wirklich heikle Angelegenheit und will gelernt sein. Habe weder Lidstrich noch Lippenumrandung

197

noch Rougebalken so hingekriegt, daß es natürlich aussah. Beim ersten Versuch sah ich aus wie Oma Hertha, wenn sie sich ohne ihre Brille ihr Liz-Taylor-Make-up auflegt, und beim zweiten Mal sah ich aus wie Winnetou auf dem Kriegpfad. Habe schließlich alles abgewaschen und nur Wimperntusche aufgetragen, aber die dafür achtmal. Grundierung sieht gut aus, habe stundenlang die kritischen Übergänge an Hals und Haaransatz mit Puderquaste verwischt.

Outfit ist allerdings absolut perfekt: Habe nicht nur Issey Miyake an, sondern trage auch noch sein Parfüm! Passender geht's ja wohl nicht. Kaufte es mir heute von meinem vielen selbstverdienten Geld. Was soll der Geiz!

Jeden Augenblick kommt Jaromir, um mich zum »Cristóbal« zu bringen. Kati ahnt es wohl und lungert im Flur herum wie eine liebeskranke Katze. Ich habe ein wenig Mitleid mit ihr.

Aber als ich sie gefragt habe, was sie denn heute macht, hat sie giftig erwidert: »Ach, ich werde mir wohl eine Heilerde-Frosch-Quark-Eigelb-Himbeer-Maske ins Gesicht schmieren, ein wenig ABS-Gymnastik vor dem Fernseher machen, Julia Roberts anheulen und dabei siebzehn Tafeln Schokolade verschlingen.«

Ich habe ihr trotz dieser gemeinen Anspielungen auf mein früheres Ich nur liebevoll auf die Schultern geklopft und gesagt, es kämen auch wieder bessere Zeiten für sie. Sie ist so schrecklich eifersüchtig auf mich, daß sie mir neulich in stocknüchternem Zustand weismachen wollte, Jaromir sei der Teufel höchstpersönlich. Ob ich denn nicht seine Hörner gesehen hätte?

Armer Jaromir. Mit seinen Überbeinen wäre er ein paar Jahrhunderte früher wahrscheinlich als Hexenmeister verbrannt worden! Paßt doch: An mir hat er jedenfalls wahre Wunder vollbracht. Trotzdem – ich liebe ihn wie einen Bruder, mehr nicht! Wenn man die Wahl zwischen George Clooney und Brad Pitt hat, dann muß es eben doch Brad sein. Christoph hat nur eine unwesentlich größere Nase, aber wie meine Mutter schon sagt: Ich bin schließlich auch nicht Claudia Schiffer!

Da klingelt es.

Das hat Symbolcharakter. Die Türklingel läutet eine neue Ära in meinem Leben ein.

»Du mußt das nicht tun«, sagt Kati gerade.

»Hör nicht auf sie und komm«, sagt Jaromir. Ich schiele kurz auf seine Hörner, pardon, seine Überbeine. Sie verschwinden fast vollständig in seinen Haaren. Anfangs kamen sie mir viel auffälliger vor. Aber so ist das: Wenn man sich an etwas gewöhnt hat, wird es nahezu unsichtbar.

Muß Schluß machen, mein neues Leben wartet! Und Christoph.

7

Dienstagmorgen war Kati wie erschlagen. Sie hatte bis zwölf Uhr nachts im »Tomatissimo« gekellnert und sich von dem arroganten Geschäftsführer mehrfach anschnauzen lassen, weil sie angeblich zuviel mit den Gästen schwatzte.

»Ich weiß ja nicht, wie das da gehandhabt wird, wo du herkommst, aber hier sind die Kellner dazu da, die Bestellung aufzunehmen, und nicht, um den Gästen ein Ohr abzuquatschen«, hatte er gesagt.

Kati hatte erwidert, daß sie an das freundliche und familiäre Klima bei Luigi im »La Fornace« gewöhnt sei.

Der Geschäftsführer hatte die Nase gerümpft. »Das ›Tomatissimo‹ ist eben keine billige Pizzeria, sondern ein Bistro für Gäste mit gehobeneren Ansprüchen.«

Kati war kurz davor gewesen zu sagen, daß die sogenannte leichte Bistroküche ihren Namen wirklich verdient habe, denn einfacher ging es ja wirklich nicht mehr. Die französischen Tiefkühl-Baguettes, die man hier als »handgemachte Köstlichkeiten« für unverschämt viel Geld verkaufte, schmeckten wie Hühneraugenpflaster. So etwas hätte Luigi niemals geduldet.

Aber da sie auf den Job angewiesen war, hatte sie es hinuntergeschluckt und war mit einem künstlichen Lächeln auf den Lippen abgeschwirrt, um eine Bestellung aufzunehmen. Diesmal, ohne ein Schwätzchen zu halten. Immerhin hatte sie am Ende achtzig Prozent ihres Trinkgeldes einbehalten. Wenigstens etwas.

»Das ist aber ein bißchen dünn«, hatte der arrogante Geschäftsführer gesagt und seine schmalen Lippen zu einem mißtrauischen Grinsen verzogen, während er Katis Geld zählte.

Kati hatte nur mit den Achseln gezuckt. »Möglicherweise geben die Leute ja mehr Trinkgeld, wenn man mit ihnen spricht«, hatte sie frech gesagt.

Der Geschäftsführer hatte sie weiter mißtrauisch angeguckt, als ob allein dadurch das einbehaltene Geld aus ihrer Tasche gekrochen wäre. Kati hatte seinen Blick erwidert, ohne mit der Wimper zu zucken, und schließlich hatte er sie unbehelligt ziehen lassen. Ihr triumphierender Augenblick währte nicht lange.

Draußen hatte sie nämlich entdecken müssen, daß jemand die Reifen von ihrem Fahrrad abmontiert hatte. Sie mußte das nutzlose Gestell bis zur Straßenbahn schleppen, nur um festzustellen, daß die letzte Bahn vor exakt einer Minute gefahren war. Natürlich regnete es, und der Heimweg war ziemlich lang.

Es war zum Heulen gewesen. Auch jetzt war Kati noch nach einem Tränenausbruch zumute. Vielleicht sollte sie einfach den ganzen Tag im Bett bleiben.

Cosima platzte wie immer ohne anzuklopfen ins Zimmer.

»Einen wunderschönen guten Morgen«, trällerte sie.

»Du mich auch«, sagte Kati ungehalten und zog sich die Bettdecke über den Kopf.

»Wir müssen uns beeilen, sonst kommen wir zu spät zu Berlitz«, trällerte Cosima unbeirrt weiter. »Er gibt uns heute die Hausarbeiten zurück.«

»Wir wissen doch ohnehin, was für eine Note wir haben«, sagte Kati unter der Bettdecke.

»Ja, aber diesen Augenblick sollten wir uns doch nicht entgehen lassen«, sagte Cosima. »Man bekommt schließlich nicht alle Tage eine Eins. Los, raus aus den Federn.«

»Cosima! Es gibt Leute, die kommen später ins Bett, weil sie für ihren Lebensunterhalt hart arbeiten müssen! Also laß mich schlafen.«

»Als ob ich für meinen Lebensunterhalt nicht arbeiten müßte«, sagte Cosima. Dann kicherte sie. »Na ja, ich arbeite wohl doch mehr für mein Vergnügen!« Sie zog Kati die Decke weg. »Ist das nicht alles unglaublich? Ich kann es immer noch nicht fassen. Ich, Cosima Schmitz, Sternzeichen Mauerblümchen, bekomme einen Haufen Geld dafür, daß ich mich mit dem bestaussehenden Junggesellen der Stadt treffe! Dafür fehlen einem doch die Worte, oder?«

»Also ich weiß eins, das paßt: Prostitution«, sagte Kati. »Es gibt Frauen, denen macht das Spaß.«

»Quatsch«, sagte Cosima. »Prostituierte verkaufen ihren Körper! Ich hingegen bin immer noch Jungfrau! Das kannst du von dir nicht mehr sagen, Miss Moralapostel!«

»Es ist trotzdem Prostitution«, beharrte Kati. »Du triffst dich für Geld mit einem Mann und machst ihm schöne Augen!«

»Ich *habe* schöne Augen«, sagte Cosima. »Aber ich verrate dir was: Mit Christoph würde ich mich auch treffen, wenn ich nichts dafür bekäme! Aber sag das bloß nicht Jaromir.«

»Geldgierige kleine Schlampe«, sagte Kati, aber sie sagte es nicht unfreundlich. »Ich fand diesen Christoph saublöd. Arroganter Snob. Du tätest mir leid, wenn du dich in ihn verliebtest.«

»In Wirklichkeit ist er gar nicht so arrogant«, sagte Cosima bestimmt. »Wirklich, ich kann das beurteilen. Ich habe ihn doch jetzt schon ein paarmal getroffen, und er wird jedesmal zutraulicher.«

»Wie ein Krokodil«, sagte Kati. »Nur schade, daß er mit einer anderen verlobt ist.«

»Die Frage ist, wie lange noch«, sagte Cosima. »Er ist drauf und dran, das Verlöbnis zu lösen, sagt er. Seit er mich kennt, fällt ihm erst auf, wie borniert und snobby Charmaine ist.«

»Dann wird er sich ja sicher freuen, daß Charmaine in Wirklichkeit ein frisches, unverdorbenes Bergbauernmädel ist«, sagte Kati und schwang sich aus dem Bett. »Also gut, ich komme mit zu Berlitz und hole mir meine Eins ab. Auf dem Rückweg muß ich dann im Velo-Shop ein Paar neue Reifen für mein Fahrrad kaufen. Jemand hat sie mir gestern geklaut.«

»Wie gemein«, sagte Cosima.

»Das ist eben Murphys Gesetz«, sagte Kati achselzukkend. »Da muß ich jetzt durch.«

Berlitz teilte die Hausarbeiten höchstpersönlich aus und gab dazu Kommentare ab, so als habe er sie auch höchstpersönlich korrigiert. Kati und Cosima, die wußten, daß Berlitz nicht einen einzigen Blick in die Hausarbeiten getan hatte, sahen einander vielsagend an. Das war typisch für Berlitz: Ließ Julian die ganze Arbeit machen und schmückte sich anschließend mit fremden Federn.

Obwohl es ja nun keine Überraschung mehr war, freute Cosima sich diebisch, als sie ihre Eins sah.

»Weißt du, was das Gute daran ist? Als Julian mir die Eins gegeben hat, kannte er mich noch nicht mal! Also ist die Arbeit wirklich so gut wie ihre Note«, sagte sie zu Kati.

Kati sah irritiert nach vorne. Wo blieb denn ihre Arbeit? Berlitz hatte sie alphabetisch ausgeteilt, und G wie Gluboschinski kam schließlich vor S wie Schmitz.

»Das verstehe ich auch nicht«, sagte Cosima. »Sieh mal, jetzt hat auch der dicke Zabrinski schon seine Arbeit. Frag doch mal, ob Berlitz dich vergessen hat.«

Kati hob die Hand, ließ sie aber wieder sinken.

»Was ist los?« fragte Cosima.

»Mir ist gerade eingefallen, daß es vielleicht möglich wäre, daß ...« Kati stockte. »Nein, das wäre einfach ein zu großer Zufall.«

»Was meinst du? Oh!« Cosima riß ihre Augen auf. »Du meinst, Berlitz hat herausgefunden, daß die Arbeit gar nicht von dir ist? Das glaube ich nicht. Wie denn, wenn er noch nicht mal einen Blick reingeworfen hat? Und wenn Julian es herausgefunden hätte, wüßtest du's doch längst. Also, Kopf hoch! Berlitz, die alte Schlunze, wird deine Arbeit wahrscheinlich irgendwo verlegt haben.«

»Wahrscheinlich«, sagte Kati, konnte aber nicht verhindern, daß sich eine dunkle Vorahnung wie eine eisige Hand um ihre Kehle legte. Cosima hatte recht: Berlitz hätte den Betrug niemals gemerkt. Es sei denn, jemand hatte ihn darauf hingewiesen. Jemand, der beweisen wollte, daß ein Unglück selten allein kam. Murphys Gesetz.

»Du hast wohl nicht zufällig Jaromir von meinem kleinen Diskettenhandel mit Peter Spitzenberger erzählt?« fragte sie. Eigentlich war es nur noch eine rhetorische Frage.

Cosima sah sie erstaunt an. »Keine Ahnung. Doch, das ist möglich. Wir haben ja ziemlich viel über dich geredet. Um ehrlich zu sein, Jaromir bringt meistens das Thema auf dich.« Sie kicherte. »Ich bleibe ja bei meiner Theorie, daß er in dich verknallt ist.«

»Genausogut könntest du sagen, Löwen seien in Antilopen verknallt«, sagte Kati. Sie überlegte, ihre Tasche zu nehmen und das Seminar einfach zu verlassen. Einer Unterredung mit Professor Berlitz fühlte sie sich eigentlich nicht gewachsen. Auf der anderen Seite würde sie die quälende Unsicherheit, die sich aus einem heimlichen Abgang ergab, auch nicht lange aushalten können. Ein paar Minuten glotzte sie unentschlossen ins Leere, dann gab sie sich einen Ruck und hob die Hand.

»Ja, bitte?« Professor Berlitz lächelte sie an.

Für einen Augenblick schöpfte Kati wegen dieses Lächelns Hoffnung, dann wurde ihr klar, daß Berlitz keine Ahnung hatte, wer sie war.

»Sie haben vergessen, meine Hausarbeit zurückzugeben«, sagte sie.

»Wie war noch mal der Name?« fragte Berlitz.

»Katarina Gluboschinski«, sagte Kati mutig.

Berlitz' Gesicht wurde ernst. »Ja, Frau Gluboschinski, Sie kommen dann besser nach der Stunde mal zu mir.«

Kati nickte nur ergeben. Das war also der Anfang vom Ende ihrer Karriere als Betriebswirtin.

»Was soll das heißen?« flüsterte Cosima. »Meinst du, er

hat deinen Schwindel tatsächlich herausgefunden? Aber wie denn, wenn er die Arbeiten gar nicht gelesen hat? Und warum hat Julian dir nichts davon gesagt?«

Kati zuckte müde mit den Schultern. »Vielleicht weiß er's nicht«, sagte sie.

Vor ihrem inneren Auge sah sie den Stapel korrigierter und benoteter Arbeiten bei Berlitz auf dem Schreibtisch liegen. Obenauf hatte Berlitz seinen Aschenbecher gestellt. Während er ein oder zwei Telefonate mit wichtigen Persönlichkeiten führte, rauchte er Pfeife – nein, Zigarre. Und dann führte seine vollbusige Sekretärin einen Besucher herein. Einen großen, dunkelhaarigen Mann mit blitzenden grünen Augen.

Er hatte keinen Termin, hauchte die Sekretärin. *Aber ich dachte, Sie könnten ausnahmsweise mal eine Ausnahme machen, Herr Professor.* Es war ganz klar, daß sie dem Charme des Besuchers völlig erlegen war.

Ich will Ihnen wirklich nichts von Ihrer kostbaren Zeit stehlen, sagte dieser, während die Sekretärin ganz verliebt an seinen Lippen hing. *Aber ich fürchte, eine Ihrer Studentinnen hat betrogen. Die Hausarbeit, die Sie abgegeben hat, wurde vor zwei Jahren schon einmal bei Professor Wiedekopf abgegeben ...*

Unerhört, sagte Berlitz, nahm den Aschenbecher vom Stapel und begann zu blättern. *Wie war der Name, sagten Sie?*

Katarina, sagte der dunkelhaarige Fremde. *Katarina Gluboschinski. G-L-U-B-O-S-C-H-I-N-S-K-Y.*

»Oioioi«, machte Cosima und riß Kati damit aus ihren düsteren Gedanken. »Ich hoffe nicht, daß sie dich von der Uni schmeißen!«

»Kennst du Murphys Gesetz?« fragte Kati.

»Ähm – gehört hab' ich's schon mal«, sagte Cosima. »Bedeutet es was Physikalisches oder was Literarisches?«

»Es bedeutet, daß ich höchstwahrscheinlich von der Uni fliege«, sagte Kati.

»Verstehe ich nicht«, sagte Cosima.

»Murphys Gesetz besagt, daß Pechsträhnen kein Zufall sind. Wer einmal Pech hat, bei dem tritt das Unglück sofort gehäuft auf. Anstatt sich gleichmäßig auf alle Menschen zu verteilen, prasseln Schicksalsschläge auf die Menschen herab, die ohnehin schon am Boden liegen.«

»Na komm schon, es könnte schlimmer sein«, sagte Cosima, aber ihr mitleidiger Gesichtsausdruck strafte sie Lügen.

»Ich kann wohl ohne Übertreibung sagen, daß ich im Augenblick nicht auf der Sonnenseite des Lebens stehe, Cosima. Da wäre zuerst einmal meine Mutter, die mir meine Ersparnisse abgeluchst hat und damit nach Südamerika abgedüst ist. Als nächstes folgte der Verlust meiner beiden Jobs, so daß ich jetzt für ein Arschloch arbeiten muß, was mich anmacht, wenn ich mit den Gästen spreche. Dann tauchte unversehens und überraschend der Mann meiner Träume wieder in meinem Leben auf – nur um mir zu offenbaren, daß er mich gerne ganz tief am Boden sehen würde und daß seine Firma ihm wichtiger ist als ich. Gestern nacht wurde mein Fahrrad zerstört, und heute werde ich halt von der Uni fliegen, und all die vielen Studienjahre waren umsonst – na, meinst du immer noch, es könnte schlimmer sein?«

»Ja«, sagte Cosima fest, obwohl sie eigentlich anderer

Meinung war. »Sieh mal, du könntest Krebs haben und nur noch ein paar Tage zu leben, oder obdachlos sein und mit offenen Beinen und Frostbeulen an den Händen in einem Pappkarton unter einer Brücke hausen müssen. Oder von einem Mann, so ekelhaft wie Vincent, vergewaltigt werden und ein Kind von ihm erwarten ...«

»Ja, das stimmt natürlich. Man weiß ja auch nie, was als nächstes passiert«, sagte Kati trocken. »Wahrscheinlich bedanken sie sich jetzt gerade für deine fabelhaften Vorschläge.«

»Meinst du, die da oben?« fragte Cosima und zeigte himmelwärts.

»Eher die da unten«, sagte Kati und zeigte in die entgegengesetzte Richtung.

»Tut mir echt leid«, flüsterte Cosima. »Wenn du willst, begleite ich dich nachher zu Professor Berlitz. Dann mußt du das nicht allein durchstehen.«

»Danke, sehr lieb«, sagte Kati. »Aber das mach' ich schon. Noch bin ich nämlich nicht so tief am Boden, wie Jaromir mich gerne hätte.«

Als Kati die Tür von Professor Berlitz' Büro hinter sich schloß, sah sie als erstes ein Paar leuchtend grüne Augen.

»Arme Kati«, sagte Jaromir spöttisch. »War's sehr schlimm?«

»Überhaupt nicht«, log Kati spontan.

»Ich muß sagen, du nimmst es sportlich«, sagte Jaromir und legte den Arm um ihre Schulter. »Ich meine, jeder andere würde Rotz und Wasser heulen, wenn er so kurz vor dem Examen von den Prüfungen ausgeschlossen würde. Abgesehen von allem anderen.«

Kati, die seine Berührung für den Bruchteil einer Sekunde sehr genossen hatte, machte sich los. »Dann warst du das auch mit dem Fahrrad?« Komischerweise kränkte sie das mehr als alles andere.

»Was für ein Fahrrad?« fragte Jaromir erstaunt zurück.

»Ach, tu doch nicht so! Du hast gestern abend die Reifen abmontiert, so daß ich die letzte Bahn verpaßt habe und das, was von meinem Fahrrad übrig war, zu Fuß durch den Regen tragen mußte.«

»Nein, so was.« Jaromir sah einen Augenblick lang beinahe zerknirscht aus, aber dann lachte er: »Ich war's nicht, echt, aber es beweist einmal mehr, daß Murphys Gesetz stimmt: Ein Unglück kommt eben selten allein.«

»Und du lachst auch noch darüber«, sagte Kati. Eine Träne rollte ihre Wange hinab.

Jaromir sah es auch. »Weinst du etwa, Kati?«

»Nein«, sagte Kati. »Ich bin nur wütend.«

»Weil du von der Uni fliegst?«

»Wer sagt denn, daß ich von der Uni fliege?«

»Das ist das übliche Procedere in einem Fall von arglistiger Täuschung«, sagte Jaromir, womit er beinahe wortwörtlich wiederholte, was Berlitz gesagt hatte.

Sehr ernst und würdig hatte er hinter seinem Schreibtisch gesessen und gesagt, er müsse diesen bedauerlichen Fall der Prüfungskommission vorlegen.

»In der Regel bedeutet ein solch schwerer Fall von Betrug den Ausschluß aus der Fakultät«, hatte er gesagt.

»Und wann werde ich davon in Kenntnis gesetzt, ob ich weiterstudieren kann oder nicht?« hatte Kati gefragt.

»Die nächste Sitzung des Ausschusses findet in der

nächsten Woche statt. Dort werde ich dann Ihren Fall vorstellen«, hatte Professor Berlitz gesagt und sich eine Zigarre – also doch! – angezündet. »Wir werden dort einen Termin für eine Anhörung festlegen, und nach der Anhörung werden Sie dann Bescheid wissen. Das ist das übliche Procedere. Ich kann Ihnen nur aus meiner bisherigen Erfahrung sagen, daß es nicht gut für Sie aussieht.«

Kati hatte tief Luft geholt und sie dann zischend wieder entweichen lassen. Also hieß es bald: Universität ade! Kein Diplom für Kati Gluboschinski. Bye-bye, Karriere als Akademikerin, hello, lebenslange Plackerei als Kellnerin.

Geknickt war Kati durch das Vorzimmer der schikken Sekretärin geschlurft, mühsam hatte sie bis hierhin ihre Tränen zurückgehalten. Und gerade, als sie ihnen freien Lauf hatte lassen wollen, hatte Jaromir sie abgefangen. Er mußte sadistisch veranlagt sein. Außerdem war er schrecklich neugierig. Kati war klar, daß er gerne dabei gewesen wäre, wie Professor Berlitz sie zur Schnecke gemacht hatte. Früher war er immer bestens über alles informiert gewesen, sogar über ihre geheimsten Gedanken, heute mußte er sich wie alle anderen Menschen auf das verlassen, was er mit seinen eigenen Ohren hörte. Der Rest war pure Spekulation.

Kati beschloß, ihm wenigstens die Genugtuung zu nehmen, ihren Rausschmiß erreicht zu haben.

»Berlitz ist eigentlich gar kein so übler Kerl«, sagte sie. »Er wird die Hausarbeit jedenfalls der Kommission nicht vorlegen. Und statt einer Eins will er mir nur eine Drei geben. Na ja, besser als ein Rausschmiß.«

»Also, das nehme ich dir aber nicht ab. Als ich mit Berlitz geredet habe, war er noch ganz wild darauf, dich ans Messer zu liefern.«

»Tja«, sagte Kati lapidar. »Das war wohl, bevor er wußte, wer sich hinter dem Namen Katarina Gluboschinski verbirgt.« Sie stieß ein freudloses Lachen aus. »Ich hätte eigentlich auch nicht gedacht, daß ich sein Typ bin, aber offenbar muß es bei ihm doch nicht immer nur Körbchengröße Doppel D sein.«

»Was soll das heißen?« rief Jaromir aus. »Hat dieser schmierige Mistkerl dich etwa ...?«

Kati zuckte mit den Schultern. »Mein Typ ist er ja auch nicht«, sagte sie, während sie innerlich zu triumphieren begann. »Aber was sollte ich denn machen – ich will schließlich nicht all die Jahre umsonst studiert haben. Glücklicherweise war es nur halb so schlimm, wie ich dachte. Er steht auf diese Praktikantinnen-Zigarren-Nummer, weißt du?«

Jaromirs Atem ging plötzlich sehr schnell. »Oh, ich faß' es nicht! Dieser schleimige, pädophile Wichtigtuer! Nutzt die Notlage eines jungen Mädchens aus, um seine perversen Triebe zu befriedigen. Das ist Unzucht mit Abhängigen, da steht Gefängnis drauf! Ach was, Gefängnis! Ich werde ihm den Hals umdrehen. Eigenhändig werde ich seine Zigarre ein für allemal aus dem Verkehr ziehen!«

Kati verfolgte seinen Tobsuchtsanfall mit wachsendem Vergnügen. Na also, dann war sie ihm wohl doch nicht ganz gleichgültig.

»Ich weiß gar nicht, was du hast. So ein niederträchtiges Verhalten müßte doch genau nach deinem Geschmack und dem deiner Firma sein«, sagte sie. »Außerdem wäre ja alles nicht passiert, wenn du mich nicht verpetzt hättest.«

Jaromir sah sie bestürzt an. »Aber das habe ich doch nicht gewollt. Ich wollte lediglich, daß sie dich rausschmeißen, damit du merkst, daß deine Festung an allen Ecken und Enden bröckelt. Du solltest doch nur einsehen, daß du besser gemeinsame Sache mit mir gemacht hättest ... Oh, Kati, hast du wirklich mit diesem alten Knacker dort drinnen auf dem Schreibtisch ...?«

Es wäre ein leichtes gewesen, traurig zu nicken und mit gesenktem Kopf davonzugehen, aber Kati brachte es nicht über sich. In Jaromirs Augen standen so viele widerstreitende Gefühle geschrieben – Reue, Wut, Zuneigung –, daß ihre eigene Wut dahinschmolz.

»Also, um ehrlich zu sein, nein«, sagte sie. »Ehe ich mit Professor Berlitz Zigarrenspiele veranstalte, würde ich eher mein Leben lang Toiletten schrubben.«

In Jaromirs Augen war nun Verwirrung zu lesen. »Aber du hast doch ...«

»Ich hab' dir einen Bären aufgebunden. Seit du nicht mehr Gedanken lesen kannst, bist du diesbezüglich ein leichtes Opfer. Du kannst ganz beruhigt sein: Sie werden mich rausschmeißen.«

»Berlitz hat dich also nicht angefaßt?«

Kati schüttelte den Kopf. »Nicht mal die Hand hat er mir gegeben.«

»Dem Himmel sei Dank«, seufzte Jaromir. »*Gaaaaaah!* Was sag' ich denn da?«

Kati kicherte. »Wenn das nicht wieder ein paar Strafpunkte von deiner Firma gibt!«

»Kleines Biest«, sagte Jaromir. »Du hast mich wirklich reingelegt.«

»Hab' ich nicht«, sagte Kati und stellte das Kichern abrupt ein. »In Wahrheit hast du mich reingelegt. Und das alles nur, um mir Murphys Gesetz zu beweisen. Nun, du hast es bewiesen, zufrieden?«

»Tut es dir denn jetzt leid, daß du meinen Job abgelehnt hast?« fragte Jaromir weich und legte noch einmal seinen Arm um sie.

Kati schmiegte sich an seine Schulter. Er fühlte sich wunderbar an. Und er roch so gut. Eine Weile lang sagte sie gar nichts, sie schloß einfach ihre Augen und genoß seine Nähe.

Dann sagte sie leise: »Nein.«

»Hm? Was meinst du?«

»Nein«, wiederholte Kati. »Es tut mir nicht leid, und ich würde es auch immer wieder tun.«

Jaromir schob sie entrüstet von sich. »Du bist wirklich stur, Kati, weißt du das? Man muß auch wissen, wenn man verloren hat.«

»Ich habe noch lange nicht verloren«, sagte Kati und legte ihren Zeigefinger sanft auf Jaromirs Geheimratsecken. »Da ist kaum noch eine Wölbung zu fühlen. Ich weiß, du hörst es nicht gern, aber bald gibt es nichts mehr, was dich von einem normalen Menschen unterscheidet.«

»Ich sehe schon, du brauchst immer noch eins auf den Deckel«, sagte Jaromir. »Das ist schade, denn allmählich macht es mir keinen Spaß mehr, dich zu quälen.«

»Ich nehme an, das spricht nicht für deine Qualitäten als Teufel vom Dienst«, sagte Kati und sah auf ihre Uhr. »Ich muß meine Bahn kriegen, mach's gut, Jaromir.«

»Man sieht sich«, sagte Jaromir. »Und halt die Ohren

steif, Kati. Man weiß ja nie, was sonst noch so alles passiert!«

»Mistkerl«, sagte Kati.

»Julian ist aus allen Wolken gefallen«, sagte Kati. »Er war entsetzt.«

»Das ist ja auch entsetzlich«, sagte Cosima. »Vier Jahre Studium völlig umsonst.«

»Ich glaube, er war mehr entsetzt darüber, daß ich die Hausarbeit geklaut habe«, sagte Kati. »Ich konnte förmlich hören, wie ich in seiner Achtung fiel.«

»Ach, das glaube ich nicht«, sagte Cosima. »Schließlich betrügt doch jeder mal ein bißchen.«

»Julian nicht«, sagte Kati. »Der ist grundehrlich. Immerhin war er nicht so geknickt, als ich ihm gesagt habe, daß aus uns beiden leider nichts werden kann. Er meinte, ich wäre eine wirklich tolle Frau, aber er habe auch schon gemerkt, daß es bei uns beiden nicht unbedingt fürchterlich knistert.« Sie nahm einen großen Schluck von dem Tee, den Cosima in Anbetracht der angespannten Lage mit einem kräftigen Schuß Rum angereichert hatte. »Er hat zwar gesagt, wir würden Freunde bleiben, aber ich glaube, von dem höre ich nie wieder was. Schade, er hätte mich wenigstens ab und zu zu einer Pizza einladen können, was meine Überlebenschancen wahrscheinlich gesteigert hätte.«

»Ich habe über das nachgedacht, was du mir gesagt hast: Murphys Gesetz«, sagte Cosima. »Du hast im Augenblick wirklich eine Pechsträhne, aber kennst du auch den Ausdruck: Glück im Unglück? Das heißt soviel wie am Horizont leuchtet schon ein Silberstreif.«

»Ja«, sagte Kati. »Nur sehe ich leider weit und breit keinen Silberstreif am Horizont.«

»Wenn die Nacht am dunkelsten ist, kommt der Morgen«, sagte Cosima. »Und wenn du denkst, es geht nicht mehr, kommt von irgendwo ein Lichtlein her. Nichts ist so schlecht, daß es nicht auch zu irgend etwas gut wäre. Wenn du den Hahn auch einsperrst: Die Sonne geht dennoch auf.«

»Das ist schön, daß du mich mit deinem gesammelten Vorrat an Sprichwörtern aufheitern möchtest«, sagte Kati. »Aber du mußt mir schon verzeihen, wenn ich im Augenblick nichts Gutes darin erkennen kann, daß ich mein Geld verloren und vier Jahre umsonst studiert habe.«

»Murphys Gesetz kann ja nicht ewig wirken«, sagte Cosima, krampfhaft um Positivität bemüht. »Wer ist dieser Murphy überhaupt? Wenn ich den zwischen die Finger kriege ...«

Aber Cosima bekam Murphy nicht zwischen die Finger, und sein Gesetz trieb weiter sein Unwesen in Katis Leben.

Mittwochmorgen wachte sie mit Fieber und Kopf- und Gliederschmerzen auf.

»Das ist die englische Grippe«, sagte Cosima und hielt wohlweislich Abstand. »Geh sofort zum Arzt und laß dich in ein Krankenhaus einweisen.«

»Sei still, Cosima, das ist bloß eine gemeine Erkältung, die ich mir geholt habe, als ich nachts im Regen mein Fahrrad durch die Gegend geschleppt habe«, knurrte Kati und mixte sich einen Drink aus Wasser, Vitamin C und Aspirin. Dann stieg sie unter die Dusche und zog sich an.

»Wo willst du hin?« fragte Cosima. »Etwa zur Uni?«

Kati schüttelte den Kopf. »Einfach so bummeln«, sagte sie, was mehr oder weniger der Wahrheit entsprach. Trotz akuter Finanzknappheit erwarb sie ein Handy. Charmaine hatte sich schon mehrfach darüber beschwert, daß sie nicht immer und überall erreichbar war.

Das Fieber stieg weiter, dazu begann ihre Nase zu laufen. In der Apotheke neben dem Handy-Shop kaufte sie Taschentücher, Paracetamol, Wick Vapurup, Meersalzspray und eine Wundsalbe für die Nase. Außerdem vorbeugend Hustenbobons.

»Ich habe zwar jetzt weder eine wunde Nase noch Husten«, erklärte sie dem Apotheker. »Aber mittlerweile kenne ich Murphys Gesetz zur Genüge.«

Das Paracetamol schluckte sie gleich in der Apotheke. Danach fühlte sie sich zum Weitergehen gewappnet.

Im Geschäft nebenan lachte sie ein Paar wunderschöner italienischer Halbschuhe an. Leider sehr teuer.

»Was soll der Geiz?« sagte sie laut. »Darauf kommt es jetzt auch nicht mehr an.« Sie kaufte die Schuhe mit ihrer Scheckkarte, und eine überteuerte Lederpflege gleich dazu. Warum knickern, wenn man auch klotzen konnte?

»Siehst du, Murphy«, sagte sie, als sie wieder draußen war. »Ich verstehe mich auf die Kunst, mich *trotzdem* zu amüsieren. So schnell kriegt man eine Gluboschinski nicht klein.«

Etwas knatschte weich unter ihrer linken Schuhsohle. Erstaunt blickte Kati hinab. Sie war in einen Hundehaufen getreten. Der Größe nach zu urteilen stammte er von einem Hund mit den Ausmaßen eines Kleinwagens. Ein paar Passanten beobachteten, wie Kati versuchte, ihren Schuh mit Hilfe ihrer frisch erworbenen

Taschentücher zu reinigen. Etwas befremdet registrierten sie, daß Kati zu lachen begann. Sie lachte und lachte, bis ihr die Tränen die Wangen herabliefen.

»Was gucken Sie denn *so*?« fragte sie japsend einen Herrn im Trenchcoat, der nur mitleidig den Kopf schüttelte. »Sie denken wohl, ich bin ein Pechvogel, nicht wahr? Pleite, unglücklich verliebt und in einen Hundehaufen getreten. Aber sehen Sie denn nicht, was für ein Glückspilz ich in Wirklichkeit bin?« Sie zeigte auf die Plastiktüte in ihrer Hand. »Gerade erst habe ich mir ein Paar neue Schuhe gekauft. Beinahe hätte ich sie gleich angelassen. Dann wäre ich jetzt mit den neuen Schuhen in den Haufen getreten. *Das* wäre wirklich Pech gewesen. Aber so – ich glaube, das nennt man Glück im Unglück, oder?«

Der Herr im Trenchcoat antwortete nicht. Vermutlich hielt er sie für verrückt.

»Macht nichts«, sagte Kati und wurde urplötzlich von einem Schüttelfrost gepackt. Sie sehnte sich nach ihrem warmen Bett. Oder noch besser: einer heißen Wanne.

Aber es dauerte eine Weile, bis sie endlich zu Hause war: Murphys Gesetz sorgte dafür, daß sie zuerst in die falsche Bahn stieg. Fiebrig wie sie war, merkte sie es erst nach vier Stationen, mußte dann zwanzig Minuten auf eine Bahn in die Gegenrichtung warten, und als sie endlich in der richtigen Bahn saß, wurde die wegen eines Verkehrsunfalles über den Hauptbahnhof umgeleitet und war somit eine Dreiviertelstunde länger unterwegs als sonst.

Als sie endlich die Wohnungstür aufschloß, war das Fieber wieder gestiegen, die Nase rot angeschwollen, und jedesmal, wenn sie schlucken mußte, hatte sie das

Gefühl, ein hartgekochtes Ei die Speiseröhre hinunter zu würgen.

Ihre Zähne klapperten wie wild aufeinander.

»Jaromir«, rief Cosima aufgeschreckt, als sie Katis bleiches und naßgeschwitztes Gesicht sah. »Kati hat die englische Grippe. Ruf einen Krankenwagen.«

»Halt's M-m-m-m-aul, C-c-c-c-c-cosima«, klapperte Kati und sank im Telefonsessel zusammen. Nur schemenhaft konnte sie Jaromirs Kopf neben Cosimas erkennen.

»Sie muß ins Bett«, sagte der Kopf.

»Nein, ins Krankenhaus«, sagte Cosima. »Mit der englischen Grippe ist nicht zu spaßen.«

»D-d-d-d-sas ist n-n-n-nicht die englische Grippe, Dummchen, das ist M-m-m-m-murphys Grippe«, sagte Kati und schloß resigniert die Augen. Ihr war soeben eingefallen, daß sie die Tüte mit den neuen Schuhen in der Bahn hatte liegen lassen.

»Ha-ha-hatschi«, machte sie. »Und wieder Glück im Unglück: Die Tüte mit dem Paracetamol habe ich noch.« Sie nieste dreimal hintereinander.

Jemand hob sie hoch und setzte sie nebenan auf ihrem Bett wieder ab.

»Jaromir«, sagte sie verliebt. »Du riechst gut.«

»Was man von dir nicht behaupten kann«, entgegnete Jaromir. »Du riechst wie ... Hundekacke.«

Kati kicherte mit geschlossenen Augen. »Ja, pack bloß nicht an meinen linken Schuh. Der hat in einem Hundehaufen gesteckt, der größer war als das Empire State Building.«

»Das muß ein außerirdischer Köter gewesen sein«, sagte Jaromir, während er den betroffenen Schuh mit spitzen Fingern hinaus ins Treppenhaus trug.

»Ich habe gleich gesagt, du gehörst ins Bett«, schimpfte Cosima. »Aber du wolltest ja unbedingt deinen Dickkopf durchsetzen und bummeln gehen.«

»Hat sich doch gelohnt«, flüsterte Kati. Der Hals tat ihr mittlerweile so weh, daß sie nicht mehr sprechen mochte. »Habe ein wunderbares Paar Schuhe gekauft und in der Bahn liegen lassen.«

Cosima begann sie mit ungeschickten Bewegungen zu entkleiden, schälte sie Stück für Stück aus ihren Sachen, bis sie nur noch den Slip anhatte. »Wo hast du ein Nachthemd?«

»So was habe ich doch nicht«, flüsterte Kati. »Ha-ha-hatschi!«

»Ach ja, hab' ich vergessen: Du schläfst ja nackt! Ich werde dir eins von meinen holen.«

In ein weites, weiches Flanellnachthemd gehüllt, fiel Kati in einen kurzen Dämmerschlaf. Das nächste, das sie merkte, war ein Glas, das man ihr an die Lippen drückte.

»Trink das«, sagte Jaromirs Stimme. »Das ist ein Paracetamol.«

Kati schluckte nur mit großer Mühe, aber sie trank alles aus. Danach entschloß sie sich, die Augen zur Abwechslung mal wieder zu öffnen. Jaromir und Cosima starrten beide auf sie herab.

»Was ist los?« krächzte Kati. »Wartet ihr auf meine letzten Worte?«

»Sag doch nicht so was«, flehte Cosima, und ein Schauder rann ihr den Rücken hinab. »Du hast ein bißchen Fieber und ein bißchen Schnupfen, das ist alles.«

»Du hast recht«, flüsterte Kati. »Bei meinem Glück werde ich gesund, um morgen von einem Auto angefahren zu werden. Im Krankenhaus wird man mir dann versehentlich den Blinddarm entfernen, und wenn ich endlich entlassen werde, wartet im Hausflur schon ein Frauenmörder auf mich. Ha-ha-hatschi!«

Jaromir reichte ihr ein Taschentuch, deckte sie sorgfältig zu und steckte ihr ein Fieberthermometer in den Mund.

»39,8«, sagte er. »Kati, Kati, was machst du nur für Sachen?«

»Da mußt du deinen Freund Murphy fragen«, sagte Kati und schloß wieder die Augen. Den halben Nachmittag verbrachte sie in einer Art Dämmerschlaf. Immer wenn sie die Augen öffnete, saß entweder Cosima oder Jaromir an ihrem Bett und flößten ihr irgendwelche Flüssigkeiten ein. Irgendwann erwachte sie und fühlte sich deutlich besser. Das Paracetamol hatte wohl endlich Wirkung gezeigt.

»Welcher Tag ist heute?« fragte sie.

Cosima tauschte einen vielsagenden Blick mit Jaromir. »Immer noch Mittwoch, Kati.«

»Das ist gut«, sagte Kati erleichtert. »Und wieviel Uhr?«

»Beim nächsten Ton ist es siebzehn Uhr und drei Minuten«, sagte Jaromir.

Kati rappelte sich mühsam hoch. »Dann schaffe ich es ja noch rechtzeitig ins ›Tomatissimo‹.«

»Sie ist immer noch im Delirium«, mutmaßte Cosima.

»Ich muß aber gehen, sonst verliere ich meinen Job«, sagte Kati. »Und dann, liebe Cosima, kann ich meine Miete nicht zahlen.«

»So, ach so, ja«, machte Cosima. »Hm, das ist natürlich ein Argument ...«

»Cosima!« Jaromir sah sie empört an. »Das ist ja wohl

nicht dein Ernst! Sieh sie dir doch an: Sie leidet! Man sollte doch meinen, du bist im Augenblick wirklich reich genug, um mal auf die Miete zu verzichten.«

»Hm, schon«, brummte Cosima verlegen.

»Ich glaube, ich bin wirklich im Delirium«, sagte Kati. »Jaromir der Teufel erteilt Cosima dem Unschuldsengel Nachhilfe in Sachen Nächstenliebe!« Sie schwang die Beine über den Bettrand. »Aufstehen muß ich aber trotzdem. Ich muß mal aufs Klo und außerdem im ›Tomatissimo‹ anrufen und sagen, daß ich krank bin.«

Ihre wackligen Beine knickten unter ihr weg, bevor sie die Zimmertür erreicht hatte. Mit wenigen Schritten war Jaromir bei ihr und hob sie auf seine Arme.

»Und jetzt?« fragte Kati, während sie sich unauffällig an ihn kuschelte. »Willst du mit aufs Klo?«

Jaromir setzte sie auf der Brille ab. »Cosima bleibt bei dir.«

Cosima nahm kichernd auf dem Badewannenrand Platz.

»Ist er nicht rührend?« flüsterte sie, als Jaromir das Badezimmer verlassen hatte. »Er ist schrecklich besorgt um dich!«

»Das täuscht«, sagte Kati. Schließlich war Jaromir für mindestens fünfzig Prozent ihrer derzeitigen Misere verantwortlich. Die anderen fünfzig konnte man Murphy zuschreiben, wer immer das auch sein mochte. Er hatte die Hundekacke und die Grippe auf dem Gewissen.

Schwankend, von Cosima auf der einen und von Jaromir auf der anderen Seite gestützt, bewegte sie sich zurück zum Bett.

Cosima brachte ihr das Telefon ans Bett. »Es ist Julian«, flüsterte sie.

»Was, du sprichst noch mit mir?« krächzte Kati ins Telefon. »Obwohl ich eine Schwindlerin und Betrügerin bin?«

»Ach, da bist du nicht die einzige«, sagte Julian. »Jeder betrügt doch auf seine Weise. Der Berlitz übrigens auch. Ich habe ihm eine Abhandlung zum Euro und der Lohngesetzgebung geschrieben, und er kriegt demnächst einen Preis dafür verliehen. Das ist doch schlimmer als die Sache mit deiner Hausarbeit, denn Berlitz tut so, als hätte das alles seine Richtigkeit. Mir war es bisher zu blöd, ihn darauf anzusprechen, aber ich werde es morgen doch tun – und dabei auch deine Hausarbeit erwähnen.«

»Das ist wirklich lieb von dir«, sagte Kati. »Aber bei mir wirkt augenblicklich Murphys Gesetz. Mir kann keiner helfen.« Trotzdem legte sie einigermaßen getröstet den Hörer auf. Solange man noch Freunde hatte, die zu einem standen, war alles nur halb so schlimm. Sie lächelte Jaromir zu, der damit beschäftigt war, das Zimmer aufzuräumen.

Cosima kreischte auf, als sie auf die Uhr sah.

»In einer Stunde treffe ich mich mit Christoph«, schrie sie. »Und ich hab' mir noch nicht mal die Haare gewaschen.«

»Dann aber mal schnell«, sagte Kati.

Cosima schoß wie ein geölter Blitz ins Badezimmer.

»Ich glaube, sie hat schon wieder ein Pfund abgenommen«, sagte Jaromir.

»Ja, wenn sie so weitermacht, sieht sie spätestens Weihnachten aus wie eine Wanderheuschrecke.« Kati mußte wieder niesen. Dann wählte sie die Nummer des »Tomatissimo« und verlangte den Geschäftsführer.

»Es tut mir sehr leid«, sagte sie. »Aber wie Sie unzweifelhaft hören werden, habe ich die Grippe und kann aller Voraussicht nach erst am Freitag wieder zur Arbeit erscheinen.«

»Mir tut es auch sehr leid«, entgegnete der Geschäftsführer. »Aber wie Sie sich unzweifelhaft schon gedacht haben, sind Sie entlassen.«

»Was?« schrie Kati. »Aber weswegen? Nur weil ich einmal krank bin, können Sie mich doch nicht gleich rausschmeißen.«

»Sie haben Ihren Arbeitsvertrag doch gelesen«, sagte der Geschäftsführer kühl. »Gegen die Trinkgeldregel zu verstoßen, ist ein fristloser Kündigungsgrund.«

»Aber woher wollen Sie wissen, daß ich ... – ich meine, ich habe nicht gegen die Trinkgeldregel verstoßen«, sagte Kati. »Das müssen Sie mir erst mal beweisen.«

Der Geschäftsführer ließ ein arrogantes Lachen hören. »Sie sind nicht die erste, die sich so windet und dreht, wenn sie erwischt wird, meine Liebe!«

»Ich bin nicht ihre Liebe«, sagte Kati wütend. »Und Sie können mich nicht auf bloßen Verdacht hin rausschmeißen. Vielleicht sollten wir das von einem Arbeitsgericht klären lassen. Ich habe schließlich einen Vertrag!«

»Richtig«, sagte der Geschäftsführer und ließ sein arrogantes Lachen gleich noch einmal hören. »Und der besagt, daß in der Probezeit beide Seiten jederzeit fristlos kündigen können – und das ohne Angabe von Gründen. Ich will Ihnen was sagen: Sie haben sowieso nicht hierher gepaßt. Sie sind zu rustikal für unsere vornehme Klientel.«

»Und Sie sind zu blöd für diese Welt«, sagte Kati. »Nun

223

ja, dann schieben Sie sich Ihren Job halt in den Hintern. Wundern Sie sich aber nicht, wenn demnächst die Zeitung einen Artikel über Ihre Tiefkühlbaguettes und die anderen Köstlichkeiten Ihrer exquisiten Küche bringt.« Wütend knallte sie den Hörer auf. »Das ist ja nicht zu fassen!«

»Mach dir nichts draus«, sagte Jaromir. »Der Job war sowieso unter deiner Würde!«

»Ach, *halt endlich mal die Klappe*, Jaromir!« rief Kati. »Was soll das hier sein? Ein Komplott? Die große Verschwörung? Die ganze Welt gegen Katarina Globoschinski?«

Wütend und ohne Rücksicht auf ihren laut pochenden Kopf und das Dröhnen in ihren Ohren sprang sie auf. »Jetzt reicht es mir aber. Jetzt habt ihr allesamt den Bogen überspannt!«

Jaromir drückte sie sanft zurück aufs Bett.

»Dir scheint es ja Gott sei Dank wieder besser zu gehen«, sagte er sanft, und stieß gleich darauf einen kleinen Schrei aus: »Gaaaaaah! Was sag' ich denn da? Das ist schon das zweite Mal in dieser Woche, daß ich mich derart im Tonfall vergreife!«

»Gibt sicher Minuspunkte bei deiner Firma, wenn man sich bei der Konkurrenz bedankt«, sagte Kati.

»Der Firma kommt es einzig und allein darauf an, daß ich meinen Job mache«, sagte Jaromir. »Und den mache ich gut. Christoph von Hütwohl wird sich wie geplant von Charmaine trennen. Die Wahrscheinlichkeit, daß er das noch vor der großen Wohltätigkeitsgala am elften November tut, beträgt 89 Prozent.«

»Was ist das für eine große Gala?« wollte Kati wissen. Sie hatte Charmaine schließlich Insiderinformationen versprochen, und bisher hatte sie nur recht vage, düstere Prophezeiungen geliefert.

»Ein Kostümball, zu dem sich die Reichen und die Berühmten und die Pressegeilen in ihre teuersten Abendroben werfen und den kostbarsten Schmuck aus dem Tresor holen«, sagte Jaromir wegwerfend. »Sie schlagen sich den Bauch mit Hummer und Kaviar voll, tanzen und blecken ihre Jacketkronen allzeit in die Kameras, und am Ende spenden sie ein paar Tausender für die armen Kinder in Irgendwo. Charmaine organisiert das diesjährige Fest, und sowohl Gästeliste als auch Programm können sich wirklich sehen lassen.«

»Aha«, sagte Kati. »Und du möchtest auch etwas zum Programm beitragen, stimmt's? Ha-ha-hatschi!«

»Stimmt.« Jaromir reichte ihr ein Taschentuch. »Eigentlich wollte Charmaine Christoph überreden, an diesem Abend ihre Verlobung und den offiziellen Hochzeitstermin zu verkünden, aber zwischen den beiden läuft es im Augenblick nicht so gut. Immer, wenn sie sich treffen, diskutieren sie, ob Geld den Charakter verdirbt und ob ein großer Name eine angenehme Verpflichtung oder eine lästige Bürde ist. Christoph ist seit neuestem der Ansicht, daß man normale, warmherzige und psychisch intakte Menschen nur außerhalb des Jet-Sets trifft. Mehr und mehr scheint er sich zu einem gesellschaftlichen Niemand namens Cosima Schmitz hingezogen zu fühlen.«

»Na prima«, sagte Kati. »Aber wie ich Cosima schon sagte: Wenn Christoph im Augenblick seine Vorliebe fürs Proletariat entdeckt, dann könnte es doch sein, daß er ganz entzückt ist, wenn seine angeblich so snobistische Charmaine sich als robustes Bergbauerntöchterlein entpuppt.«

»Du hast immer noch nicht verstanden, worum es geht«, sagte Jaromir. »Meine Firma hat keine Interesse daran, diese Beziehung zu zerstören oder eine andere zu fördern – wir wollen lediglich sicherstellen, daß Charmaine sich ein für allemal auf unsere Seite stellt. Und das wird sie tun, wenn sie ihren hart erarbeiteten Status gefährdet sieht.«

»Ach, das glaube ich nicht«, sagte Kati. »Sie wird sich einfach einen anderen Mann angeln – was soll's?«

»Sie wird es schwer haben, sich einen Mann nach ihren Vorstellungen zu angeln, wenn alle Welt weiß, daß sie Heidelinde Zanger aus Hintergamslingen aus Tirol ist. Die High-Society geht nicht sehr gnädig mit Hochstaplern um.«

»Pah«, machte Kati. »Die High-Society besteht doch zur Hälfte aus Hochstaplern!«

»Eben drum«, sagte Jaromir.

»Wie willst du Charmaine denn enttarnen?«

»Ich dachte, ich lade ein paar Überraschungsgäste auf den Ball ein: Herr und Frau Zanger aus Hintergamslingen in Tirol! Kostümiert als Tiroler Bergbauern! Die Wahrscheinlichkeit, daß Charmaine ihre Eltern schlicht verleugnen und ihnen damit das Herz brechen wird, liegt derzeit bei 89 Prozent. Vielleicht gelingt es ihr ja, die verschüchterten Bauersleut aus dem Saal zu dirigieren und in ein Taxi zu setzen, bevor jemand merkt, daß sie mit ihnen verwandt ist.« Er rieb sich die Hände. »Vielleicht aber auch nicht. In jedem Fall wird sie nach diesem Schock wie eine Löwin um das kämpfen, was sie sich so mühsam aufgebaut hat. Nur daß sie bedeutend mehr List und Tücke entwickeln wird, als eine Löwin.«

»Und wenn sie sich von ihrer schlechtesten Seite zeigt, wirst du wieder in Gnaden in deiner Firma aufgenommen«, sagte Kati.

»Richtig.« Jaromir sah sie schräg von der Seite an. »Und wenn ich wieder richtig im Geschäft bin, kann ich mich auch meiner armen, am Boden zerstörten Freundin Kati annehmen und ihr ein lukratives Geschäft anbieten. Wozu hat man schließlich Freunde? Diesmal wirst du dann hoffentlich so klug sein und einschlagen.«

Kati lächelte ihr allerschönstes Lächeln, bei dem ihre weißen, regelmäßigen Zähne ebenso positiv in Szene gesetzt wurden wie ihre zauberhaften Grübchen. Trotz der roten Schnupfennase verfehlte es auch bei Jaromir seine Wirkung nicht. Er lächelte breit zurück.

»Ich bin froh, daß du endlich begriffen hast, wer der Stärkere von uns beiden ist«, sagte er.

»Und ich bin äußerst bekümmert, daß du mich und die ganze Situation immer noch so falsch einschätzt«, sagte Kati, ohne das Lächeln einzustellen. »Aber falls du aus der Firma fliegen solltest und fortan ein Menschendasein fristen mußt, scheue dich nicht, bei deiner armen, am Boden zerstörten Freundin Kati vorbeizuschauen und sie um Hilfe zu bitten. Wozu hat man schließlich Freunde!«

Jaromir schwieg ein paar Sekunden lang.

»Ich weiß nicht, ob ich deinen unerschütterlichen Kampfwillen bewundern oder deine Uneinsichtigkeit bedauern soll«, sagte er dann. »Wie ich damals schon Napoleon sagte: Die Kunst, zum richtigen Augenblick

Bescheidenheit zu frönen, ist höher einzuschätzen, als mit vollem Einsatz in den Untergang zu segeln.« Er seufzte. »Ich hatte andere Pläne mit ihm, als ihn auf Sankt Helena versauern zu lassen. Aber er mußte ja unbedingt sein Waterloo haben. Uneinsichtiger Kerl.«

Er erhob sich. »Apropos uneinsichtig – ich gehe jetzt besser mal nach Cosima gucken. Ich möchte verhindern, daß sie irgendwelche Experimente mit dem Make-up betreibt. Und dir weiterhin viel Spaß bei deinem persönlichen Waterloo.«

Er lächelte ihr noch einmal zu und ging.

Kati wartete, bis er die Tür hinter sich geschlossen hatte, dann nahm sie ihr neuerworbenes Handy aus der Tasche und wählte Charmaines Nummer.

»Onkel Luis? Hier ist Napoleon – ich meine, Kati. Ich habe neue Informationen«, sagte sie.

»Hören Sie endlich auf, mich Onkel Luis zu nennen«, sagte Charmaine giftig. »Und stecken Sie sich ihre neuen Informationen an den Hut. Das Spiel ist sowieso aus. Mein Verlobter hat mir gerade mitgeteilt, daß er kein Kind mit mir haben möchte. Dieser miese kleine Bastard hatte die Frechheit zu sagen, ich erinnere ihn an eine Treibhauspflanze!« Ein merkwürdiges Geräusch, eine Mischung aus Schluchzen und Kreischen, drang an Katis Ohr. »Er hat die Verlobung gelöst.«

»Nicht am Telefon«, flüsterte Kati. Sie fürchtete aus irgendeinem irrationalen Grund, man könne das Telefon abhören. Dann fiel ihr ein, daß Jaromirs Firma ja solche Tricks nicht nötig hatte.

»Doch, am Telefon«, schrie Charmaine. »Er hatte nicht mal den Mut, es mir persönlich zu sagen. Treibhauspflanze! Ich! Und der Hochzeitstermin stand auch schon fest! Das wird er mir büßen!«

»Tun Sie nichts Unüberlegtes«, sagte Kati aufgeschreckt. »Das wollen die doch nur!«

»Und wer bitte sind die?« kreischte Charmaine.

»Ähm, das kann ich Ihnen am Telefon schlecht erklären«, stotterte Kati.

»Dann nehmen Sie ein Taxi und kommen her.« Charmaine knallte den Hörer auf.

Cosimas streng geheimes Tagebuch

29. Oktober, 5.30 Uhr

Kann nicht mehr schlafen, das Leben ist einfach zu aufregend.

Vermute mal, ich träume das alles nur. Wahrscheinlich haben Außerirdische mich entführt und machen irgendwelche obskuren Experimente mit mir, und wenn ich aufwache, weiß ich von nichts und bin wieder die alte Cosima mit Cellulite an den Oberschenkeln. Moment mal, Cellulite habe ich eigentlich immer noch – sie stört mich nur nicht mehr. Muß eine bewußtseinsverändernde chemische Substanz sein, die die Außerirdischen mir gespritzt haben. Das Zeug putscht enorm auf.

Gestern abend hat Christoph mir gesagt, daß er mit Charmaine Schluß gemacht hat. Ich war ein wenig verwirrt, wußte nicht, ob ich das als beruflichen oder als privaten Erfolg verbuchen sollte, bis er hinzufügte: »Natürlich hast du nichts damit zu tun, Cosima. Mach dir also bloß keine Vorwürfe.«

Für einen Augenblick dachte ich, er habe herausgefunden, daß Charmaine in Wirklichkeit Heidelinde heißt und ihr deshalb den Laufpaß gegeben, aber nein, ganz im Gegenteil. Sie sei ihm einfach zu verwöhnt, zu elitär, zu wenig weltoffen. Sie wisse, sagte er wortwörtlich, doch gar nicht, wie es in der Welt außerhalb der Reichen und Schönen wirklich zuginge. Für Charmaine sei das Leben wie eine riesengroße Seifenoper. Ich hingegen stünde mit beiden Beinen im Leben, und überdies seien es auch noch hübsche Beine.

Ich mußte ihm leider widersprechen. Weniger weil meine Beine nicht hübsch wären, mehr weil er Charmaine wirklich unrecht tat. Schließlich ist sie diejenige von uns beiden, die eine eigene Firma hat und damit eine Mordskohle verdient. Vom Bergbauernhof in Tirol bis zu High Society war es ein weiter und beschwerlicher Weg, und ich möchte wetten, daß Heidelinde-Charmaine mit ihren Beinen bedeutend fester im wirklichen Leben steht als ich.

Aber Christoph wollte nichts davon hören. Er sagte, er wolle mich nicht bedrängen, zumal er seine Verlobung ja auch gerade erst gelöst habe, aber ob ich mir nicht vorstellen könne, auch in Zukunft mal wieder mit ihm auszugehen.

Na ja, das war nicht gerade ein Heiratsantrag, aber es klang so, als wären wir tatsächlich irgendwie Freunde geworden. Ich nutzte die Gelegenheit, ihn zu fragen, ob er am 17. April nächsten Jahres schon etwas vorhabe. Bernadette wird ohnmächtig in ihre Dekoration sinken, wenn ich auf ihrer Hochzeit mit Brad Pitt auftauche.

Christoph meinte, der 17. April sei ihm noch ein bißchen weit weg, und ob ich nicht früher schon mal einen Termin frei hätte. Und dann lud er mich zu dieser Wohltätigkeitsgala ein, für die er zwei Karten hat. (Ich vermute die zweite

Karte war für Charmaine, aber die muß nun wohl ohne ihn hingehen.) Ich freute mich schon auf ein Foto von mir in der GALA, wie ich in einem schulterfreien Abendkleid neben Barbara Becker und Prinzessin Lily stehe – meine Mutter würde zufällig beim Friseur über das Foto stolpern und mit ihrem Geschrei die Trockenhaube zum Platzen bringen –, da sagte Christoph noch, daß es ein Kostümfest sei und er als Klingone Worf vom Raumschiff Enterprise verkleidet sein würde. Schade, wenn ich halbwegs zu ihm passen will, muß ich mir wohl ein paar Höcker auf die Stirn kleben und mich in martialisches Leder werfen. Falls es ein Foto davon in der Zeitung gibt, wird mich wenigstens kein Schwein erkennen.

Als Christoph mich zum Abschied küßte, biß er mich ganz leicht in die Unterlippe. Er sagte, die Klingonen machten das so. Wow! Bin froh, daß der Klingonenkuß nur zehn Sekunden gedauert hat, meine Knie waren nämlich ganz weich und meine Brustwarzen hart wie Murmeln. Muß Kati fragen, ob man vom Küssen einen Orgasmus kriegen kann – wäre mir irgendwie peinlich, so mitten auf dem Bürgersteig vor allen Leuten.

8

Mögen Sie Barolo?« fragte Charmaine und schwenkte eine Flasche Wein so heftig, daß sich ein Schwall blutroter Flüssigkeit auf den Boden ergoß.

»Uuups«, sagte Kati. Charmaine war mindestens schon so besoffen, wie sie, Kati, krank war. Das Fieber war auf dem Weg hierher zurückgekehrt.

»Scheißmarmor«, sagte Charmaine. »Verträgt nix.«

»Im Gegensatz zu mir«, sagte Kati. Vielleicht war Barolo ja gut gegen Fieber. Sie folgte Charmaine in ein geräumiges Wohnzimmer, das ganz in Naturweiß gehalten war. Die breiten Sofas, die Teppiche, die Vorhänge, die vielen Kissen – alles weiß.

»Scheißfarbe«, erklärte Charmaine. »Verträgt nix!« Wie zum Beweis schmetterte sie die Flasche Barolo auf den Fußboden.

Die Wirkung war verheerend. Überall rote Sprenkel, an den Wänden, an den Bildern, auf den Möbeln, auf dem Teppich.

»Als hätte sich hier jemand in den Kopf geschossen«, sagte Kati und mußte niesen. »Tut mir leid, ich habe eine ganz fiese Grippe, und ich fürchte, sie ist ansteckend.«

»Macht nichts«, sagte Charmaine. »Hoffentlich verläuft sie tödlich, dann stecke ich Christoph auch gleich damit an. Was trinken wir denn jetzt? Mögen Sie auch Champagner?«

»Ja, zur Not«, sagte Kati. Dann erst fiel ihr ein, daß das Taxi noch vor der Tür wartete. Sie hatte natürlich kein Bargeld mehr zu Hause gehabt und den Taxifahrer gebeten, am Bankautomat vorbeizufahren. Der hatte ihre Karte zwar angenommen, aber nicht mehr hergegeben. Sehr ärgerlich, aber wenn sie es recht bedachte, eigentlich nicht verwunderlich. Na egal, dann mußte eben Charmaine bezahlen.

»Ach, Charmaine«, sagte sie. »Da fällt mir ein, daß ich in der Eile mein Portemonnaie vergessen habe.« Als es in diesem Augenblick an der Haustür klingelte, setzte sie hinzu: »Das wird der Taxifahrer sein. Er will sein Geld, sonst ruft er die Polizei, hat er gesagt.«

Charmaine gab keine Antwort. Sie ging mit großen Schritten in den Flur zurück. Kati hörte, wie sie die Tür aufriß und sagte: »Den Rest kannst du behalten, verdammter Wichser.«

Eine Minute später kam sie mit einer Flasche Champagner ins Wohnzimmer zurück.

»Männer«, schnaubte sie. »Alles Schweine. Und Christoph ist das schlimmste von allen. Sagt, ich sei eine Treibhauspflanze! Ich, die ich zäher als Alpendisteln bin! Arschgeige.«

»Warum haben Sie ihm denn nicht gesagt, daß Sie gar kein verwöhntes Adelspflänzchen sind, sondern Heidelinde von der Alm?« fragte Kati und setzte sich vorsichtig auf eines der rotgesprenkelten Sofas.

Charmaine stierte sie wütend an. »Damit er das überall herumerzählt? Ich denke gar nicht dran.« Sie fuhr sich äußerst unfein mit dem Ärmel durch das verheulte Gesicht. »Außerdem hätte das nichts geändert. Er hat nämlich eine neue! Er sagt, er ist verliebt wie schon seit

Jahrzehnten nicht mehr. Seit Jahrzehnten! Dabei hat er mich erst vor drei Jahren kennengelernt!«

Kati nickte nur. »Ich kenne die Neue. Cosima Schmitz, meine Mitbewohnerin. Wollen Sie wissen, was sie hat, was Sie nicht haben?«

»Sie wird gar nichts mehr haben, wenn ich sie erst mit dem Auto überfahren habe«, sagte Charmaine. Ohne Ankündigung nahm sie zwei Gläser aus einer Vitrine und schmetterte sie auf den Fußboden. »Aber für ihn – da denke ich mir etwas ganz Besonderes aus. Er soll langsam sterben, gaaaaanz langsam. Ich habe mal ein Buch über die Foltermethoden der Irokesen gelesen ...«

Kati fröstelte ein wenig, sie wußte nicht, ob das Fieber zurückgekommen oder die Raumtemperatur bei Charmaines Worten wie in einem Gruselfilm um ein paar Grad gesunken war. Wahrscheinlich rieben sich die Bosse von Jaromirs Firma da unten gerade die Hände, und Jaromir würde zur Belohnung nicht nur wieder aufgenommen, sondern gleich befördert werden.

»Hören Sie, Heidelinde«, sagte sie. »Wenn Sie so weitermachen, dann stürzen Sie uns alle beide ins Unglück.«

»Nennen Sie mich nicht Heidelinde«, schrie Charmaine und warf gleich noch zwei Gläser auf den Fußboden. »Ich hasse diesen Namen. Kuhlinde haben sie mich genannt, Kuhlinde!«

»Ja, hatten denn die anderen Kinder keine Kühe?« wunderte sich Kati.

»Immer nur verspottet hat er mich, dieser Hoteliersbalg.« Charmaine wurde etwas spezifischer. Bei jedem zweiten Wort schmiß sie ein Glas auf den Boden. Zum Glück war die Vitrine gut bestückt.

»Ah, der Hoteliersbub«, erinnerte sich Kati, die sicherheitshalber ihre Beine hochgezogen hatte. »Na, aber der hat doch sicher große Augen gemacht, als er erfahren hat, was aus seiner Kuhlinde geworden ist.«

Charmaine hörte auf, die Gläser durch die Gegend zu pfeffern. Sie schrie: »Aber er weiß es ja gar nicht, dieser Lümmel.«

»Das verstehe ich aber nicht. Wenn er Sie mit seinen Hänseleien so traumatisiert hat, wie es sich im Augenblick für mich darstellt, dann hätten Sie ihm doch unter die Nase reiben müssen, wie erfolgreich Sie heute sind!«

»Jawohl, Charmaine von Zanger ist erfolgreich«, heulte Charmaine. »Aber die kleine Kuhlinde leidet immer noch.«

»Na, na, na«, sagte Kati. »Auf welchen Namen läuft denn Ihre Steuererklärung?«

»Auf den Papieren bin ich schon noch Heidelinde Zanger aus Tirol. Auch wenn ich mittlerweile die deutsche Staatsbürgerschaft habe«, erklärte Charmaine und ließ sich in einem weißen Sessel nieder, der vom Barolo-Springbrunnen weitgehend verschont worden war. »Niemand in Hintergamslingen weiß, was aus der Kuhlinde geworden ist. Meine Eltern denken, ich arbeite hier in einem Hotel an der Rezeption. Ich habe sie seit vier Jahren nicht mehr gesehen. Nicht mal zu Weihnachten.«

»Ja, das ist sicher nach Jaromirs Geschmack«, sagte Kati mehr zu sich selber als zu Charmaine. »Aber wenn Ihre Eltern so reizend sind wie meine, kann man Ihnen einen derart eingeschränkten Kontakt nicht wirklich verübeln.«

»Meine Eltern sind die nettesten Menschen der Welt«, sagte Charmaine. »Sie sind großzügig und liebevoll, und sie fehlen mir!«

Kati begann, ein wenig den Überblick zu verlieren. »Na, so weit ist Tirol ja nun auch wieder nicht weg.«

»Sie verstehen das nicht! Sehen Sie das?« rief Charmaine und zeigte mit dem Finger auf eine gerahmte Zeichnung an der Wand. »Das ist ein echter Klee. Und die Gläser, die ich gerade zertrümmert habe, kosten 180 Mark das Stück. Und das Sofa, auf dem Sie sitzen, kostet zehntausend. Das habe ich mir hart erarbeitet. Doppelt hart, weil ich eben die Kuhlinde aus Hintergamslingen bin. War, meine ich.«

Während Kati aufstand und vorsichtig durch die vielen Scherben stakste, erzählte die Kuhlinde aus Hintergamslingen, wie aus ihr die strahlend schöne, erfolgreiche Villenbesitzerin Charmaine von Zanger geworden war. Zuerst hatte sie nur Partys für die Prominenten ausgerichtet, dann war sie selber eine von ihnen geworden – weit, weit weg von zu Hause.

Kati nahm zwei intakte Gläser aus der Vitrine und schenkte Champagner ein.

»Und die Krönung vom Ganzen«, schloß Charmaine, »die Krönung vom Ganzen sollte meine Hochzeit mit Christoph von Hütwohl sein! Dann wäre ich auch in echt adelig geworden! Aber das Schwein hat mich ja einfach abgeschossen!«

»Na, aber alles andere kann man dir nicht mehr nehmen.« Kati hielt ihr ein volles Champagnerglas hin. »Deine Eltern sind bestimmt sehr stolz auf dich ... ach nein, sie wissen ja gar nichts von deiner sensationellen Karriere.«

»Aber sie sind trotzdem stolz auf mich«, sagte Charmaine und kippte ihren Champagner in einem Zug hinunter. »Es sind wirklich ganz liebe, nette Menschen.«

»Und du hast sie sicher sehr, sehr lieb«, sagte Kati zufrieden. Also doch: In der Frau steckte ein butterweicher Kern. Hoffentlich schrieben die da unten auch mit.

»Sehr lieb sogar«, sagte Charmaine. »Aber deshalb hätte ich sie trotzdem nicht zu meiner Hochzeit eingeladen.«

»Nicht?« fragte Kati. Jaromir hatte recht: Charmaine steckte wirklich voll höllischen Potentials.

»Natürlich nicht«, schniefte Charmaine und goß sich Champagner nach. »Charmaine von Zanger hat keinen Vater mit Kniebundhosen und Tirolerhut und keine Mutter, die ... – jedes dritte Wort von Mutti ist Schmarr'n. Stellen Sie sich nur vor, sie wird zum Beispiel dem Boris vorgestellt und sagt, also, dieser Schport, den'S da moache, des Dännis, des is doch an Schmarr'n! Könn'S denn Kühe melken?«

Kati nippte an ihrem Champagner und versuchte, einen klaren Kopf zu behalten. Eigentlich interessierten sie Charmaines kompliziertes Seelenleben und ihre Eltern einen Schmarr'n. Sie war lediglich hier, um zu verhindern, daß Charmaine etwas Unüberlegtes tat. Es schien allerdings vorerst auszureichen, daß sie zuhörte.

Während der nächsten Stunde erörtere Charmaine siebzehn verschiedene Methoden, Christoph um die Ecke zu bringen, trank dazu acht Gläser Champagner (von dem es in der Küche wohl unbegrenzten Nachschub zu geben schien) und warf – das war das erfreuliche – keinen einzigen Gegenstand mehr durchs Zimmer.

Irgendwann während dieser Zeit ging sie auch zum »Du« über.

»Du, Kati, du, du bist die einzige, hicks, mit der ich jemals über das alles gesprochen habe.«

Kati hatte sich zwar beim Champagner etwas zurückgehalten, sogar sehr zurückgehalten für ihre Verhältnisse, aber er zeigte – möglicherweise wegen der Grippe – trotzdem auch bei ihr Wirkung. »Hast du denn keinen Py ... thono ... äh keinen Sy ... nagogen?« fragte sie, verzweifelt nach dem richtigen Wort suchend.

»Synagoge?«

»Psychologe, meine ich. Psychothe ... thermometer«, ergänzte Kati unsicher. Komisch, plötzlich fielen ihr die einfachsten Worte nicht mehr ein.

»Nix da«, sagte Charmaine. »Diese Therapeuten kennen sich alle untereinander, bei jedem liegt ein anderer Promi auf der Couch, und am Ende wäre alles rausgekommen ... Jetzt sag aber mal, was waren das eigentlich, hicks, für Informationen, die du mir mitteilen wolltest?«

Kati beugte sich vertraulich vor. »Vielleicht glaubst du mir ja nicht, aber die ganze Sache hier ist ein riesengroßes Kompott.«

»Kompott?«

»Komplott, meine ich«, sagte Kati.

»Dachte ich's mir doch«, sagte Charmaine. »Die alte von Hütwohl hat da ihre Finger im Spiel.«

Kati schüttelte den Kopf. »Viel schlimmer«, sagte sie.

»Die Mafia?«

»Viel, viel schlimmer! Glaubst du eigentlich an Gott, Charmaine?«

Charmaine überlegte einen Augenblick. »Ja, schon, doch«, sagte sie. »Muß ja einen geben, der sich das, hicks, alles ausgedacht hat. Die Berge, die Seen, den Enzian, die Sonnenuntergänge und die Gemsen. Und die Menschen, ja, die auch.«

»Ich verrat' dir jetzt mal was«, sagte Kati. »Bei dieser Sache hier, da zieht der Leibhaftige an den Fäden. Der Teufel höchstpersönlich. Oder wenigstens einer davon. Die anderen warten in der Hölle gierig darauf, daß du bei Christoph die Apachenfolter anwendest.«

»Irokesenfolter«, verbesserte Charmaine und fügte ein nachdenkliches »Hicks« an.

»Die glauben wohl, ich sei ein richtiger Satansbraten«, sagte sie schließlich.

Kati nickte.

»Obwohl ich Christoph echt mochte«, sagte Charmaine.

»Hast du ihn *geliebt*?«

»Sehr gemocht hab' ich ihn. Weil er so ein netter Kerl war. Und viel Geld hat. Und einen Adelstitel.« Charmaine grinste. »Findet der Teufel das jetzt gut oder schlecht?«

»Eher gut«, sagte Kati. »Zumal du Christoph ja die Irokesenfolter angedeihen lassen willst.«

»Aber so gemein bin ich gar nicht«, sagte Charmaine. »Echt nicht. Wo ich doch immer für Amnesty international spende.«

Kati schwieg und dachte nach.

»Meinst du, die wissen echt *alles* über mich?« fragte Charmaine.

Kati nickte.

»Uuuuups.« Charmaine hielt sich die Hand vor den Mund und kicherte. »Peinlich. Na ja, ein Engel bin ich nicht gerade. Aber auch nicht schlimmer als andere. Kein Grund, mich gleich in die Hölle zu holen! Da wären vor mir aber noch ganz andere an der Reihe.«

»Gemein, ausgerechnet dich fertigmachen zu wollen und die ganzen anderen ungeschoren zu lassen«, sagte Kati.

»Ja! Ist auch gemein, aber das lasse ich mir nicht gefallen. Charmaine von Zanger läßt sich nämlich keine Ungerechtigkeiten bieten. Dem Teufel werden wir auf jeden Fall die Suppe verhagenl. Ich meine, hicks, in die Rechnung spucken. Also, die Sache gründlich vermasseln!«

»Absolut versalzen wollen wir denen die Rechnung«, stimmte Kati ein. »Sag mal, Charmaine, hast du noch was Champagner?«

»Klar doch«, antwortete Charmaine und schwankte in die Küche.

Cosima stieß wie immer ohne zu klopfen Katis Zimmertür auf.

»Du, Kati? Kann man vom Küssen einen Orgasmus bekommen?«

»Kommt drauf an, wohin man geküßt wird«, antwortete jemand, aber es war nicht Kati.

»Jaromir«, rief Cosima verblüfft, »was machst du denn hier?«

»Ich wollte Kati ihre verlorenen Schuhe wiederbringen«, sagte Jaromir, der sich lässig auf einen Sessel drapiert hatte und einen Schuhkarton in den Händen hielt. »Aber sie war nicht da. Wo ist sie?«

»Keine Ahnung. Komisch«, sagte Cosima und schaute besorgt auf das leere Bett. »Sonst ist sie doch so ein Langschläfer. Vielleicht ist sie joggen?«

»Haha«, machte Jaromir. »Gestern abend hatte sie noch fast vierzig Fieber!«

»Stimmt, ja«, sagte Cosima. »Joggen ist sie also nicht. Und wie kommst du in die Wohnung?«

»Kati hat mir einen Schlüssel gegeben.«

»Aha«, sagte Cosima. »Das ist ja wieder mal typisch Kati. Bei mir über dich lästern und dir hintenrum einen Schlüssel aushändigen, damit du sie jederzeit überraschen kannst!« Sie lächelte. »Wie süß von dir, ihr die Schuhe zu besorgen! Kati wird entzückt sein.«

»Wenn sie denn jemals wieder auftaucht«, sagte Jaromir. »Sie war doch gestern abend zu schwach, um aufs Klo zu gehen! Sie kann doch nicht einfach verschwunden sein! Wie ging es ihr denn, als du von deinem Rendezvous mit Christoph kamst?«

»Da ging es ihr ... – also ehrlich gesagt, ich habe keine Ahnung, wie es ihr ging«, sagte Cosima kleinlaut. »Es war alles still, und da dachte ich, sie schläft.«

»So was!« rief Jaromir aus. »Als gute Freundin schaut man doch nach, ob sie noch was braucht! Schäm dich.«

»Ich schäm mich ja«, beteuerte Cosima. »Was machen wir denn jetzt? Sie könnte im Fieberwahn hinaus auf die Straße gelaufen und überfahren worden sein. Wir sollten alle Krankenhäuser anrufen. Oder die Leichenhäuser.«

»Cosima!« Jaromir war ganz blaß geworden.

»Das mit den Leichenhäusern war doch nur ein

Scherz. Es ist bestimmt nichts Schlimmes passiert«, sagte Cosima und streichelte ihm mitleidig übers Haar. »Kati wird ganz bestimmt wieder ... huch, das ist aber merkwürdig.«

»Was denn?«

»Deine Überbeine – sie sind verschwunden. Neulich waren sie noch ganz deutlich zu sehen, und heute kann ich sie nicht mal mehr fühlen!«

»Ja«, sagte Jaromir griesgrämig. »Ich sagte doch, das wächst sich aus. Wie lief eigentlich dein Rendezvous gestern?«

»Also, dafür, daß du mir dafür zwanzigtausend Mark zahlen mußt, ist dein Interesse wirklich reichlich dürftig«, beschwerte sich Cosima. »Beim ersten Mal hattest du mich noch verdrahtet, um nur ja kein Wort zu verpassen, und jetzt interessierst du dich nur noch für Kati.« Dann aber ging übergangslos ein leuchtendes Lächeln über ihr Gesicht. »Christoph wird mit mir im April zu Bernadettes Hochzeitsfeier gehen, und ich verkleide mich dafür im November als Klingonin. Seine Charmaine hat er zum Teufel geschickt. Er sagt, nicht meinetwegen, aber ich glaube, das sagt er nur aus purer Anständigkeit.« Sie machte einen kurze Pause. »Kann man jetzt eigentlich vom Küssen einen Orgasmus bekommen oder nicht?«

Als Kati erwachte, dachte sie für einen Augenblick, sie sei gestorben und in der Hölle gelandet. Es dauerte eine ganze Weile, bis sie begriff, daß sie nicht nur einen Kater hatte, sondern auch noch eine heftige Grippe. Sie war zwar nicht gestorben, aber wahrscheinlich kurz davor.

»Wasser«, ächzte jemand neben ihr. Es war Charmaine, die auf dem Teppich genächtigt hatte, inmitten von lauter Scherben.

»Wasser«, ächzte auch Kati.

Charmaine starrte sie entsetzt an.

»Wer ...? Was ...? Warum ...?« stotterte sie. Aber dann schien ihr alles wieder einzufallen.

»Verdammte Scheiße«, sagte sie.

»Genau«, stimmte Kati heiser zu.

Sie beneidete Charmaine um ihre Regenerationsfähigkeit. Im Nu war sie aufgesprungen, hatte die Scherben von ihren Kleidern geschüttelt und einen Blick auf die Uhr geworfen.

»Verdammt, in einer halben Stunde habe ich ein wichtiges Kundengespräch«, sagte sie. »Und du? Mußt du nicht zur Arbeit?«

Kati schüttelte den Kopf. Aua, tat das weh. »Ich bin Studentin. Das heißt, eigentlich auch nicht. Sie werden mich rausschmeißen, weil ich eine Hausarbeit getürkt habe. Meine diversen Jobs bin ich auch los, meine Mutter ist mit meiner Reserve von sechsundsechzigtausend Mark nach Südamerika abgedüst, und die Bank hat meine Karte eingezogen. Ich bin verliebt in einen Typ, dem seine Arbeit wichtiger ist, und meine beste Freundin hat plötzlich mehr Sexappeal als ich.«

Charmaine hörte nicht mehr zu, sie war längst gegangen. Kati sprach trotzdem weiter: »Außerdem habe ich die englische Grippe, kombiniert mit einem Champagnerkater und einer schweren Lebenskrise.«

Irgendwo im Haus begann Wasser zu rauschen.

»Oweh«, sagte Kati. »Wenn sie jetzt kalt duscht, dann ist sie wieder stocknüchtern und nimmt mir die Teufelgeschichte nicht mehr ab. Sie wird hergehen und die Irokesenfolter bei Christoph anwenden – und wenn sie das tut, geht Jaromir zurück zu seiner Firma. Aus der Traum von der Terrasse am Comer See. Oder war's der Lago Maggiore?«

Kati legte sich schniefend ins Sofa zurück. »Das ist wirklich der absolute Tiefpunkt meines Lebens.« Sie seufzte tief. Sie war krank, sie war pleite, und sie würde von der Uni fliegen. Und das Schlimmste war: Sie war im Begriff, Jaromir wieder zu verlieren. Wenn sie jetzt stürbe – und sie fühlte sich wirklich sehr mies – dann könnte sie wenigstens am Höllentor auf ihn warten. Komischerweise war dies noch der tröstlichste Gedanke.

Jemand klatschte ihr ein nasses Tuch ins Gesicht.

»Reiß dich ein bißchen am Riemen«, sagte Charmaine. Sie stand geduscht und wohlduftend, frisiert, perfekt gekleidet und geschminkt vor Kati. »Wir müssen jetzt einen klaren Kopf behalten, wenn wir nicht wollen, daß der Teufel den Sieg davon trägt.« Sie lächelte grimmig. »Charmaine von Zanger im Kampf gegen das Böse – wer hätte das gedacht? Ich fühle mich wie Harry Potter!«

»Und ich fühle mich wie ein toter Zwerghamster«, sagte Kati.

»Ich muß schon sagen, ich hätte mir eigentlich eine leistungsfähigere Mitstreiterin gewünscht«, sagte Charmaine aufgeräumt. »Aber du scheinst ja noch viel tiefer in der Misere zu stecken als ich.«

»O ja«, sagte Kati aus tiefstem Herzen.

»Wenn alle Stricke reißen, kann man immer noch einen reichen Mann heiraten«, sagte Charmaine.

Kati riß ihre Augen auf. »Also, das ist merkwürdig. Genau das sagt meine Tante Alicia auch immer. Dummerweise kenne ich außer Ja- ... außer dem Teufel keinen Mann, der Kohle hat. Paule Spitzenberger hat zwar einen guten Job, aber mehr Spielschulden als Einkommen, Frederic diAngelo spendet alles, was er hat, armen Kirchen- und anderen Mäusen, Julian Franke ist wissenschaftlicher Assistent bei Berlitz und fährt 'nen rostigen Polo ...«

»Halt!« rief Charmaine. »Wie war das? Julian Franke? Der Julian Franke?«

»Ich kenne nur den einen«, sagte Kati.

»Ich kenne auch nur einen, und der ist Christophs bester Freund und Mitinhaber von *Franke und Dublitzer*«, sagte Charmaine. »Er ist zwar nicht adelig, aber so reich, daß allein sein Geld ihn adelt.«

»Nein«, sagte Kati. »Dann muß das ein anderer Julian sein. Meiner hat einen miesen Unijob und ...«

»Ich muß jetzt gehen«, unterbrach Charmaine sie. »Ich komme sonst zu spät. Aber ich fresse einen Besen, wenn wir beide nicht denselben Julian Franke meinen.«

Sprach's und verschwand durch die Tür. Kati blieb allein im verwüsteten Wohnzimmer zurück und versuchte, ihre Gedanken zu ordnen. Schließlich gab sie's auf und schlief einfach wieder ein.

Als sie das zweite Mal aufwachte, brummte ein Staubsauger neben ihr. Eine finster dreinschauende Person mit Kopftuch war dabei, den Teppich von seinen Scherben zu befreien. Sie tat so, als bemerke sie Kati auf dem Sofa überhaupt nicht.

Die schaffte es immerhin, sich aufzurichten und unter den finsteren Blicken der Putzfrau ein paar unsichere Schritte zu unternehmen. In Charmaines Küche fand sie Wasser und eine Scheibe Knäckebrot. Danach suchte sie eine Toilette auf, und weil nebenan gleich ein Badezimmer war, nahm sie auch eine Dusche. Schon besser. Als sie gekämmt und wieder angezogen an der Putzfrau vorbeikam, war es ihr, als würde diese leise: »Schlampe« sagen.

»Selber«, sagte Kati, nahm ihre Handtasche und ging.

Trotz Dusche fühlte sie sich immer noch ziemlich wackelig auf den Beinen, und am liebsten hätte sie wieder ein Taxi nach Hause genommen – wenn ihr Portemonnaie nicht absolut leer gewesen und die Bankkarte nicht im Geldautomaten stecken geblieben wäre. Die Bahn war rappelvoll, und sie mußte elf Stationen hindurch stehen. Wäre sie nicht so zwischen anderen Fahrgästen eingeklemmt gewesen, wäre sie zwischendurch immer mal wieder umgefallen. Als sie schließlich zu Hause ankam, fühlte sie sich wie nach einem Marathonlauf. In ihrem Kopf lärmte und hämmerte es wie auf einer Großbaustelle. Jetzt wollte sie nur noch ein Paracetamol und in ihr Bett.

Aber kaum hatte sie die Wohnungstür aufgeschlossen, fielen Jaromir und Cosima wie die Geier über sie her.

»Wo warst du?«

»Was fällt dir ein, einfach abzuhauen?«

»Wir sind vor Sorgen fast umgekommen! Du egoistisches, kleines Monster.«

»Du hättest wenigstens mal anrufen können!«

Kati schaute mit glasigen Augen von einem zum anderen. »Seit wann muß ich mich denn bei euch abmelden, wenn ich die Wohnung verlasse? Und seit wann machen sich Teufel Sorgen?« Sie schob sich an den beiden vorbei in ihr Zimmer, streifte ihre Schuhe ab und ließ sich auf ihr Bett fallen.

»Du hast immer noch Fieber«, sagte Jaromir entrüstet.

»Deine Hörner sind verschwunden«, gab Kati zurück.

»Das ist mir auch schon aufgefallen«, sagte Cosima. »Aber man sagt nicht Hörner, man sagt Überbeine, Kati.«

»Schön«, sagte Kati. »Ich hoffe, das ist ein gutes Omen.«

»Wo warst du?« fragte Jaromir wütend. »Ich habe alle Krankenhäuser in der Stadt abgeklappert, und Cosima hat sämtliche Freunde und Bekannte angerufen. Keiner hatte was von dir gehört.«

Ihr kennt eben doch nicht alle meine Freunde und Bekannte, wollte Kati sagen, aber dann fiel ihr etwas Besseres ein.

»Ich war unter den Rheinbrücken«, sagte sie mit gesenkten Lidern. »Ich wollte mal sehen, wie es ist, dort zu schlafen. Schließlich werde ich ja bald dort landen. Dank dir, Jaromir, und dank deinem Freund Murphy. Wußtest du, daß die Bank meine Karte eingezogen hat?«

Jaromir machte, wie sie gehofft hatte, ein betroffenes Gesicht.

»Man schläft aber schlecht dort«, fuhr sie fort. »Zugig ist's und hart. Und die anderen sind nicht gerade freundlich zu einem. Und deshalb bin ich ehrlich dankbar, daß ich wenigstens jetzt noch ein Dach über dem Kopf habe. Wenn es euch nichts ausmacht, würde ich gerne schlafen, um diesen Luxus zu genießen, solange er noch dauert.« Sie kniff die Augen fest zusammen und zog sich die Decke bis unter das Kinn.

»Das ist jetzt bestimmt wieder so eine Finte wie das mit den Zigarrenspielen bei Professor Berlitz«, sagte Jaromir, aber in seiner Stimme schwang ein Hauch von Unsicherheit mit.

»Glaub es ruhig, wenn du dich dann besser fühlst«, flüsterte sie.

»Sieh mal, Kati, ich habe dir deine Schuhe wieder mitgebracht. Ich mußte die halbe Nacht Bahn fahren, ehe ich endlich die richtige erwischt hatte!«

»Ja«, sagte Cosima. »Jaromir war so damit beschäftigt, deine Schuhe wiederzufinden, daß er sich überhaupt nicht darum gekümmert hat, was ich in der Zwischenzeit mit Christoph angestellt habe. Und dabei investiert seine Firma schließlich eine Menge Geld in mich.«

»Das Geld investiert Jaromir selber«, sagte Kati. »Er ist eine Art Subunternehmer.«

»Also, das ist *wirklich* eine obskure Firma«, sagte Cosima. »Wenn ich du wäre, Jaromir, würde ich mir was Seriöseres suchen. Natürlich nach diesem Job, schließlich brauche ich noch mein Geld. Du, Kati, kann man vom Küssen einen Orgasmus bekommen?«

»Hm«, machte Kati nur und ließ die Augen fest zusammengekniffen.

Eine Hand legte sich auf ihre Stirn, Jaromirs Hand, wie an Größe und Gewicht unschwer zu erkennen war.

»Du löst besser mal ein Paracetamol auf, Cosima«, hörte sie ihn sagen.

»Hieß das nun ja oder nein?« fragte Cosima.

»Nun geh schon«, pflaumte Jaromir sie an. Kati hörte an ihren sich entfernenden Schritten, daß sie beleidigt war.

Als Cosima das Zimmer verlassen hatte, packte Jaromir Kati an den Schultern und schüttelte sie so unsanft, daß sie ihre Augen aufschlug.

»Du treibst mich noch in den Wahnsinn«, sagte er. »Das ist doch auch deine Absicht, oder?«

»Wie bitte?«

»Ach, komm schon, du kleines Monster. Du hast erkannt, daß ich es im Augenblick wirklich schwer habe. Diese menschlichen Gefühle machen mich fertig. Nicht mal auf die Arbeit kann ich mich konzentrieren.«

»Was für menschliche Gefühle?« fragte Kati. »Sprichst du wieder von deiner Verdauung?«

»Ich spreche von diesen entsetzlichen Gefühlen, die ich immer habe, wenn ich an dich denke. In einem Augenblick will ich dich erwürgen, im nächsten küssen. Auf jeden Fall will ich immer in deiner Nähe sein.« Jaromir kaute wütend auf seiner Unterlippe. »Das ist viel, viel schlimmer als ich es mir jemals vorgestellt habe.«

»Das ist eben *Liebe*«, sagte Cosima, die mit einem Glas sprudelndem Wasser zurück ins Zimmer kam.

Jaromir knurrte etwas Unverständliches.

»Wie bitte?« fragte Kati. Jetzt war es also doch passiert. Mitten im schwärzesten Chaos war ein Silberstreif am Horizont erschienen. Was Jaromir da eben beschrieben hatte, war exakt das, was sie auch für ihn empfand. Auf einmal erschien ihr der Gedanke, an ihrer Grippe sterben zu müssen, doch nicht mehr so reizvoll. Gierig schluckte sie das Paracetamol.

»Ich muß jetzt gehen«, knurrte Jaromir. »Ich muß Charmaines Eltern besuchen und sie überreden, auf den Wohltätigkeitsball zu kommen, um die Sache endlich zu einem unglücklichen Ende zu führen.«

»Was, Charmaines Eltern kommen auch zu dem Ball?« rief Cosima. »Vielleicht kannst du sie überreden, als Capt'n Kirk und Mister Spock zu kommen, dann käme ich mir als Klingone nicht ganz so blöd vor. Du Kati, kann man jetzt eigentlich vom Küssen einen Orgasmus bekommen oder nicht? Ich meine, das muß ich doch wissen, bevor ich mich noch mal in aller Öffentlichkeit küssen lasse.«

»Was hast du eigentlich die letzten zehn Jahre getrieben, wenn du dich mit Männern getroffen hast?« fragte Jaromir und nahm seine Lederjacke von Katis Sessellehne. »Schach gespielt?«

Kati sah mit Bedauern, wie der Silberstreif an ihrem Horizont sich wieder verdunkelte. Wenn er jetzt ging ...

»Ich habe mich höchst selten mit Männern getroffen«, antwortete Cosima. »Ich bin Jungfrau, wie du weißt.«

»Aber es wird dich doch wohl schon mal jemand geküßt haben?«

»Hier und da«, räumte Cosima ein. »Aber das war nie so ... Vielleicht, weil sie nicht diesen Klingonenkniff draufhatten.«

»Fährst du jetzt wirklich nach *Tirol?*« wollte Kati von Jaromir wissen.

»Jawohl«, sagte Jaromir. »Zig Kilometer mit dem Auto! Was für eine zeitraubende Angelegenheit. Aber was tut man nicht alles für seine Firma.«

Kati ließ einen lauten, enttäuschten Seufzer hören. Der Horizont war wieder stockdüster.

»Ich finde wirklich, daß du dein Engagement etwas übertreibst«, sagte Cosima tadelnd zu Jaromir. »Ich weiß gar nicht, warum du dir jetzt noch so viel Mühe gibst.

Christoph hat Charmaine doch längst den Laufpaß gegeben.«

»Das verstehst du nicht«, sagte Jaromir. »Außerdem – wer wollte denn eben noch unbedingt sein Geld haben?«

»Ach«, sagte Cosima. »Ich habe eigentlich schon genug verdient. Außerdem ist das mit mir und Christoph jetzt schon so weit fortgeschritten, daß ich mir komisch vorkäme, wenn ich Geld dafür nähme. Ich meine, dann müßte ich ihm fairerweise auch was dafür bezahlen, wenn er mit zu Bernadettes Hochzeit geht.«

»Jaromir?« Kati war plötzlich sehr feierlich zumute.

»Was?«

»Wenn du wieder für deine Firma arbeitest – ich meine, mit allen Vergünstigungen und so –, was wird dann aus uns?«

»Mit uns? Da wird sich nichts ändern. Oder nur zum Positiven«, sagte Jaromir, sah sie aber dabei nicht an. »Denn wenn ich wieder ... äh« – er warf einen kurzen Seitenblick auf Cosima – »wieder einen höheren Posten bekleide, wird es auch dir zugute kommen.«

»Und ich dachte, wir ... sind Freunde«, sagte Kati etwas verlegen.

»Und ich dachte, ihr seid ein *Liebespaar*«, sagte Cosima überhaupt nicht verlegen.

»Natürlich sind wir ein Lie-, liebe Freunde«, sagte Jaromir. »Wenn ich nicht gewisse Gefühle für dich hegte, wäre ich wohl kaum die ganze Nacht Bahn gefahren, um nach einem blöden Paar Schuhe zu suchen. Andererseits darf man nicht vergessen, daß ich immer noch ein Teu- ein Teil meiner Firma bin.«

»Du wirst also ab und an auftauchen, wenn ich in der

Badewanne liege, und mir einen Job anbieten«, malte sich Kati traurig aus. »Wenn ich annehme und der Job erledigt ist, verschwindest du für ein paar Jahre, wenn ich nicht annehme, machst du mir ein paar Wochen lang das Leben zur Hölle – ist das deine Vorstellung von Lie-, Freundschaft?«

Jaromir schwieg.

Cosima, die das Gespräch mit Spannung verfolgt hatte, sagte: »Also, die Arbeit für deine ominöse Firma wird dir doch am Ende nicht wichtiger zu sein als Kati?«

»Nein!« Jaromir schüttelte den Kopf. »Ich meine, ja. Doch. Schon. Arbeite du mal ein paar hundert Jahre im gleichen Laden – da stellt sich eben eine gewisse Bindung ein. Und nur weil ich jetzt ein paar Wochen diesen verwirrenden Gefühlen ausgesetzt bin, kann ich doch nicht die Arbeit von Jahrhunderten einfach wegwerfen.«

»Wenn es dir schon wie *Jahrhunderte* vorkommt, wird es höchste Zeit für einen Wechsel«, sagte Cosima energisch. »Man lebt ja schließlich nicht ewig.«

»Das kommt dazu«, seufzte Jaromir und sah Kati bittend an. »Wieso können wir nicht einfach da weitermachen, wo wir aufgehört haben?«

»Du weißt genau, warum nicht«, sagte Kati. »Deine sogenannten verwirrenden Gefühle werden sich verflüchtigen, wenn du wieder der alte bist – und die Sache mit der Ewigkeit finde ich auch nicht prickelnd. Es wird mir gehen wie Wendy mit Peter Pan. Während sie alt und grau wird, bleibt Peter ein Spielkind und treibt Schabernack mit seinem Schatten und Käpt'n Hook.«

»Und dieser kleinen, niedlichen Elfe«, steuerte Cosima bei, obwohl sie dem Gespräch nicht mehr ganz folgen konnte. Wieso glaubte Kati, sie würde schneller alt werden als Jaromir? Bekanntlich alterten Blondinen weniger schnell als Brünette. Und graue Haare würden in Katis blonden Locken kaum auffallen. Ungerecht!

»Außerdem glaube ich nicht, daß deine Firma es gern sieht, wenn du dich mit mir aus purer Freundschaft triffst«, fuhr Kati fort. »Ich wette, Bindungen dieser Art sind bei euch verboten.«

»Das kriege ich schon hin«, sagte Jaromir, spielte aber unschlüssig mit der Türklinke in seiner Hand.

Kati schüttelte den Kopf. »Ich sag dir jetzt was, Jaromir. Wenn du zu deiner Firma zurückgehst, brauchst du hier nicht mehr aufzutauchen.«

»Komm schon, Kati, du weißt, daß ich jederzeit hier auftauchen kann, ob du willst oder nicht. Versuch also gar nicht erst, mich damit zu erpressen.«

»Das ist keine Erpressung, das ist ein ganz gewöhnlicher Konjunktionalsatz.« Kati mußte mit Gewalt die Tränen zurückhalten. »Wenn du zu deiner Firma zurückkehrst, bist du die längste Zeit mein Freund gewesen. Auch wenn du zweifellos jederzeit hier auftauchen kannst – du wirst nicht mehr willkommen sein.« Der Satz hing eine Weile dramatisch in der ohnehin schon dicken Luft herum. Kati schloß vor lauter Spannung ihre Augen.

»Wenn das so ist, gehe ich jetzt besser gleich«, hörte sie Jaromir schließlich sagen. Und dann fiel die Tür hinter ihm ins Schloß.

Kati fing an zu schluchzen.

»Konjunktionalsatz« sagte Cosima. »Nie gehört. Aber

muß ich mir merken. Falls ich Christoph irgendwann mal ganz schnell loswerden will, muß ich nur so einen Konjuktionalsatz sprechen – und schwupps ist er ab durch die Tür.«

Das Telefon klingelte in den nächsten zwei Stunden viermal, dreimal davon war es für Kati, einmal, das erste Mal, für Cosima.

»Ich kann jetzt gerade nicht, Mama«, sagte Cosima. »Meine Mitbewohnerin heult sich die Augen aus dem Kopf, und es sind keine Taschentücher mehr im Haus.«

»Ich wollte auch nur ganz schnell den Namen des Diätschleims durchgeben, den Tante Regina mir empfohlen hat«, sagte ihre Mutter, aber Cosima legte einfach den Hörer auf. Diätschleim – als ob sie so etwas nötig hätte! Bei ihrem nächsten Sonntagsbesuch würde sie einen engen schwarzen Schlauch anziehen, damit ihre Mutter sah, daß sie keine Diät nötig hatte, sondern ein ordentliches Mittagessen!

Der ewig Besoffene gegenüber freute sich sichtlich, als Cosima zur Tür seines Kiosks hereinkam.

»Mensch, Schnucki, ich hab dich vermißt. Warste in Urlaub?«

»Ja«, sagte Cosima und legte eine Großpackung Tempotaschentücher auf den Tresen.

»Auf 'ner Schönheitsfarm, was?« Der ewig Besoffene taxierte sie von oben bis unten. »Bist ja eine richtige Bohnenstange geworden, ohne Arsch und Tittchen wie Schneewittchen.«

»Vielen Dank«, sagte Cosima geschmeichelt. Hach, das Leben war einfach toll!

»Schokolade willst du wohl jetzt auch keine mehr kaufen, wie?«

Cosima schüttelte den Kopf. »Aber Sie können mir welche von den zuckerfreien Kaugummis dort geben.« Sie genoß die enttäuschten Blicke des ewig Besoffenen auf ihrem Hintern, als sie den Kiosk verließ.

»Hast du Schokolade mitgebracht?« heulte Kati sie an, als sie ihr die Taschentücher brachte.

»Nein«, verwahrte sich Cosima. »Schokolade ist keine Lösung, glaub mir. Willst du nicht mal aufhören zu weinen? Wenn Jaromir zurückkommt, könnt ihr doch noch mal in aller Ruhe über alles reden.«

»Dann ist es zu spät. Das verstehst du nicht, Cosima!«

Das Telefon klingelte zum zweiten Mal.

»Es ist Julian«, sagte Cosima.

Kati heulte noch ein bißchen lauter. »Sag ihm, ich hätte ihn wirklich lieb«, schniefte sie. »Aber mein Herz wurde mir von einem anderen gebrochen und kann nie wieder zusammenwachsen.«

»Julian sagt aber, er habe gute Nachrichten«, sagte Cosima.

»Keine Nachricht ist gut für mich«, schluchzte Kati. »Es sei denn, jemand hätte die Hölle in die Luft gesprengt.«

Cosima teilte Julian diese Äußerung mit und vertröstete ihn auf später. Dann versuchte sie es bei Kati mit einem Liebeskummertrostklassiker: »Also, *so* toll ist Jaromir nun auch wieder nicht. Andere Mütter haben auch schöne Söhne.«

»Haben sie nicht«, jaulte Kati auf. »Ach, das verstehst du nicht.«

Als nächstes rief Tante Alicia an.

»Kati ist leider zur Zeit unpäßlich, auch wenn Sie

gute Nachrichten zu überbringen hätten«, sagte Cosima. »Versuchen Sie es gleich noch mal.«

Kati schüttelte den Kopf.

»Nein, besser morgen«, sagte Cosima und legte auf. »Kati, von mir aus hole ich dir auch Schokolade, aber hör doch um Gottes willen auf zu flennen.« Und dann fügte sie noch einen weiteren Klassiker hinzu: »Kein Mann ist es wert, daß man so um ihn weint.«

»Das verstehst du nicht«, schluchzte Kati wieder. »Hier sind übersinnliche Gesetzmäßigkeiten am Werk.«

»Komm mir jetzt nicht wieder mit diesem Murphy«, sagte Cosima.

»Mit Murphy hat das überhaupt nichts zu tun«, schluchzte Kati. »Ach, aber das verstehst du nicht.«

Das Telefon klingelte.

»Hier ist der Anschluß von Cosima-das-verstehst-du-nicht-Schmitz«, sagte Cosima in den Telefonhörer.

»Und hier ist Onkel-was-für-eine-pseudowitzige-Telefon-ansage-Luis«, sagte jemand am anderen Ende der Leitung. »Ist Kati zu sprechen, du kleine Schlampe? Sie ist nämlich meine Nichte.«

Cosima trug das Telefon zu Kati an das vollgeheulte Bett.

»Es ist dein Onkel Luis«, flüsterte sie und hielt Kati den Hörer hin. »Er klingt aber ehrlich gesagt wie eine Frau. Eine ziemlich unhöfliche Frau.«

Kati hörte zu Cosimas Erstaunen auf zu weinen und streckte die Hand nach dem Hörer aus.

»Geschlechtsumwandlung«, flüsterte sie. »Das war früher meine Tante Luise.«

»Oh«, machte Cosima. »Deine Familie ist wirklich immer wieder für Überraschungen gut.«

Kati putzte sich geräuschvoll die Nase. »Was gibt's denn, Onkel Luis?«

»Dein lieber Onkel war den ganzen Tag fleißig«, sagte Charmaines Stimme an ihrem Ohr. Sie klang erstaunlich gut gelaunt. »Am besten kommst du hierher und siehst, was ich alles getan habe, um uns den Teufel vom Hals zu halten.«

Kati hatte eine Vision von Charmaines Villa, wie sie über und über mit Knoblauchkränzen und Holzkreuzen ausstaffiert worden war.

»Ich bin immer noch krank«, sagte sie.

»Das ist aber schade«, fand Charmaine. »Also, mir geht es bestens. Von deiner Grippe keine Spur. Und auch sonst bin ich voller Zuversicht.«

»Keine Pläne mehr über Irokesenfoltern und ähnliches?« fragte Kati.

»Absolut nicht«, erklärte Charmaine. »Soll er doch mit seiner neuen Mieze glücklich werden. Wie ist sie denn so?«

»Hm«, machte Kati mit einem Seitenblick auf Cosima. »So ein Winona-Rider-Typ, nur mit dickerem Hintern und größerer Nase. Ziemlich geizig, nachtragend und naiv. Und Jungfrau.«

»Herrje, das paßt nun überhaupt nicht zu Christoph«, sagte Charmaine. »Er ist Zwilling, sehr schwierig.«

»Ich meinte nicht das Sternzeichen«, sagte Kati und hielt die Sprechmuschel zu. »Onkel Luis will immer alles ganz, ganz genau wissen«, flüsterte sie Cosima zu.

Charmaine am anderen Ende der Leitung war verdächtig still. Schließlich sagte sie: »Ich glaube, ich trinke jetzt doch ein ganz winziges Schlückchen Champagner, auf den Schreck.«

»Aber nicht zu viel«, warnte Kati und erinnerte sich an ein altes Sprichwort, bevor sie auflegte: »Alkohol öffnet dem Teufel Tür und Tor.«

»Genau, was ich auch immer sage«, meinte Cosima. »Dein Onkel – Tante? – guckt wohl auch mal gelegentlich etwas tiefer ins Glas, hm?«

»Wir Gluboschinskis sind alle ziemlich trinkfest«, sagte Kati, legte sich zurück und fing wieder an zu heulen.

Mitten in der Nacht klingelte das Telefon erneut. Kati und Cosima stießen im Flur beinahe zusammen, als beide schlaftrunken nach dem Telefon greifen wollten.

»Laß mich«, sagte Kati. »Vielleicht ist es ja Jaromir, der es sich anders überlegt hat.«

Aber ihre Hoffnungen wurden nicht erfüllt.

»Wenn diese Ziege nicht als Jungfrau sterben will, dann muß sie sich beeil'n«, lallte Charmaines Stimme am anderen Ende der Leitung. »Ich überfahr' sie nämlich mit mei'm Auto, und dann ist da nichts mehr, was der verdammte Mistkerl –«

»Onkel Luis«, sagte Kati streng. »Ich habe dir doch gesagt, daß du nicht zu viel trinken sollst.«

»Unverschämtheit, mitten in der Nacht«, zischte Cosima. »Wo ich gerade so schön geträumt hatte!« Türknallend verschwand sie wieder in ihrem Zimmer.

»Ich habe nur zwei Flaschen Champagner getrunken«, sagte Charmaine. »Und es ist immer noch genug davon da. Willze nich komm' un mittrinken? Ich hab' mir überlegt, daß ich dem Teufel auch ein' Gefallen tun kann und 'nen kleinen Amoklauf veranstalten. Ich mein', was soll der Geiz? Himmel oder Hölle, das bleibt sich doch am Ende gleich. Ich hab' hier noch 'ne schöne Gaspistole, mit der erschieß ich zuerst Christoph. Den erschieße ich gleich zweimal, das hat er verdient! Und dann seine Jungfrau. Und dann seine Mutter. Und dann setz ich mich in mein Auto und fahr runter nach Hintergamslingen und mach den Hoteliersbub nieder. Nein, den mache ich nicht nur nieder, für den ist auch die Irokesenfolter noch zu harmlos. Kuhlinde, hat er mich genannt, Kuhlinde ...«

Kati holte tief Luft. Genau an diesem Punkt waren sie doch gestern schon mal gewesen. Aber Charmaine war durchaus zuzutrauen, daß sie tatsächlich ihre Gaspistole hervorkramte und Christoph einen Besuch abstattete. Jaromirs Firma würde triumphieren! Und irgendwie gönnte Kati ihr das nicht.

»Ich komme«, sagte sie müde in den Hörer. »Warte auf mich Kuhli-... coole Charmaine.«

Die Einfahrt und die Villa lagen im Stockdustern, nirgendwo war ein Licht zu sehen.

»Eine Sekunde bitte«, sagte Kati zum Taxifahrer und stieg aus dem Wagen.

»Dat süht mir nicht danach us, als tät hierens jemand zu Huss sin«, sagte der Taxifahrer skeptisch. »Isch will mein Jälld ävver trotzdem, un' zwar flück, wenn et jeht.«

Kati klingelte Sturm an Charmaines Tür. »Was meinten Sie, wer hier unter einer Husse singt?«

»Isch sachte, dat süüt mir nit ens so us, als ob hier jämand zu Huss wör«, sagte der Taxifahrer. »Und dat isch dat Jälld sehen will, und zwar flück.«

»Sie wollen sich was Gelbes pflücken?« Im Haus rühr-

te sich nichts. Kati ließ den Finger auf dem Klingel-
knopf und erzeugte ein unangenehmes Dauertüten.

»Sach mal, Mädschen, willste misch verhonepipeln?
Isch will dat Jälld.«

»Dat Jälld, ja«, wiederholte Kati und biß sich auf die
Unterlippe. »Das Geld ist da drinnen.«

»Jo, und mir hier drussen«, stellte der Taxifahrer klar.
»So kommen mir nit wigger. Isch will nit die janze
Naach hier stonn.«

»Ja, meinen Sie denn, *ich?*« Kati hörte auf zu klingeln.
Entweder Charmaine war bereits losgezogen, um Christoph mit der Gaspistole mehrfach zu morden, oder sie
lag da drinnen irgendwo auf dem Teppich und war be-
wußtlos bis tot. Keine von beiden Varianten gefiel Kati.

»Se hann also kein Jälld«, fing der penetrante Taxifahrer wieder an.

»Nein, ich habe aber andere Probleme«, pflaumte Kati
ihn an.

»Wertjegenstände? Rolex, Ehering, Handy?« erkundigte sich der Taxifahrer geschäftmäßig.

»Ja, genau, ich hab ja ein Handy«, schrie Kati und zog
es aus ihrer Handtasche.

»Jut, dat reischt dann fürs erste«, sagte der Taxifahrer.
»Wennse mir morjen dat Jälld bringen, kriegen Sie's
zurück.«

»Hey, Finger weg«, sagte Kati. Sie überlegte krampfhaft, wen sie anrufen könnte. Die Auswahl war ziemlich mickrig. Sie mußte an ein Zitat von Marlene Dietrich denken, das sie mal irgendwo gelesen hatte: »Die
Freunde, die man morgens um vier Uhr anrufen kann,
die zählen.« Cosima war in einer solchen Situation wenig hilfreich, sie neigte zu hysterischen Anfällen. Und

Jaromir war in Tirol. Vielleicht sollte sie einen Schlosser anrufen und erzählen, sie habe ihren Schlüssel drinnen stecken lassen – oder gleich die Feuerwehr?

»Allmählich tu isch die Jedulld mit Ihnen verlieren«, erklärte der Taxifahrer.

Kati wählte kurzentschlossen Julians Nummer. Glücklicherweise war er zu Hause – na ja, wo sollte er um drei Uhr nachts auch sonst sein?

»Julian, hier ist Kati. Ich stehe hier vor Charmaines Haus, und sie macht mir nicht die Tür auf«, sagte sie, während sie versuchte, dem Taxifahrer auszuweichen, der Anstalten machte, ihr das Handy mit Gewalt zu entwenden.

»Hm?« machte Julian nur. Nachts um drei schien er nicht der Schnellste zu sein.

»Sie hat eine Gaspistole und schrecklichen Liebeskummer wegen Christoph«, fuhr Kati fort und schlug mit ihrer freien Hand auf den Taxifahrer ein. »Jetzt fürchte ich, daß sie sich oder jemand anderem etwas angetan hat. Kannst du herkommen? Hey, jetzt lassen Sie mich doch wenigstens noch in Ruhe telefonieren, Sie Grobian.«

»Jeben Sie dat Ding endlisch her, oder isch ruf die Bullen«, keuchte der Taxifahrer, bog Katis Arm hinunter und nahm ihr das Handy aus der Hand.

Kati gab auf. »Nehmen Sie's halt mit, Sie Leichenfledderer. Aber kommen Sie bloß nicht auf die Idee, auf meine Rechnung zu telefonieren!«

Der Taxifahrer knurrte noch etwas Unverständliches, setzte sich in seinen Wagen und fuhr so schnell davon, daß Kati der Kies um die Ohren flog.

»Flegel«, sagte sie. Dann setzte sie sich auf die Treppenstufen vor dem Eingang und wartete.

Gerade als sie schon fest überzeugt war, daß Julian wieder eingeschlafen war und das Telefonat am nächsten Morgen für einen schlechten Traum halten würde, bog sein alter Polo um die Ecke.

»Da bist du ja wirklich«, sagte Julian. »Und ich habe schon gehofft, das sei nur ein schlechter Scherz.«

»Nein, kein Scherz. Charmaine hat mich mitten in der Nacht angerufen, um mir zu sagen, daß sie irgendwelche schlimmen Dinge mit einer Gaspistole anstellen will, und als ich hierher kam, hat niemand aufgemacht.«

»Daß sie das mit Christoph so schwer nimmt, hätte ich nicht gedacht«, sagte Julian. »Sie macht immer so einen distanzierten und souveränen Eindruck.« Er begann einen Rundgang ums Haus, um nach einem offenen Fenster Ausschau zu halten. »Ich hätte nicht mal gedacht, daß sie Christoph wirklich liebt. Woher kennt ihr beiden euch eigentlich?«

»Das ist jetzt nicht so wichtig«, sagte Kati. »Sieh mal, das Fensterchen steht auf Kipp. Wenn du mich hochhebst, kann ich versuchen, es auszuhebeln.«

Julian stemmte sie zu dem kleinen Sims hinauf.

»Ich hab's«, sagte Kati. »Aber ich trau mich nicht reinzuklettern. Vielleicht hält Charmaine mich für einen Einbrecher und erschlägt mich mit einer Champagnerflasche.«

»Vielleicht liegt sie aber auch schon tot irgendwo herum«, sagte Julian. »Ich verstehe nicht, wieso keine Alarmanlage losheult. Da könnte ja jeder einsteigen.«

Kati konnte sich immer noch nicht entschließen, das Haus zu betreten. »Charmaine sagt, du bist Franke von *Franke und Dublitzer*. Stimmt das?«

Julian errötete in der Dunkelheit. »Ja«, sagte er leise.

»Aber dafür brauchst du dich doch nicht zu schämen«, sagte Kati. »Das ist ein toller Laden. Ich hab als Schülerin mal da gejobbt, in der Abfüllanlage. Ich habe noch Wochen später nach Kakao gerochen. Aus jeder Pore hab' ich Schoko- und Vanilleduft geschwitzt. Die Jungs waren in der Zeit alle ganz wild hinter mir her. Mann, wenn dir der Laden gehört, bist du ein ziemlicher Glückspilz. Warum tust du dir den Job bei Berlitz an?«

»Tu ich ja nicht mehr«, sagte Julian. »Ich hab' ihm heute die Brocken vor die Füße geschmissen.«

»Oh, war das die gute Nachricht, die du mir heute Nachmittag am Telefon mitteilen wolltest?«

»Nein, die gute Nachricht ist, daß du nicht von der Uni fliegst. Ich habe Berlitz gesagt, wenn er dich auffliegen läßt, dann lasse ich ihn auch auffliegen. Schließlich ist das mein Artikel, für den er geehrt werden soll, und das kann ich beweisen.«

»Mann«, rief Kati. »Das ist ja irre! Und da ist er drauf eingestiegen?«

»Nicht sofort«, sagte Julian. »Zuerst hat er den Arroganten gemimt und gesagt: Mein lieber Junge, wenn du das machst, bist du deinen Job los. Und ich sorge dafür, daß du nirgendwo mehr einen bekommst. Tja, da mußte ich ihm wohl mitteilen, daß ich bereits einen Job hätte, und zwar als Geschäftsführer von *Franke und Dublitzer*. Vielleicht sei ihm ja aufgefallen, daß mein Nachname zufällig Franke sei.«

»Gut so«, freute sich Kati. »Sicher sind ihm die Augen aus dem Kopf gefallen.«

»O ja«, sagte Julian. »Er wurde plötzlich äußerst kooperativ. Es wird dich sicher freuen, daß du für deine

Hausarbeit nun immer noch eine glatte Eins angerechnet bekommst.«

»Hey«, rief Kati. »Sieht so aus, als hast du soeben den guten alten Murphy aus meinem Leben geschmissen! Das ist mehr als Glück im Unglück, das ist die entscheidende Wende. Aus dem Pechvogel Kati wird wieder der Glückspilz Kati.«

»Wie schön für Kati«, sagte eine verwaschene Stimme aus dem Zimmer unter ihr. »Aber was ist mit mir?«

Kati mußte lachen.

»Es ist Charmaine«, sagte sie zu Julian. »Und sie lebt. Was machst du denn hier im Dunkeln, Charmaine? Und warum hast du uns nicht die Tür aufgemacht?«

»Ich mußte mal eben ein paar Flaschen Champagner auskotzen«, erklärte Charmaine und machte das Fenster auf.

Kati hopste ins Zimmer und drückte auf den Lichtschalter.

»Man sieht's.« Sie rümpfte die Nase und sah sich in dem luxuriösen Badezimmer um, in dem sie gelandet war. »Die Gaspistole, wo hast du die?«

»Nicht gefunden«, sagte Charmaine. »Hab' überall gesucht, aber es sollte wohl nicht sein.«

»Hey, ihr da drinnen«, schrie Julian. »Soll ich hier etwa erfrieren?«

»Wer ist das? Etwa Julian?« Charmaine sah ein wenig erschrocken drein und schnitt ihrem Spiegelbild eine Grimasse. »Ausgerechnet! Ich sehe doch aus wie ein Haufen Scheiße.«

»Du bist nur ein bißchen blaß«, sagte Kati. »Aber wenn du willst, schick ich Julian wieder weg.«

»Bist du verrückt? Man schickt doch 18,5 Millionen

nicht einfach weg!« Charmaine klatschte sich jede Menge kaltes Wasser ins Gesicht. »Das mußt du noch lernen, Kati. Wenn aus dir was werden soll, mußt du dir das Motto der Pfadfinder zu eigen machen: Jederzeit bereit!«

»Ich dachte, das sei: Jeden Tag 'ne gute Tat«, sagte Kati.

Julian erschien in der Fensteröffnung. »Ich bin so frei«, sagte er. »Charmaine, bist du das?«

»Ja und nein«, sagte Kati.

Charmaine trocknete sich das Gesicht ab und versuchte ein schiefes Lächeln. »Ohne Make-up und nachdem ich mir die Seele aus dem Leib gekotzt habe, sehe ich eben ein wenig anders aus.«

Julian betrachtete sie staunend.

»Verblüffend«, sagte er. »Jetzt sehe ich zum ersten Mal, daß du Sommersprossen hast.«

»Ach, die lästigen Dinger«, Charmaine seufzte. »Die hab' ich von meiner Mutter.«

»Charmaines Mutter ist eine Bäuerin«, schaltete sich Kati ein. »Und ihr Vater ist ein Bauer. Sie haben eine Menge Kühe, nicht wahr, Charmaine?«

»Nur dreiundzwanzig«, sagte Charmaine mürrisch. »Aber elf davon sind preisgekrönt. Unsere Malwine gibt mehr Milch als alle anderen Kühe in Hintergamslingen.«

»Wie bitte?« Julian schaute hilflos von einer zur anderen. »Ihr wollt mich wohl verschaukeln.«

»Ja«, sagte Charmaine, und Kati sagte: »Nein.« Zu Charmaine meinte sie: »Weißt du, Charmaine, wenn einer die Wahrheit über dich erfahren sollte, dann ist das Julian.«

»Aber er wird mich nicht mehr mögen, wenn er weiß, daß ich in Wirklichkeit Kuhlinde heiße.«

»Heidelinde«, verbesserte Kati sanft.

»Schöner Name«, sagte Julian. »Sind deine Eltern wirklich Bauern?«

»Ja, und Wirtsleut'«, ergänzte Charmaine. »Im Sommer.«

»Und nicht adelig sind sie auch noch«, sagte Kati. »Charmaine von Zanger ist nur ein Künstlername.«

»Wahnsinn«, sagte Julian. »Und ihr habt wirklich dreiundzwanzig Kühe zu Hause? Kannst du melken?«

»Machst du Witze?« Charmaine warf sich in die Brust. »Vor dir steht die dreimalige Melkkönigin von Hintergamslingen!«

»Wahnsinn«, sagte Julian wieder. »Und Christoph hat von alledem nichts gewußt?«

»Nein«, sagte Charmaine. »Der wußte nur mein Golfhandycap zu schätzen und bewunderte, daß ich alle Champagnersorten an ihren Perlen erkennen kann. Apropos, Champagner. Habt ihr Lust auf ein Gläschen?«

Als Kati zu Hause ankam, war es bereits hell. Sie war unendlich müde und zugleich hellwach. Muprhys Gesetz hatte seine Herrschaft über ihr Leben verloren – sie konnte unbehelligt ihr Studium zu Ende machen, und einen Job hatte sie auch wieder. Julian hatte versprochen, ihr einen gutbezahlten Semesterjob bei *Franke und Dublitzer* zu besorgen, einen, bei dem sie nicht nach Kakao riechen würde. Er und Charmaine hatten bereits die zweite Flasche Champagner geköpft, als Kati gegangen war. Charmaine war ungewöhnlich guter Dinge gewesen, als sie bemerkt hatte, daß Julian ganz fasziniert von ihrer Bergbauernherkunft war.

Möglicherweise war er ja nicht der einzige, dem das imponierte. Sie hatte beschlossen, sich auf der Wohltätigkeitsgala im November öffentlich als unadelige Bauerntochter zu outen – Angriff, so sagte Julian, sei nämlich immer noch die beste Verteidigung.

Kati fand, es hatte sich alles zum Besten gefügt. Na ja, fast alles. Natürlich würde es eine Weile dauern, sich von den Geschehnissen der letzten Wochen zu regenerieren, aber das Leben ging weiter. Irgendwie würde sie es schon schaffen, das Beste daraus zu machen.

Nur Jaromir würde ihr fehlen.

Ihr zerwühltes Krankenlager sah wenig einladend aus. Überall lagen die vollgeheulten Taschentücher herum, und es roch ziemlich muffig. Sie öffnete die Fenster weit, um die frische Morgenluft hereinzulassen, und sammelte allen Abfall auf. Anschließend überzog sie das Bett frisch und warf die alte Bettwäsche in die Waschmaschine.

Ihr Blick fiel auf die Badewanne. Ein ausgiebiges heißes Bad würde die Murphy-Periode würdig ausklingen lassen und den kommenden Lebensabschnitt gebührend einläuten. Ein Bad war immer noch das beste Patentrezept gegen alle Arten körperlichen Unwohlseins, gegen Kummer oder Zweifel.

Zur Feier des Tages löste Kati ihre Lieblingsbadekugeln mit Himbeeraroma im Wasser auf. Als sie sich ihrer Kleider entledigt und im heißen Schaum Platz genommen hatte, überkam sie ein äußerst wohliges Gefühl. Sie nahm die Sisalbürste in die Hand und schrubbte sich genüßlich den Rücken.

»Bye-bye, Murphy«, sagte sie und schloß die Augen.

Und dann, unendlich traurig, setzte sie hinzu: »Bye-bye, Jaromir. Hello, lonelyness.«

»Was heißt hier bye-bye? Wieder mal stockbesoffen, was?«

Kati wäre vor Schreck beinahe unter Wasser gerutscht.

Jaromir. Er war also wieder da. Fragte sich nur, in welcher Rolle. Sie klappte ihre Lider auf und blickte direkt in ein Paar dunkelgrüne Augen. Das schönste Paar dunkelgrüne Augen, das sie kannte, auch wenn sie so müde dreinschauten wie jetzt.

Beinahe hätte sie die Arme um Jaromirs Hals geschlungen, aber sie nahm sie zurück und fragte beinahe kühl: »Du bist schon wieder da? Solltest du nicht in Tirol sein und Heidelindes Eltern besuchen?«

»Sollte ich wohl, ja«, sagte Jaromir. »Aber dieser Job ist wirklich eine Zumutung. Ich fahre eine Überstunde nach der anderen und krieg nicht mal Benzingeld. Und Spaß macht es auch keinen. So sollte Arbeit wirklich nicht sein. Ich habe mich entschlossen zu kündigen. Soll sich doch jemand anders um Charmaines schwarze Seele kümmern.«

»Aber das bedeutet, daß du von jetzt an nie wieder durch Wände gehen kannst«, sagte Kati, die dieser unerwarteten Wendung des Schicksals nicht so recht trauen wollte. »Nie wieder Gedanken lesen, nie wieder an zwei Orten gleichzeitig sein. Und nie wieder Hörner haben.«

»Pah«, machte Jaromir. »Die blöden Dinger haben mich ohnehin immer gestört. Man kann damit keine vernünftige Kappe aufsetzen, lästig, sehr lästig.«

»Genau, wie die Gefühle, über die du dich beklagt hast«, sagte Kati.

»Es ist schon lästig, menschliche Gefühle zu hegen«, gab Jaromir zu. »Aber auf *ein* Gefühl wollte ich auf keinen Fall mehr verzichten. Kati ...«

Kati stiegen die Tränen der Rührung in die Augen. »Aber Liebe kann auch ganz schön wehtun«, sagte sie.

»Hey, nur nicht sentimental werden«, sagte Jaromir. »Du solltest wirklich weniger trinken, Kati. Ihr Globoschinskis seid allesamt Kandidaten für Leberzirrhose.«

»Ich bin stocknüchtern«, verteidigte sich Kati. »Ausnahmsweise. Ich weine vor Glück, nicht vor Alkoholduselei.«

»Na, das ist wohl etwas, das ich noch lernen muß«, sagte Jaromir. »Vor Glück weinen! Haha. Wir werden es nicht gerade leicht haben, wir beide, jetzt wo ich arbeitslos bin. Und konfessionslos auch, wenn man so will.«

»Und außerdem wirst du Falten bekommen und alt werden! Willst du das Elend wirklich auf dich nehmen?«

»Ja, denn zum Glück muß ich es ja nicht allein ertragen«, erwiderte Jaromir und griff mit beiden Händen in den Badeschaum.

Katis Füße begannen zu kribbeln.

»Ich weiß, was jetzt kommt«, sagte sie voller Vorfreude. »Du wirst mich zu einer Kutsche schleppen und dort rücklings auf die roten Polster werfen. Und während Johann, der Kutscher, die Schimmel über einen holperigen Feldweg jagt, wirst du mich küssen.«

»Falsch«, sagte Jaromir und zog sie aus der Wanne. »Ich schleppe dich nach nebenan aufs Bett. Und dann lege ich mich daneben und schlafe mich gründlich aus. Ich bin schließlich zehn Stunden non stop Auto gefahren – einmal nach München und wieder zurück. Das schlaucht den stärksten Organismus. Vermutlich schnarche ich wie ein Ochse.«

Kati quiekte leise, als er sie, naß wie sie war, auf die Arme hob. »Cosima wird schimpfen, wenn sie die Überschwemmung sieht, die du angerichtet hast«, sagte sie noch, bevor sie auf ihrem frisch überzogenen Bett landete.

»Wieso hast du dich eigentlich erst in München entschlossen, den Job hinzuschmeißen?« wollte sie fragen, aber da begann Jaromir, sie zu küssen. Offenbar war er doch noch nicht so müde, wie er gesagt hatte. Und das Küssen hatte er auch nicht verlernt.

Etwas entglitt Katis Händen und fiel unbemerkt auf den Boden. Es war die Sisalbürste.

Paula Renzi

Kein Schwein ruft mich an

ROMAN

Lieber neu starten als am Telefon warten – In dieser verrückten Wohngemeinschaft geht alles drunter und drüber.

Ein Tag der Katastrophen: Zuerst wird Katharina gefeuert, dann findet sie den Mann, den sie bisher immer für Mr. Wonderful gehalten hatte, im Bett mit der Putzfrau! Da hilft nur eins: die Wohnung ausräumen, einschließlich der Wertsachen des Ex, und in der WG einer Freundin neu anfangen.

Doch das ist nicht so einfach: Hier blockieren nicht nur lauter schräge Typen permanent Bad und Telefon, sondern auf dem Gang liegt ein Schlafsack herum – mit einem Mann darin, über den Katharina schon bald stolpert ...

ISBN 3-404-16202-1

BASTEI
LÜBBE

Ministerialratsgattin Susi hat ein Liebesleben nach Fahrplan, zwei nervende Söhne und eine geistig verwirrte Großmutter. Außerdem liebt ihre Schwiegermutter Wagner, und der Familienhund Tannhäuser pflegt eine geradezu fetischhafte Fixierung auf Omas Gebiss.

Was könnte da noch fehlen? Ein toter Briefträger im Vorgarten, erstochen mit einer angefeilten Luftpumpe von Susis fünfjährigem Sohn, zum Beispiel! Jetzt schnüffelt auch noch der mißtrauische Kommisar Bohrer im Haus herum, und das ausgerechnet heute, wo doch Ministers persönlich zum Essen kommen wollten!

Am Ende legt Susi als Detektivin wider Willen ganz nebenbei einer Rauschgiftbande das Handwerk, der Ministerialrat hat putzen gelernt und ist jetzt auch mit Sex auf dem Küchentisch einverstanden.

ISBN 3-404-16183-1